法理学的世界

法律文化研究文丛

主编

梁治平

法律文化研究文丛

法理学的世界

陈弘毅

中国政法大学出版社

图书在版编目(CIP)数据

法理学的世界/陈弘毅著.—北京:中国政法大学出版社,2002.11
ISBN 7-5620-2296-8

Ⅰ.法… Ⅱ.陈… Ⅲ.法理学—文集
Ⅳ.D90-53

中国版本图书馆 CIP 数据核字(2002)第 088934 号

书　　名	法理学的世界
出 版 人	李传敢
出版发行	中国政法大学出版社
经　　销	全国各地新华书店
承　　印	清华大学印刷厂
开　　本	880×1230mm　1/32
印　　张	14.5
字　　数	340 千字
版　　本	2003 年 1 月第 1 版　2003 年 1 月第 1 次印刷
印　　数	0 001～4 000
书　　号	ISBN 7-5620-2296-8/D·2256
定　　价	30.00 元

社　　址　北京市海淀区西土城路 25 号　邮政编码　100088
电　　话　(010)62229563　(010)62229278　(010)62229803
电子信箱　zf5620@263.net
网　　址　http://www.cupl.edu.cn/cbs/index.htm

☆☆☆☆☆

声　　明　1. 版权所有,侵权必究。
　　　　　2. 如发现缺页、倒装问题,请与出版社联系调换。

主编者言

《法律文化研究文丛》自1996年问世以来，已经出版著作10种，其中有专著、文集、译著等，内容涉及法律理论、法律史、比较法、法律社会学、法律人类学等。原"编者说明"述其宗旨为"将私人交谈转变为公共话语，通过平等的交谈和论辩取得最低限度的共识，并在此基础上建构自主的学术空间和建立学术共同体，……通过开展严肃认真的学术讨论和学术批评，逐步建立新的评判标准和评判机制，探求法学研究规范化与本土化的途径，寻找理论创新的可能"。《法律文化研究文丛》将更新旧版，赓续其事，继续坚持批评和反思的学术立场，提倡跨学科之法律研究，深入探究和理解中国的社会现实和法律现实，改善中国的法学研究，推进中国的法治事业。

梁治平 谨识

自 序

本书是继 1998 年中国政法大学出版社出版的《法治、启蒙与现代法的精神》后的另一本集子，也是我在中国大陆出版的第二本书。这两本书都是在梁治平兄的帮助和安排下出版的，他为每本书都写了序。我在这里向治平兄表示最深的谢意和敬意。

我在本书里的学术追求与前一书基本上是一致的，就是尝试从不同角度思考什么是现代法、现代法文化、以及现代人的精神世界和价值世界中与法律和权利有关的意识、价值和思想。如果现代法是一个立体的、复杂的复合体，那么我尝试做的，便是从不同的侧面去素描这个物体的图像。

本书收集的文章都是为研讨会而写的论文或书刊编辑的约稿，因此，它们之间的相互关系不一定密切，本书也并不构成有完整系统和紧密结构的学术专著。在过去几年，由于作为香港大学法学院院长的行政事务繁多，我未能专心地写任何专著。在这里我要感谢有关研讨会的组织者和有关书刊的编者，没有他们的邀请、鼓励和催促，我这几年来在学术上很可能会交白卷。他们给我机会去思考问题——与问题相关的主题都是他们设定的——和探求答案。由此可见，学问不单是个人化的追求，更是合作性的秩序。

本书的文章大致上可分为三组。第一组的六篇文章描述当代西方的法学和法理学思潮，处理的课题包括人权、主权、立宪主义、法的现代性和后现代性。第二组也是由六篇文章组成，尝试从现代的视界回顾我们的中华文化传统——尤其是其法律和政治传统，包括传统中的法家、儒家、国家与社会的关系、家庭等环节。第三组的四篇文章，则回到我作为法学工作者最切身处地的关注——香港回归祖国后"一国两制"的构想和《香港特别行政区基本法》的实施情况。我认为这个课题不但对香港市民有意义，对中国法学工作者也是有意义的，因为"一国两制"是否能成功实践，关系到台湾问题的解决——祖国完全统一的事业，以至中国走向法治和宪政的事业。

我有幸生于这个中华民族伟大复兴的时代，亲眼见证了香港回归祖国、实行"一国两制"的事业和中国走向依法治国、建设社会主义法治国家的事业。我想，如果我能履行作为香港的法理学工作者的责任，为这两个事业——其实它们是相关的——略尽绵力，便算不枉此生。我常提醒自己：每个人所能做到的是非常有限、十分渺小的，但绝不等于零。因此，我愿意珍惜上主赋予的生命的恩赐：

少年易老学难成，
一寸光阴不可轻，
未觉池塘春草梦，

阶前梧叶已秋声。

　　作为本书的读者,相信你必是有心人、同道人。谨以宋儒朱熹的这首诗共勉。

陈弘毅
2002 年 7 月 13 日
香港大学法学院

梁　序

《法理学的世界》原来有一个副标题：从香港看天下。不知为什么作者后来没有用这个副题。其实，这是个很切题的说法。弘毅教授在这本书里谈主权与人权、国内法与国际法、现代与后现代、诉讼与调解、法家与儒家、社会与国家、香港与内地，还有立宪主义、"一国两制"、违宪审查权等等，纵横古今，出入中西，当真是立足香港，放眼天下。我读收在这本书里的文章，感觉印象深刻的，第一便是作者这种放眼天下的眼界与胸怀。

作者对法理学问题一直有浓厚兴趣，不过，他的法理学思考并非托于空言，而是建立在坚实的生活世界之上，贯穿于对历史和当下各种具体制度、活动、人物、事件的观察和分析之中。也因为此，他的法理学世界不但包容广大、丰富多彩，而且极富人间性。这一点同样令人印象深刻。

弘毅生于香港、长于香港、服务于香港，对香港爱之也切，知之也深。我一直以为，他关于香港政制、法律与社会所写的篇什最见功力。这一集收入作者讨论香港法律问题的文章四篇，均是对当下重大法律与政治问题的理论思考。作者认为，"一国两制"的构想与实践不但对香港市民有意义,对中国法学工作者也有意义。我对这种看法极表赞同,理由是:香港法制已经是中国法制一部分,谈论中国法律者不可不注意之。进而言之,不但"一国两制"政治试验的成败将决定香港法的未来,这一特殊经验的取得对于中国未来政治与法律的发展也将产生深远影响。

收入本书的文字,大多是作者应学术会议或学术刊物之请而写,虽然,它们绝非应景之作。弘毅为人谦和,为学则极认真。他的文章兼有思想清晰、论证缜密的优长,而这正是一个好的法理学者应当具有的质素。我把弘毅教授的这部文集推荐给汉语世界的读者,相信大家会像我一样从中获得阅读与思想的快乐。

梁治平
2002 年 12 月 5 日写于
北京万寿寺寓所

目 录

主编者言 ··· (1)
自序 ··· (Ⅰ)
梁序 ··· (Ⅰ)

关于主权和人权的历史和法理学反思 ································· (1)
从"皮诺切特案"看国际刑法和国际人权法的发展 ·············· (24)
从哈贝马斯的哲学看现代性与现代法治 ···························· (58)
从福柯的《规训与惩罚》看后现代思潮 ···························· (80)
论立宪主义 ··· (108)
从英、美、加的一些重要判例看司法与传媒的关系 ············ (132)

对古代法家思想传统的现代反思 ······································ (151)
调解、诉讼与公正：对现代自由社会和儒家传统的
　反思 ·· (178)
中国法制现代化的历史哲学反思 ······································ (213)
市民社会的理念与中国的未来 ··· (229)

儒家思想与自由民主………………………………………（287）
中国传统家庭哲学对世界伦理的可能贡献………………（299）

"一国两制"的概念及其在香港的适用 …………………（313）
《香港特别行政区基本法》的理念、实施与解释 ………（334）
回归后香港与内地法制的互动……………………………（395）
香港特别行政区法院的违宪审查权………………………（425）

关于主权和人权的历史和法理学反思[*]

"主权"和"人权"同是西方近代史的思想产物,其发展的历史轨迹是互相联系、互相影响的。在21世纪初的今天,尤其在西方世界于1989年"六四"事件后对中国实施制裁、和北约在1999年因科索沃的亚尔巴尼亚裔居民的人权问题向南斯拉夫发动战争等事件的背景下,主权和人权的关系成了一个十分值得关注和研究的问题。本文尝试追寻主权和人权的概念及两者的关系的历史脉络,并从政治思想和国际法的层面对有关问题予以梳理,然后进而探讨我们在21世纪应该怎样看主权和人权这些概念及其两者的关系。

一、近代西方的主权和人权思想

虽然在古希腊时代的西方古典文明里可以找到"主权"和"人权"概念的雏型,[1]但是现代意义上的"主权"和"人权"概念则只有三四百年的历史,而"主权"这个用语的正式采用,

---

[*] 原刊于《二十一世纪》,1999年10月号,页18-29。笔者取得该刊同意在此刊载修改后的版本,谨此致谢。

[1] 参见 H. Steinberger, "Sovereignty", in R. Bernhardt (ed.), *Encyclopedia of Public International Law*, Vol. 10 (1987), pp. 397-418; Margaret MacDonald, "Natural Rights", in Jeremy Waldron (ed.), *Theories of Rights* (Oxford: Oxford University Press, 1984), ch. 1.

是先于"人权"的用语的。

关于"主权"概念的较为完整和系统的论述，一般都追溯至法人让·博丹（Jean Bodin 1530–1596）的著作，尤其是于1577年出版的《论共和国》一书。要了解"主权"思想的出现，首先要明白欧洲中世纪的政治和社会格局。当时的政治和经济是封建式的，思想文化则为罗马天主教会主导。各地的"国王"的权力十分有限，受到贵族（包括不同层级的封建领主）、教皇领导下的"跨国性"教会、神圣罗马帝国的皇帝以至城市新兴商人阶级等各方面政治力量的抗衡。一个粗略的估计是，[2] 在15世纪末，欧洲有约500个半独立的政治实体，例如由封建领主管辖之地、由主教管辖之地、自治城镇等。

博丹的主权论的目的或作用，便是为王权的巩固和扩张提供思想上的依据。这种早期的主权论的关注点，是如何分析一个地域内的政治权力架构，并研究政治权力集中化的需要。主权论指出，为了维持社会的秩序，为了避免困扰民生的武装冲突，必须有一个强大的、至高无上的权威，这便是主权。所以博丹说，主权是君主"不受法律限制的对臣民的最高权力"，"是在一国家中进行指挥的绝对的和永久的权力"，主权是永久的、非授权的、不可抛弃的。[3] 这里值得留意的是，虽然博丹是主张"君主专制"的，但在他心目中，君主作为主权者的权力虽不受制于前人

---

[2] Kurt Mills, *Human Rights in the Emerging Global Order: A New Sovereignty?* (London: Macmillan, 1998), p. 10.

[3] 参见法学教材编辑部：《国际法》（北京：法律出版社，1981年），页68；张琼："略论主权与人权的相互关系"，中国社会科学院法学研究所编：《当代人权》（北京：中国社会科学出版社，1992年），页336，337。

订下的法律，但仍受制于上帝的神圣法和自然法。[4] 在这方面，博丹的思想仍是属于中世纪的。

主权论的发展过程中的另一个重要人物是英人霍布斯（Thomas Hobbes 1588 – 1679），他代表着从中世纪到近代的思想转折。他生活在17世纪英国内战的动荡时代，认为绝对王权是社会稳定和文明发展所必须的。他提出了一个震撼性的"自然状态论"，指出在没有统治者的无政府状态里，人只能生活在恐怖和残暴之中。在这种情况下，通过"社会契约"，确立一个强而有力的统治者或主权者的绝对的、至高无上的政治权威，是人们唯一的出路。[5]

16世纪宗教改革运动开始之后，欧洲的政治和社会经历了长时期的动荡不安，宗教和政治矛盾错综复杂，酿成无数纠纷和战乱。1618年至1648年的"30年战争"，更带来前所未有的生灵涂炭。在这情况下，越来越多人觉得博丹等人的主权论是有其道理的。于是，结束30年战争的《威斯特发里亚和约》（Peace of Westphalia 1648），便成为了近现代西方以主权国家为单位的国际秩序的基础。[6]

这种逐渐演化的主权概念可分为对内和对外两方面。[7] 对

---

[4] Steinberger, 同注1, 页401–402; Asbjørn Eide, "National Sovereignty and International Efforts to Realize Human Rights", in A. Eide and Hagtvet (eds), *Human Rights in Perspective: A Global Assessment* (Oxford: Blackwell, 1992), ch. 1 at note 9。

[5] 参见邹文海：《西洋政治思想史稿》（台北：三民书局，1989年），第16章。

[6] 参见 Steinberger, 同注1; Leo Gross, "The Peace of Westphalia, 1648–1948", *American Journal of International Law*, Vol. 42 (1948), p. 20; J. B. Hehir, "Expanding Military Intervention: Promise or Peril?" *Social Research*, Vol. 62, No. 1 (1995), p. 41。

[7] 参见 Peter Malanczuk, *Akehurst's Modern Introduction to International Law* (London: Routledge, 7th ed. 1997), pp. 17–18。

内来说，主权者（最初是君主）在某范围的土地（即其领土或国家）内，就土地上的人民和事务享有最高的、独有的管辖权，主权者与其子民之间有直接的命令和服从的关系，这个概念取代了封建时代的互相重迭交错的多层级的管辖权。对外来说，每个主权者独立于其他地方的主权者，无须听命于任何他人，也不受他人的支配，他可独立自主地决定其国家的事务（包括在美洲新大陆进行殖民扩张和贸易时不再受教皇的管辖权的规限）。这样，欧洲便形成了主权国家分立、互相抗衡的国际性秩序。这也是近现代国际法的起点，因为国际法的主体是主权国家，国际法便是调整各主权国家之间（初时不包括被认为是未有文明的、野蛮的非西方国家）的关系的法律规范。

在十七八世纪发展的国际法的其中一个基本原则是各主权国家的平等性。早期国际法学者沃尔夫（Christian Wolff 1679 – 1754）便曾说，[8]"国家有如生活于自然状态中的自由的个人。由于根据自然原则，所有人均平等，所以根据自然原则，所有国家也是平等的。"除了这个主权平等的原则外，在18世纪逐渐形成的另一个与主权概念相关的原则便是主权国家之间应互相不干预他国的事务，例如放弃了以前因宗教理由对别国用兵的做法。[9]但是，发动和参与战争的"权利"被视为主权的特征之一，从这个角度看，国与国之间仍是一个弱肉强食的世界。

上面说的是在近代兴起的主权观念。至于人权观念，虽然其精髓可以追溯至古希腊罗马时代和中世纪的"自然法"思想，[10]

---

[8] J. G. Starke, *An Introduction to International Law* (London: Butterworths, 8th ed. 1977), p. 123。

[9] Steinberger, 同注1, 页401。

[10] 参见 A. P. d'Entrèves 著，李日章译：《自然法：法律哲学导论》（台北：联经，1984年）。

但由于古希腊文和古拉丁文中并没有一个明确地表述现代"权利"观念的字眼，所以"人权"这个概念的出现，只能说是近现代的事情。[11] 近代西方人权思想，[12] 一般追溯至英国1215年的《大宪章》（但其实这份文件保障的只是教士和贵族阶层相对于国王的权利），以至英国国会在"光荣革命"后制定的《权利法案》（1689年），后者主要是确立对王权的限制，建立君主立宪的宪政和法治体制，并保障国会作为包涵选举产生的民意代表的议会的权力。

人权思想在西方世界的系统表述和广泛传播，要留待18世纪末的美国和法国革命，这将在本义下一节讨论。但从17世纪英国思想家洛克（John Locke 1632 – 1704）的著作里，已可以看到现代人权思想的核心内容。霍布斯鉴于英国内战的惨烈而提倡君主专政，洛克则是相对温和的"光荣革命"的代言人，主张王权应受到合理的制衡，以保障人民的生命、自由、财产等个人权利，因为在他看来，人们之所以组成国家、设立政府，目的正是谋求这些权利的更有效（相对于无政府状态来说）保障。

洛克不但为现代人权理论奠下基础，而且催动了主权概念的转化，即从"主权在君"到"主权在民"的过渡。这个过渡要留待下一节谈到的启蒙时代、鲁索和法国大革命，但洛克强调君权的限制，提倡民选立法议会的权力，人民主权的概念已呼之欲出。[13]

二、现代西方的主权和人权思想

本文采用了"近代"和"现代"的区分，"近代"是指从中

---

[11] 参见拙作"权利的兴起·对几种文明的比较研究"，载于陈弘毅：《法治、启蒙与现代法的精神》（北京：中国政法大学出版社，1998年），页118–139。

[12] 参见张佛泉：《自由与人权》（台北：台湾商务印书馆，1993年）。

[13] 参见 Eide，同注4，页9。

世纪到"现代"的过渡,"现代"则指从18世纪后期美国和法国革命至二次大战的期间,下一节谈的"当代"则指二次大战以后的历史新阶段。

现代人权思想诞生于18世纪西欧的"启蒙时代",[14]当时法国是启蒙运动的中心,而鲁索(J. J. Rousseau 1712 – 1778,按:鲁索又译卢梭——编者)的政治思想对于西方人权和主权思想的发展,具有划时代的意义。鲁索提出了"主权在民"这个到了今天已变得不言而喻、不证自明的概念,即国家的主权不属于国王、也不属于某个统治集团或统治阶级,而属于全体国民。他同时指出,自由和平等是所有人与生俱来的权利,在国家中,人的自由只能受作为人民"公意"的体现的法律的限制,而公意是在民主参与的过程中形成的,代表着社会的整体利益。在鲁索的思想里,我们既可以看到一个崭新的主权概念,又可以找到自由、人权、民主和法治这些现代核心价值的思想资源。[15]

鲁索等启蒙运动家的思想,在18世纪末的美国和法国革命中起了关键的作用。这两场革命中产生的一些文献,成为了现代政治思想的圣经。例如,1776年6月的《维珍尼亚宣言》(Virginia Declaration)宣称,[16]"一切权力属于人民,因之来自人民,执行法律的一切官吏都是人民的受托人和仆人,在任何时候均应服从人民。"同年7月的《美国独立宣言》说,[17]"我们认为这

---

[14] 参见拙作"人权、启蒙与进步"载于注11所引书,页21 – 35。

[15] 参见逯扶东:《西洋政治思想史》(台北:三民书局,增订八版,1994年),第15章;张翰书:《西洋政治思想史》(台北:台湾商务印书馆,1961年),第21章。

[16] 见董云虎、刘武萍编:《世界人权约法总览》(成都:四川人民出版社,1990年),页270。

[17] 同上注,页272。

些真理是不言而喻的：人人生而平等，他们都从他们的造物主那边被赋予了某些不可转让的权利，其中包括生命权、自由权和追求幸福的权利。为了保障这些权利，所以才在人们中间成立政府。而政府的正当权力，则系得自被统治者的同意。"

1789年法国大革命开始时由国民议会通过的《人权和公民权宣言》，正式采用了"人权"的字眼，并且是人类有史以来对人权概念的最全面和系统的论述，所以英国学者艾顿勋爵曾说，[18]这两页纸的《宣言》，其重量大于多个图书馆，也大于拿破仑的所有军队。《宣言》指出，[19] "人权"是"自然的、不可剥夺的和神圣的"，而"不知人权、忽视人权或轻蔑人权是公众不幸的政府腐败的唯一原因"。"在权利方面，人们生来是而且始终是自由平等的。""任何政治结合的目的都在于保存人的自然和不可动摇的权利。这些权利就是自由、财产、安全和反抗压迫。""整个主权的本原主要是寄托于国民。""法律是公共意志的表现。全国公民都有权亲身或经由其代表去参与法律的制定。"此外，《宣言》还列出各种主要的人权，如人身自由，不受任意逮捕，无罪推定，信仰、思想、言论、出版等自由。

正如主权思想在十六七世纪的崛起，迎合了某些社会需要——社会内部秩序的需要、国际政治秩序的需要，人权思想在18世纪的胜利也有其政治经济的背景，不能只纯粹理解为启蒙理性的进步表现。例如，人权思想强调人身自由和言论自由，主要是针对当时法国的君主专制和教会专制。人权思想提倡人的平等，主要是针对封建社会中的贵族特权。人权思想重视财产权，正如

---

[18] 引自 Antonio Cassese, *Human Rights in a Changing World* (Cambridge: Polity Press, 1994), p. 46。
[19] 同注16，页295。

马克思主义批评者所指出，正反映了崛起中的资产阶级的利益。在美国和法国革命中，人权思想的作用是为革命行动提供理论依据，对当时的社会和政治现状，进行批判，并为革命后新的政治体制的建立，提供一套原则和理想。

但由于18世纪人权思想认为人权是上天赋予的、与生俱来的，这种具有"自然法"色彩的想法与19世纪兴起的实证主义格格不入，所以人权思潮在19世纪的西方是相对衰落了。在19世纪，起源于英、美、法革命的宪政主义在欧洲广泛传播，各国相继制定了成文宪法，规划政府的立法、行政和司法架构，并确立公民的权利。18世纪的人权便转化为国家宪法和法律所保护的公民权利。作为公民政治权利之一的选举权，成了原来没有选举权的劳工阶层的争取对象（后来女性也开始争取选举权）。

19世纪是西方殖民主义进一步扩张和帝国主义的时代，殖民主义者和帝国主义者是没有可能承认和尊重被殖民者、被征服者与其统治者的平等人权的。因此，正如马克思主义者从无产阶级的观点批判资产阶级人权观的虚伪性，被西方列强压迫的亚、非、拉地区的人民，也可以看到西方人说的人权只是西方人自己的权利，而不是在他们眼中未开化的野蛮人的权利。但是，正如西方国家里的工人和妇女开始使用人权和公民权的话语去争取他们的选举权、参政权，被殖民者也渐渐学会使用人权的话语去反对帝国主义的压迫。在20世纪，我们便见到这种现象。

现在让我们看看主权概念在现代阶段的发展。在十八九世纪，主权思想在国际关系（即西方国家之间的关系）中得到进一步的提升，变成了国际法的基本原则。主权国家是国际法的主体，每个主权国家就其领土内的事务有绝对的管辖权，他国不容干预。各主权国是平等的，他们互相尊重对方的主权。19世纪英国国际法学家奥本海（Oppenheim）便说："主权是最高权威，即一个独立于世界上任何其他权威之外的权威。"[20] 由于主权的至上性,所以规范主权国家行为的国际法的效力,只能基于有关主权国家的明示（如缔结条约）或默示（如在国际习惯法的情况）的意愿,而不存在某些来自上天或自然的高于主权国家的规范,这便是所谓实证主义的观点。[21]

19世纪英国实证主义法学家奥斯汀（John Austin 1790 – 1859）是当时主权论的代表者。[22] 奥氏把法律定义为主权者的命令,如果人民拒绝服从,便会受到主权者的制裁。主权者与人民的关系是命令和服从的关系,如果人民只服从某甲（甲可以是个人或团体）而不服从其他人,那么甲便是主权者。根据英国宪法学中的国会至上主义,英王会同国会通过的法律有最高的效力,所以英王会同国会便可被视为主权者。从实证主义出发,主权者之所以是主权者,并非决定于其产生的方法（如看它是否民选产生）,而是由于它已实际上行使着国家的管治权。换句话说,如果在某地区内存在着一个统治集团（即"政府"）,对该地区的土地和人民行使着有效的控制,其制定的法律和发施的命令得以执行,而该统治集团是独立自主的,不听命于其他地区的统治者的,那么一个主权国家便在该地区存在,该统治集团便是该主权国的合法政府。

奥斯汀强调主权者的至上性,所以他认为国际法并非真正的

---

[20]《奥本海国际法》（北京：商务印书馆,1971年）,页97,引于张琼,同注3,页339–340。

[21] 见 Allan Rosas, "State Sovereignty and Human Rights: Towards a Global Constitutional Project", in David Beetham (ed,), *Politics and Human Rights* (Oxrord: Blackwell, 1995), p. 61, at pp. 64–75。

[22] 关于法律实证主义和奥氏的思想,请参阅 H. L. A. Hart 着,张文显等译:《法律的概念》（北京：中国大百科全书出版社,1996年）。

法律，而只是关于国际关系的道德规范。因为国际法不像国内法，并不存在着有权力和能力强制执行国际法的警察和法院。在奥氏那里，真正的法律是主权者发出并有能力强制实施的命令。由于这种主张主权至上性的实证主义思潮在当时的主导地位，所以有人把18世纪中期至第一次世界大战这段期间形容为"绝对"主权概念的时代。[23]

第一次世界大战后，国际联盟成立，其主要目的是促进世界和平。虽然1919年的《国际联盟盟约》[24]里没有用到"人权"的概念，更没有以人权原则来规限主权的行使，但与此《盟约》相关的关于在某些国家保障少数民族权利的条约的特别安排，可被视为第二次世界大战后的国际人权保障的先驱。[25]此外，在《国际联盟盟约》的起草阶段，日本曾建议在盟约中规定，缔约国应尽快在其本国给予各其他缔约国公民平等的待遇，不分种族和国籍，这建议针对的是西方国家在其国内对非西方人的歧视。平等和反歧视原则其实是人权思想的核心内容，但是，英美等国都反对这个建议。例如英国的代表便指出，这个建议侵犯了国家的主权，干预到缔约国的内政。日本的建议最终受到否决。[26]

三、当代世界的主权和人权思想

在第二次世界大战结束之前，美国及其盟国已经开始思考怎样建构战后的世界新秩序。他们觉得这场侵略战争的起因，一定程度上可追究至希特拉等独裁者在其国内对人权的蹂躏。由此可见，1919年《国际联盟盟约》规定缔约国有不从事战争的义务

---

[23] Steinberger，同注1，页406–407。
[24] 可参见注16所引书，页919。
[25] 参见 Ian Brownlie, *The Rule of Law in International Affairs* (The Hague: Martinus Nijhoff, 1998), pp. 66–67。
[26] 同上注，页67；Cassese，同注18，页16–18。

是不足够的，必须确立各国均须尊重人权、人的尊严、人的价值这个重要道德原则。因此，他们有意把英美法等自由民主国家的宪制里早已确立的保障人权或公民权的原则，转化为世界性的规范。当时的美国总统罗斯福在1941年便提出，战后的新世界必须尊重四种自由：言论和表达自由、敬拜上帝的自由、免于匮乏的自由（freedom from want）和免于恐惧的自由。[27] 1942年，26个国家（包括美、苏、英、中）共同发表《联合国宣言》，其中提到，他们"深信战胜他们的敌国对于保卫生命、自由和宗教自由并对于保全其本国和其他各国的人权和正义非常重要"。[28] 人权思想的复兴，由此可见。

1945年，联合国成立，《联合国宪章》[29] 把国际法和国际关系带进了新的纪元。这个新的国际法秩序不单包涵原有的主权原则，巩固了《国际联盟盟约》里的和平原则，还加上了新的人权原则和自决原则。在这个体系里，主权和人权的关系，逐渐出现了一个新的格局。

让我们先看主权原则。在新的世界秩序里，主权国家仍是基本的单位、国际社会的成员和国际法的适用对象，原有的主权平等、各国互相承认和尊重对方的主权、不干涉对方的内政等原则都得到确认以至强化，并与各国和平共处、互不侵犯的原则联系在一起。《联合国宪章》在序言中强调"大小各国"的"平等权利"，根据《宪章》第2条，会员国须遵行"各会员国主权平等之原则"，第2条第7款规定，"本宪章不得认为授权联合国干涉在本质上属于任何国家国内管辖之事件"（以下称为"国内管辖

---

[27] 参见Cassese，同注18，页30。
[28] 见注16所引书，页927–928。
[29] 见注16所引书，页928。

原则）。关于各国互不干涉他国内政以至外交的原则，后来在联合国的文献中有进一步的规定，例如联合国大会1965年通过的《关于各国内政不容干涉及其独立与主权之保护宣言》、1970年通过的《关于各国依联合国宪章建立友好关系及合作之国际法原则之宣言》和1981年通过的《不容干涉和干预别国内政宣言》。[30]

根据上述1970年的《友好关系原则宣言》，"任何国家或国家集团均无权以任何理由直接或间接干涉任何其他国家之内政或外交事务。因此，武装干涉及对国家人格或其政治、经济及文化要素之一切其他形式之干预或试图威胁，均系违反国际法。……每一国均有选择其政治、经济、社会及文化制度之不可移让之权利，不受他国任何形式之干涉。"[31]

关于对别国动武的问题，《联合国宪章》里有相当完整的一套原则，基本上是设立全球性的集体安全体系，坚持和平原则，否定战争的合法性和正当性，并把武力在国际关系中的使用局限于两种例外情况。《宪章》的第一个宗旨，便是"维持国际和平及安全"（第1条第1款）。"各会员国应以和平方法解决其国际争端"（第2条第3款）。最重要的是第2条第4款："各会员国在其国际关系上不得使用威胁或武力，或以与联合国宗旨不符之任何其他方法，侵害任何会员国或国家之领土完整或政治独立。"

至于两种可以合法地对一个主权国家采取军事行动的情况，

---

[30] 该1965和1970年的文件分别见于注16所引书，页1001及946。关于1970年的宣言的讨论，见 Eide，同注4，页4，特别是该文中注3；Anthony D'Amato, "Domestic Jurisdiction", in *Encyclopedia of Public International Law*, 同注1，页132，134-135。关于1981年的宣言的讨论，见朱晓青："论人权的国际保护"，于《当代人权》，同注3，页317及334。

[31] 见注16所引书，页950。

第一是《宪章》第 51 条规定的"受武力攻击时"的"单独或集体自卫",第二是联合国安全理事会在国际和平受到威胁或破坏时,根据《宪章》第 7 章授权的藉以"维持或恢复国际和平及安全"(见第 42 条)的军事行动(简称为"安理会的执行行动")。

现在让我们看看《联合国宪章》订立后建立起来的国际人权保障制度。《宪章》除体现主权平等及和平原则外,还肯定了人权和自决权作为世界性的道德、法律和文明准则,这可说是人类历史上的一大突破。《宪章》里 7 次提及"人权",它在序言中强调"基本人权、人格尊严与价值",第 1 条在规定联合国的宗旨时,提到"人民平等权利及自决原则","不分种族、性别、语言、或宗教,增进并激励对于全体人类之人权及基本自由之尊重"。

根据《宪章》第 55 条,联合国应促进"全体人类之人权及基本自由之普遍尊重与遵守,不分种族、性别、语言或宗教"。更重要的是第 56 条,它规定"各会员国担允采取共同及个别行动与本组织合作,以达成第 55 条所载之宗旨"。这条文后来被理解为各国遵守基本人权标准的法律义务的基础。

根据《宪章》第 13 条,联合国大会"应发动研究,并作成建议","助成全体人类之人权及基本自由之实现"。根据第 62 条,联合国经济及社会理事会"为增进全体人类之人权及基本自由之尊重及维护起见,得作成建议案"。这个经社理事会根据第 68 条,设立了联合国人权委员会。

虽然《联合国宪章》采用了"人权"这个概念,但对于什么是人权的具体内容,它未有作出规定。这种规定后来见于 1948 年联大通过的《世界人权宣言》。[32] 这个宣言被言喻为"全人类

---

[32] 见注 16 所引书,页 960。

的《大宪章》",[33] 对当代世界的政治、法律和道德思想产生了深远的影响。《宣言》大大扩展了 18 世纪的具有资产阶级色彩的人权观,使人权的范围不限于传统的公民和政治权利(所谓"第一代"或"第一世界"的人权),它包涵了社会主义国家所重视的经济和社会权利(所谓"第二代"或"第二世界"的人权),如工作的权利、得到合理工资的权利、组织和参加工会的权利、享受休息和闲暇的权利、享受社会福利和教育的权利等。《宣言》所提倡的价值观念,融合了各大宗教和文化体系的优良传统,正如联合国人权委员会的中国代表在 1947 年所主张,《宣言》要协调阿奎那(St Thomas Aquinas)和孔子的思想。[34]

《世界人权宣言》的最大成就,在于它为世界各国政府就其怎样对待其人民订下了普遍性的道德标准,符合这个标准时,有关政府才算是文明的、具有道德上的正当性的。[35] 从此以后,一国的统治者怎样对待其人民,可以名正言顺地成为其他国家、整个国际社会以至全人类的关注事项。[36]《宣言》的序言提到,"对于人权的无视和侮蔑已发展为野蛮暴行,这些暴行玷污了人类的良心",在这种情况下,国际社会关心人权问题,是义不容

---

[33] Cassese,同注 18,页 46(引述美国总统夫人 Eleanor Roosevelt 在 1948 年的话)。
[34] 转引自 Cassese,同注 18,页 46。
[35] Cassese,同注 18,页 46–47; Jack Donnelly, *Universal Human Rights in Theory and Practice* (Ithaca: Cornell University Press, 1989), pp. 14–15。
[36] 参见 Rosalyn Higgins, *Problems and Process: International Law and How We Use it* (Oxford: Clarendon Press, 1994), ch. 6; Christine Chinkin, "International Law and Human Rights", in Tony Evans (ed.), *Human Rights Fifty Years On: A Reappraisal* (Manchester: Manchester University Press, 1998), ch. 5; W. Michael Reisman, "Sovereignty and Human Rights in Contemporary International Law", *American Journal of International Law*, Vol. 84 (1990), pp. 866–876。

辞的。正如意大利法学家卡萨斯（Antonio Cassese）指出：[37]

> 这份《宣言》是一颗导航的星，它指导着世界各国慢慢走出那个黑暗时代，在那黑暗时代里，船坚炮利是国家行为的唯一准则，并没有公认的原则，可用以区分国际社会会中的善与恶。……总括来说，人权是当代世界的一次尝试，企图把一定份量的理性引进人类历史中。

《世界人权宣言》通过时，各国并不认为它是具有正式法律拘束力的文件，[38]所以《宣言》通过之后，多份供各国缔结参加的、具有法律拘束力的国际人权公约，相继起草而成，并得到世界各国的踊跃参加。这些构成日渐发达的国际人权法的公约包括：[39]

（1）两个涵盖面最大的国际人权公约：《公民权利和政治权利国际公约》和《经济、社会、文化权利国际公约》，两者都在1966年制定。这两个公约对《世界人权宣言》提到的人权作出了更具体的规定，并设立了监督其实施的机制（如提交报告、就违反公约投诉等）。两公约的第1条都肯定了人民的自决权，这是《世界人权宣言》里还未有的。自决权意味着殖民地的人民有

---

[37] Cassese，同注18，页47及158。

[38] 关于此宣言的法律地位，可参阅 Ian Brownlie, *Principles of Public International Law* (Oxford: Clarendon Press, 5th ed. 1998), pp. 574 – 576; Oscar Schachter, *International Law in Theory and Practice* (Dordrecht: Martinus Nijhoff, 1991), pp. 335 – 339。

[39] 关于国际人权法，可参阅注38所引书，及 Henry J. Steiner and Philip Alston, *International Human Rights in Context: Law, Politics, Morals* (Oxford: Clarendon Press, 1996); 白桂梅等：《国际法上的人权》（北京：北京大学出版社，1996年）。

权脱离宗主国的管治而自己组成独立的主权国家。自决权和后来被提出的发展权、环境权、和平权等概念，代表着"第三代"[40]或"第三世界"[41]的人权观。

(2) 针对个别种类的侵犯人权行为的国际公约：如《防止及惩办灭种罪公约》、《禁止酷刑和其他残忍、不人道或有辱人格的待遇或处罚公约》、《消除一切形式种族歧视国际公约》等。

(3) 保护个别类别人士的国际公约：如《消除对妇女一切形式歧视公约》、《儿童权利公约》等。

(4) 区域性的人权公约：如《欧洲人权公约》、《美洲人权公约》、《非洲人权和民族权宪章》。欧洲人权法院和美洲国家间人权法院便是根据前两者设立的。非洲的人权宪章[42]则体现了第三世界的人权观，它除了提到传统的人权和自决权外，也谈及民族的生存权、"被殖民或受压迫的民族"争取自由的权利、民族自由处置其天然财富和资源的权利、发展权、民族享有和平与安全的权利、民族享有良好的环境的权利，这些都是所谓"集体人权"。这个非洲宪章不但规定了人权，也规定了人对其家庭、社会、国家以至国际社会的义务。

以上的只是一些举例，当代国际人权法的条约、宣言、决议，实施架构和实践案例，内容非常丰富，绝非一言两语所能勾画出来。

四、关于主权与人权的关系的反思

当代国际法所体现的主权、人权与和平三大原则，它们之间

---

[40] 关于三代的人权，可参阅 Brownlie，同注 38，页 583。

[41] 关于三个世界的人权，可参阅 Jack Donnelly, *International Human Rights* (Boulder: Westview, 2nd ed. 1998), p. 32。

[42] 中译本见于注 16 所引书，页 1082。

存在着辩证的关系。在一定程度上，它们是互为基础、相互依存、相辅相成的；[43]在一定程度上或在某些情况下，它们却是互相制衡的，在其中间存有张力和矛盾。[44]

在一个理想的世界里，各国政府都根据《世界人权宣言》第21条的规定，由民主选举产生，体现主权在民的原则，政府尊重人权，人民热爱和平，在这种情况下，主权、人权与和平三原则是互相协调、相得益彰、融成一体的。问题出在有些国家的政府践踏人权、或由于内战、动乱等缘故，出现人权受到严重侵害的情况。如果这时国际社会或个别国家为了保障有关国家的人民的人权，对该国提出谴责、实施经济制裁或甚至进行军事介入，这便涉及人权保障与主权原则、甚至和平原则的冲突问题。

关于这个问题，我们须首先作出两种区分。一是区分对人权受侵害的国家采取行动者是联合国还是未经联合国授权的个别国家；二是区分藉以挽救人权的有关行动是否涉及武力或威胁使用武力。

第一种情况是联合国作出的针对人权问题的非军事性行为。在过去半个世纪的实践中，联合国的机构（包括联大、安理会、经社理事会及其属下的人权委员会等）对于涉嫌严重和一贯地侵犯人权的国家，采取非武力的行动，进行调查研究、提交报告、进行辩论、通过决议作出谴责或声明、提出建议和要求，甚至实

---

[43] 正如中国内地学者常常强调的：见李步云：《走向法治》（长沙：湖南人民出版社，1998年），页470–471；李林编：《当代人权理论与实践》（长春：吉林大学出版社，1996年），页267；朱晓青，同注30，页333。

[44] 关于主权与人权，可参阅注36；关于主权与和平，参见 Schachter，同注38，页331–332；Antonio Cassese, "*Ex iniuria ius oritur*: Are We Moving towards International Legitimation of Forcible Humanitarian Countermeasures in the World Community?" *European Journal of International Law*, Vol. 10 (1999), p. 23 at 24–25。

施军火禁运、经济制裁等措施,其例子比目皆是。累积而成的案例清楚显示,联合国不认为这些行动有违《联合国宪章》中的"国内管辖"原则。[45] 在联合国的实践中,一国政府怎样对待其人民,已不再像联合国成立以前,纯属本国的内政,他人不能过问。因人权问题而受联合国机构处理过的国家包括南非、前罗德西亚、以色列、伊朗、智利、玻利维亚、尼加拉瓜、危地马拉、南斯拉夫(塞尔维亚)等等。[46] 联合国人权委员会属下的防止歧视及保护少数小组委员会也曾在 1989 年"六四"事件后通过决议,对中国的人权状况表示关注;该委员会又在 1991 年通过一个关于西藏问题的决议。[47]

第二种情况是,个别国家在其外交政策中引入人权考虑,在与某些国家发展经贸或其他关系或对其提供经济援助时,设立人权方面的条件,藉此向该国施加压力,谋求其国内人权状况的改善。此外,对于被认为严重违反人权的国家,别国也可自行(毋须联合国的同意)实施经济制裁或其他外交上的措施。中国在"六四"事件后的一段时间,受到西方国家和日本的经济制裁,便是一例。

以上两类维护人权的行动,其正当性应是难以质疑的。中国政府和内地学者大都反对"人权无国界","人权高于主权"、"不干涉内政原则不适用于人权问题"等盛行于西方的观点,他们一般强调的是,丧失了主权的国家民族,如殖民地或其他受外国控

---

[45] 参见 Steiner and Alston,同注 39,页 162–165;Schachter,同注 38,页 344–348;Brownlie,同注 38,页 294–297;Higgins,同注 36,页 106–108;Steinberger,同注 1,页 411。

[46] 关于其中一些例子,可参阅《国际法上的人权》,同注 39,页 268–282。

[47] 参见 Donnelly,同注 39,第 6 章。

制和奴役的地方，其人民是没有可能享受人权的。[48]中国在现代史中饱受西方列强和日本的欺压，中国共产党把中国人民从帝国主义的逼迫中解放出来，建立独立自主的中华人民共和国这个主权国家；明白了这个历史和感情的背景，内地学者的观点是完全可以理解的。但是，必须承认的是，虽然一国人民的人权保障，有赖于该国政府充分行使主权，并为该国人民服务，而不是为外国势力服务，但历史经验证明，政府既是人权的最大守护者，也常是人权的最大侵害者。西方人权思想的精髓，在于以人民主权代替专制主权，以人权来制衡国家主权，并寻求个人人权与集体人权的合理平衡。考虑到这方面时，便不难了解到，当个别国家里的人权受到严重侵害时，由国际社会采取和平的、合理的行动以图补救，不失为正义的伸张。

至于采用武力去捍卫人权的问题，亦即"人道主义干预"问题，则更为复杂，因为这不但涉及人权原则与主权原则的矛盾，更涉及人权原则与和平原则的矛盾。在这里我们也分别考虑两种情况，一是联合国授权动武的情况，二是个别国家未经联合国的授权而对他国进行"人道主义干预"。

关于第一种情况，根据《联合国宪章》第7章的规定，联合国安理会在国际和平及安全受到威胁或破坏或出现侵略行为的情况，如使用武力以外的办法不足以解决问题时，可以采取军事行动，以执行安理会的有关决议。具体方法是由某些会员国组成联合国维持和平部队监督某些内战的停火安排，或由安理会授权某国或某些国家组成的联盟出兵执行安理会的决议，如在1990年伊拉克侵略科威特的情况。

---

[48] 参见刘文宗："评'人权高于主权'"，《东方》，1999年6月号，页9；《当代人权》，同注3。

在人权受到严重侵犯的情况，例如种族灭绝或其他大屠杀，因内战或种族冲突而发生大规模的暴行、饥荒、瘟疫等灾难，大量的难民涌入他国，这种情况也可理解为对国际和平及安全的威胁。正是基于这样的理解，在安理会的实践中，尤其是在"后冷战"时代，它曾多次授权派遣军队进入人权状况十分恶劣的国家，如在1991年在伊拉克北部设立保护库尔德族人的安全区，1992年授权美军到饱受内战和饥荒蹂躏的索马利亚救助饥民，1994年授权法军到发生了50万人被屠杀的卢旺达去设立安全区，同年授权美国为首的国家对海地采取军事行动，确保在1991年军事政变中被推翻的合法民选总统得以复职。[49]

此外，在90年代，联合国也曾派遣维持和平部队到南斯拉夫（波斯维亚）、安哥拉、利比利亚等国，藉以遏止其内战。由于南斯拉夫和卢旺达的内战中出现极大规模的屠杀和虐待等暴行，联合国家安理会分别在1993年和1994年设立了两个国际刑事审判庭，用以把在此两地犯了灭族罪、危害人类罪和违反国际人道主义法的有关人等，绳之于法。[50] 此外，一个常设性的国际刑事法院，正在设立，到时严重侵犯人权的暴行，不但可在国内法院审讯，在某些情况下也会直接受到国际社会的制裁。

根据现行的《联合国宪章》，安理会只能以国际和平及安全为理由、而不能直接以人权受到严重侵害为理由，对某国国内的事务进行军事上的介入。在现行国际法秩序里，和平原则和主权原则最终来说仍是优先于人权原则的。一种意见认为，即使某国

---

[49] 参见 Rosas, 同注21; Rein Mullerson, *Human Rights Diplomacy* (London: Routledge, 1997), ch. 6.

[50] 参见 Chinkin, 同注36, 页118; Mullerson, 同注49, 页174。同时可参见本书第二篇文章。

国内发生的严重暴行不影响到别国，基于人道主义的互助精神，国际社会对于在地球任何角落的大规模的丧尽天良、伤天害理的事情不能坐视不理。从人道主义的角度出发，国际社会（尤其是通过联合国的法定架构）在必要时进行"人道主义干预"，不单是其权利，更是其义不容辞的责任。因此，联合国的全球性管治问题委员会便曾在1995年提出建议，对《联合国宪章》作出修订，规定如有极为严重和极端的侵犯人民安全的情况，国际社会有权作出人道主义的干预。[51]

这个建议从原则来说是可以成立的，当然必须清楚界定有关情况的范围，并且改善联合国现有的决策机制，务求有关决定乃是基于法律和道德上的考虑，而非有关强国的政治、战略、地缘政治、军事、经济、意识形态等私利性的考虑。

这便带我们进入最后一个问题，就是在联合国架构以外的、由个别国家或国家联盟作出的"人道主义干预"的军事行为，如1999年北约在南斯拉夫的战事。在《联合国宪章》订立之前的国际法中，人道主义干预在（正如奥本海在1905年所说的）"一国对其国民或部分国民的残忍程度令人类震惊"[52]的情况可算是合法的。但是，正如上面曾指出，《联合国宪章》第2条第4款已清楚订明，会员国有国际法上的义务不对他国用武，而《宪章》只容许两种例外情况，一是自卫，二是安理会授权的执行行动。虽然安理会曾就南斯拉夫对科索沃问题的处理通过决议，但未有决议授权北约采取军事行动，所以部分西方国际法权威学者

---

[51] 参见 Mullerson，同注49，页173。
[52] 转引自 Mullerson，同注49，页149。

也承认，北约的行动在技术上是违法的。[53]

在联合国成立以前的国际关系中，人道主义干预原则被滥用为强国入侵别国的借口，屡见不鲜。[54]《联合国宪章》不承认人道主义干预原则，相信是有意的，因为各主权国家的和平共存和互不干涉内政，与人道主义干预是难以兼容的。在当代世界中，各国强弱不一，而虽然大家都有义务保障人权，但很难说哪个国家的人权状况是完善的。从弱国的角度看，如果一些强大的邻国自命为该弱国的人民的人权的监护人，随时可以人权为理由派兵进入该弱国，这便会变成强权政治、霸权政治的世界。

另一方面，第二次大战后有三次著名的有人道主义干预成分的个案，不少论者均认为在这些个案中出兵确实有助于解救被干预国里生活在水深火热中的人民。[55]这便是1971年印度出兵孟加拉国（原东巴基斯坦）推翻巴基斯坦的统治，1978至1979年越南出兵柬埔寨推翻波尔布特政权，1979年坦桑尼亚出兵推翻乌干达的阿敏政权。虽然在这些事件中，干预国都使用"自卫"作为其军事行动的法理依据，但人道主义的因素也是存在的，而更重要的是这些干预确实产生了结束暴政的效果。

由此可见，人道主义干预问题未必能简化地一概而论。由于联合国始终是政治性而非完全客观地处事的司法性组织，联合国

---

[53] Bruno Simma, "NATO, the UN and the Use of Force: Legal Aspects", *European Journal of International Law*, Vol. 10 (1999), p. 1; Cassese, 同注44。但是，此两位学者均认为在有关具体情况下，北约的行动是情有可原的。

[54] Brownlie, 同注38, 页568－569; Steinberger, 同注1, 页405; Malanczuk, 同注7, 页221。

[55] 参见Mullerson, 同注49, 第6章; Michael Walzer, *Just and Unjust Wars: A Moral Argument with Historical Illustrations* (New York: Basic Books, 1977), pp. 101－108。

安理会(尤其是由于否决权的制度)不一定能对于所有真正需要进行干预的情况,采取适当的行动,所以,如果有些国家基于人道主义的考虑,在别无选择、迫不得已的情况下,并在联合国绝大部分成员国默许的情况下,就着涉及大批人生命安危的灾难性人权状况,采取不超越"相称"原则(或称"比例"原则)的和有效的军事干预行动,应该是无可厚非的。[56] 但是,以上提到的条件,每一项都是关键性的考虑。例如,是否真的别无选择,例如是否能通过谈判解决问题? 谈判时欲干预方提出的条件是否合理? 干预行动的杀伤力是否与其针对的行为相称? 干预是否很有可能奏效,还是因以暴易暴造成更大和更长远的恶果? 诸如此类的问题,涉及很多实践的、事实的判断,而不是空泛地谈大原则便可以解决的。

总括来说,在21世纪初的今天,我们可以看到在过去数世纪发展出来的主权概念、人权概念和两者之间的关系,正在迅速地重新建构之中。主权原则曾是而且在可见的将来仍将会是世界各国和平共存的基础,它是照顾现实的。人权原则把我们指向一个更合理、更正义和更仁爱的世界,它是理想的呼唤。而我们,作为人,作为人类,便一如既往,生活在现实和理想的夹缝之间。认识现实、接受现实、同时凭着理想、信心、爱心和希望去改变现实,这便是我们的奋斗,我们赖以安身立命的道路和真理。

---

[56] 关于这方面的讨论,可参阅 Cassese, 同注44; Mullerson, 同注49, 页 164-165; Mills, 同注 2, 页 161-163; Chinkin, 同注 36, 页 110-111; Michael Walzer, "The Politics of Rescue", *Social Research*, Vol. 62, No. 1 (1995), p. 53; Bernard Williams, "Is International Rescue a Moral Issue", *Social Research*, Vol. 62, No. 1 (1995), p. 67。

从"皮诺切特案"看国际刑法和国际人权法的发展[*]

一、引 言

皮诺切特（Augusto Pinochet）是智利的前国家元首和掌握军政大权于一身的最高领导人。军人出身的他，在1973年发动流血政变，推翻了阿叶德（Salvador Allende）的民选左翼政府，实行右倾路线的军事独裁，直至1990年，政权和平转移至在1989年总统选举胜出的艾尔文（Patricio Aylwin）。1990年后，皮氏留任军队统帅，直至1998年。1998年后，80多岁高龄的皮氏根据1980年他仍在任时制定的宪法，仍享有终身参议员的身份。

皮氏执政期间，智利在经济发展上取得可观的成就，但不同政见人士的人权则受蹂躏。据估计，大概有10%的智利人口在80年代期间受到镇压的影响。[1]根据另一项调查，在皮氏执政期间，约有100万人（相当于智利人口的11%）被迫逃离智利，

---

[*] 原刊于《人文及社会科学集刊》（台湾），第13卷第5期（2001年12月），页574-603。笔者取得该刊同意在此刊载，谨此致谢。
[1] 参见邱稔壤："皮诺契时代智利之人权争议及其发展"，《问题与研究》（台湾），第38卷第4期（1999年），页31、50。

流离失所。[2] 军警当局所实施的侵犯人权的行为,包括任意逮捕、非法拘禁、强制失踪、绑架、放逐、谋杀、暗杀、非法处决、酷刑拷打、威胁、强行闯入民居等等。1990年新政府成立的"国家真相和调解委员会"的报告书透露,在1973年至1990年间,因政治迫害和侵犯人权致死的有2000多人。[3] 1996年,1992年成立的"国家赔偿和调解委员会"则指出,在此期间因军政府侵犯人权而死的有2095人,失踪的1102人。[4]

1998年9月,皮诺切特因病到英国接受手术。10月,正在就皮氏在执政期间侵犯西班牙和智利公民人权的行为进行调查的西班牙司法当局,根据《欧洲引渡公约》(European Convention on Extradition)(1957年)向英国提出引渡皮氏到西班牙受审的请求,皮氏随即在伦敦被捕。皮氏的律师以皮氏作为前国家元首应享有免于刑事起诉的豁免权为主要理由,向法院申请释放他。案件最后上诉至英国上议院法庭(即英国的终审法院),上议院法庭在11月25日以三比二多数裁定皮氏败诉。[5] 但是,在12月17日,皮氏的律师以上议院法庭5位法官中其中一位(在三比二多数裁定中占多数意见的3位法官的其中之一)本应回避此案

---

[2] 参见 Ruth Wedgwood, "40th Anniversary Perspective: International Criminal Law and Augusto Pinochet" (2000) 40 Virginia Journal of International Law 829 at 830。

[3] 参见 International Commission of Jurists, *Crimes Against Humanity*: *Pinochet Faces Justice* (Chatelaine: International Commission of Jurists, 1999) at p. 19。

[4] 邱稔壤(见注1),页50。

[5] 判词见于 *R v Bow Street Metropolitan Stipendiary Magistrate and others, ex parte Pinochet Ugarte* [1998] 4 All England Law Reports 897 – 947。关于本案的评析,见周忠海主编:《皮诺切特案析》,中国政法大学出版社1999年;陈致中:"皮诺切特引渡案",《中山大学法律评论》,1999年第1卷,页266 – 278;张辉:"对'皮诺切特'案的若干国际法思考",《法学杂志》,1999年第3期,页21 – 23。

为理由,获上议院法庭撤消原判并重审。[6](情况是该名法官是"国际特赦组织"的筹款部门的非受薪董事,由于"国际特赦组织"有参与皮氏的此诉讼,所以该名法官参与本案的审讯有违普通法中"自然公义"的第一项原则,即法官不可有所偏袒或被怀疑有所偏袒。) 1999 年 3 月 24 日,由另外 7 名法官组成的上议院法庭作出重审判决,以六比一的多数裁定皮氏败诉。[7]

虽然英国内政部长在 2000 年 3 月,以皮氏健康欠佳不宜接受审讯为理由,拒绝了西班牙的引渡请求及准许皮氏返回智利,但是,英国上议院法庭在 1999 年 3 月的历史性裁决,被西方法学界认为是国际刑法和国际人权法的发展史上的大事,有些论者甚至认为此判决为国际人权法的司法实施的"全球化",敞开了大门。本文的目的,在于研究分析"皮诺切特案"的诉讼背景和判决的法理依据,并探讨此判决的意义和影响,从而在此基础上,对有关国际刑法和国际人权法的演化,予以回顾和前瞻。

二、"皮诺切特案"的诉讼背景

关于"皮诺切特案",一位英国法学家写道:

"一件上议院法庭的案件,引发起这么多的激情和戏剧性的场面,从严肃的法庭泻溢至伦敦、马德里和圣地亚哥的街头。"[8]

这次由西班牙提出的引渡请求的根源,是西班牙两位法官 Baltasar Garzón 和 Manuel García Castellón 在 1996 年就阿根廷和智利

---

[6] 判词见于 *R v Bow Street Metropolitan Stipendiary Magistrate and others, ex parte Pinochet Ugarte* (*No.* 2) [1999] 1 All England Law Reports 577 – 599。

[7] 判词见于 *R v Bow Street Metropolitan Stipendiary Magistrate and others, ex parte Pinochet Ugarte* (*No.* 3) [1999] 2 All England Law Reports 97 – 192。

[8] Christine M. Chinkin, "International Decision: United Kingdom House of Lords (Spanish request for extradition)" (1999) 93 American Journal of International Law 703.

两国前军政府侵犯人权的暴行展开的调查,有关暴行的受害者包括西班牙裔人士。[9] 对阿根廷 1976 年至 1983 年军政府执政期间的暴行的刑事程序展开于 1996 年 3 月,[10] 疑犯包括百多名前任或现任阿根廷官员,他们被控以种族灭绝、恐怖主义等行为,导致 600 多名西班牙公民和数千名阿根廷公民失踪。后来西班牙向阿根廷提出引渡要求,但遭拒绝。1996 年 7 月,一个名为"西班牙检察官进步联会"的非政府组织也在西班牙法院提起刑事诉讼,[11] 针对智利前政府领导人的种族灭绝、恐怖主义、酷刑、谋杀、令人失踪等暴行。后来,西班牙裔受害者的家属也加入了诉讼。

关于西班牙法院是否就上述的前阿根廷和智利政府人员的侵害人权罪行享有刑事管辖权,西班牙高等法院刑事庭的全体 11 名大法官在 1998 年 10 月 30 日作出了重要的判决。判决肯定了西班牙法院就有关罪行的域外管辖权(治外法权),因为西班牙的《法院组织法》第 23 (4) 条赋予法院就种族灭绝、恐怖主义行为和其他根据国际条约可在西班牙起诉的罪行行使普遍管辖权,[12] 无论疑犯是否西班牙公民或犯罪地是否在西班牙。法院还对"种族灭绝"作出广义的解释,使它适用于用意在于消灭社

---

[9] International Commission of Jurists (见注3),页 24。

[10] 参见 Julia K. Boyle, "The International Obligation to Prosecute Human Rights Violators: Spain's Jurisdiction over Argentine Dirty War Participants" (1998) 22 Hastings International and Comparative Law Review 187。

[11] International Commission of Jurists (见注3),页 24;William J. Aceves, "Liberalism and International Legal Scholarship: The Pinochet Case and the Move Toward a Universal System of Transnational Law Litigation" (2000) 41 Harvard International Law Journal 129 at 162。

[12] 参见 Aceves (见注11),页 162 以下。

会中某一群人（无论这个群体是以哪些特征来识别的）的行为。[13]

值得留意的是，西班牙政府最初是不支持 Garzón 等法官对阿根廷和智利前政府人员进行刑事程序的。[14]上面提到阿根廷政府拒绝了西班牙的引渡请求，至于智利政府，也拒绝了西班牙法院就此案提出的协助调查的请求。智利外交部在 1997 年 5 月表示，[15]智利并不承认外国法院审讯在智利发生的事情的权力，尤其是因为有关事情经已由智利法律或提交智利法院处理。1998 年 10 月 16 日，西班牙向英国提出引渡皮诺切特的请求，1998 年 11 月 3 日，智利参议院就西班牙法院主张治外法权而侵犯智利的主权，提出抗议。[16]在上议院法庭的诉讼中，智利政府有派遣律师代表出庭，主张智利的豁免权并反对引渡皮氏往西班牙。

推动针对皮氏的诉讼的力量，一方面来自西班牙的少数法官和受害者的家属，另一方面来自不少非政府组织、传媒界和学术界。在非政府组织方面，人权组织和为受害者伸张正义的组织的角色是较突出的，例如在英国上议院法庭的诉讼中，"国际特赦组织"和一些代表受害者权益的团体都获准参与诉讼，"人权观察"这个组织也提交了书面陈词。其实在西欧多国的法制中已经形成了对皮氏的暴行进行司法追究的跨国运动，到了 2000 年 3 月（即英国政府以皮氏健康不佳为理由准许他回国的时候），瑞士、比利时和法国也分别向英国提出了引渡皮氏的请求。此外，针对皮氏的诉讼也已在德国、奥地利、意大利、卢森堡和瑞典的

---

[13] 参见 International Commission of Jurists（见注 3），页 115 以下。
[14] 参见 Michael P. Davis, "Accountability and World Leadership: Impugning Sovereign Immunity" (1999) University of Illinois Law Review 1357 at 1374。
[15] 参见 Aceves（见注 11），页 164。
[16] 见 [1998] 4 All ER 897 at 922。

法院提起。[17]

至于在智利本土，在皮氏于1998年到英国就医之前，也曾有就他的暴行进行追究的个别诉讼的提出，但遭遇的困难重重。[18]首先，智利国会曾于1978年通过一部特赦法，适用于1973年至1978年间的侵犯人权事件，而皮氏领导下的政府的暴行，大部分都是属于这段时期的。其次，正如上述，皮氏根据1980年的宪法，享有终身参议员的身份，此身份赋予他在智利境内的诉讼的豁免权。第二，即使克服了上述两项障碍，就皮氏作为军方最高领导人期间所作出的侵犯人权行为，军事法院可行使管辖权，相对于一般法院，军事法院更可能偏袒皮氏。最后，虽然智利已经实行了民主转型，但军方的势力仍举足轻重，皮氏在军队里仍得到不少支持，所以人们忧虑针对皮氏的法律行动会导致政局的动荡。

吊诡的是，皮氏在英国就医、被软禁和受诉讼缠扰的18个月，为智利社会创造了一个难得和宝贵的空间，让智利各界人士反思皮氏对前政府暴行的责任问题，更让希望伸张正义、追究责任的社会力量凝聚和重建起来。于是，皮氏在2000年3月回国之后，针对他的诉讼出现了戏剧性的发展。2000年6月5日，圣地亚哥的上诉法院以十三比九的多数裁定，皮氏不能再享有作为终身参议员的豁免权，皮氏其后上诉至智利最高法院。2000年8月8日，该法院20名法官以十四比六的多数驳回了上诉。但是皮氏的健康情况欠佳，对他的刑事起诉受到很多拖延，进展缓

---

[17] 参见 International Commission of Jurists（见注3），页95；Amnesty International, *United Kingdom: The Pinochet Case – Universal Jurisdiction and the Absence of Immunity for Crimes Against Humanity* (AI Index: EUR 45/01/99, January 1999)。

[18] 参见 Amnesty International（见注17）。

慢。2001年7月9日，圣地亚哥的上诉法院以二比一的多数以健康理由中止有关刑事诉讼程序。2002年，最高法院肯定了这个判决。

三、"皮诺切特案"处理的法理问题

英国上议院法庭所审判的"皮诺切特案"主要是一件关于引渡的案件，它的特点是，第一，引渡请求所针对的刑事行为，大多是多年以前在智利作出的，受害者大多是智利本国公民；第二，被请求引渡的疑犯是智利的前国家元首；第三，请求引渡国不是智利，而是西班牙。英国上议院法庭要处理的法理问题，主要的有两个。第一，西班牙的引渡请求中所列出的犯罪，根据英国的引渡法规是否属"可引渡之罪"（尤其是否满足"双重犯罪"原则）？第二，如果有关犯罪确属可引渡之罪，作为前国家元首，皮氏是否享有可藉以免受引渡及其他在英国的刑事诉讼的豁免权？

首先让我们看看第一个问题。引渡请求中列出的犯罪包括使用酷刑、串谋使用酷刑、串谋劫持人质、串谋杀人、企图杀人等，指控皮氏为了取得政权及维持其政权，不惜有计划地广泛使用这些手段。有关罪行实施的时间各有不同，但都是在1972年至1990年之间。犯罪的地方大多在西班牙以外，受害者主要并非西班牙公民。

英国1984年的《引渡法》（Extradition Act）第2条对什么是

"可引渡之罪"作出了界定。[19] 这条反映了"双重犯罪"原则的要求：如引渡请求所针对的犯罪行为发生在请求引渡国，它必须是在英国也构成犯罪的行为（假如它发生在英国的话），并且可处以1年以上徒刑者（见第2（1）（a）条）。如引渡请求所针对的行为发生在第三国（但请求引渡国根据其本身的法律就此行为享有治外法权），则有关行为必须是根据英国法律英国法院也有权行使治外法权并处以1年以上徒刑者（见第2（1）（b）及2（2）条），又或（以下只适用于请求引渡国根据属人原则行使国籍管辖的情况）该行为在英国也构成犯罪行为（假如它发生在英

---

[19] 第2条的英文原文如下：

(1) In this Act, except in Schedule 1, "extradition crime" means – (a) conduct in the territory of a foreign state, a designated Commonwealth country or a colony which, if it occurred in the United Kingdom, would constitute an offence punishable with imprisonment for a term of 12 months, or any greater punishment, and which, however described in the law of the foreign state, Commonwealth country or colony, is so punishable under that law; (b) an extra–territorial offence against the law of a foreign state, designated Commonwealth country or colony which is punishable under that law with imprisonment for a term of 12 months, or any greater punishment, and which satisfies – (i) the condition specified in subsection (2) below; or (ii) all the conditions specified in subsection (3) below.

(2) The condition mentioned in subsection (1) (b) (i) above is that in corresponding circumstances equivalent conduct would constitute an extra–territorial offence against the law of the United Kingdom punishable with imprisonment for a term of 12 months, or any greater punishment.

(3) The conditions mentioned in subsection (1) (b) (ii) above are – (a) that the foreign state, Commonwealth country or colony bases its jurisdiction on the nationality of the offender; (b) that the conduct constituting the offence occurred outside the United Kingdom; and (c) that, if it occurred in the United Kingdom, it would constitute an offence under the law of the United Kingdom punishable with imprisonment for a term of 12 months, or any greater punishment.

国的话）并可处以1年以上徒刑）（见第2（1）（b）及2（3）条）。

适用于本案的主要是第2（1）（b）及2（2）条，因为有关行为主要发生在第三国。上议院法庭首先要处理的，是适用此条文的时间性问题。在决定有关行为是否可引渡之罪时，法院要看的是（a）根据在引渡请求提出时有效的英国法律，有关行为是否英国法院有权行使治外法权的罪行，还是（b）根据在有关行为发生时有效的英国法律，有关行为是否对英国法律的域外犯罪（即英国法院有权对其行使治外法权的罪行）？

就着这个技术性的问题，上议院法庭裁定（b）才是关键性的。这即是说，如果有关行为在发生时并非对英国法律的域外犯罪，而后来英国法律有所改变，有关行为（如果现在发生的话）构成域外犯罪，那么此行为并不根据第2（1）（b）及2（2）条构成可引渡之罪。这个裁定的影响是重大的，它导致皮氏所涉及的可引渡之罪的范围和数目大为缩小，原因如下。

在西班牙提出的引渡请求里，大部分的指控都是涉及发生在1988年前的使用酷刑和串谋使用酷刑行为，但在1988年以前，酷刑并非英国成文法所规定的域外犯罪。根据英国成文法，英国法院在1988年9月29日才开始对在该日以后在英国境外实施的酷刑享有刑事司法管辖权（即"普遍管辖权"，不受制于犯罪在何地发生及犯罪者或受害者属何国籍），因为在这天，1988年《刑事司法法》（Criminal Justice Act）第134（1）条开始生效，但不具溯及力。第134（1）条制定的目的，是在英国实施1984年联合国大会通过的《禁止酷刑和其他残忍、不人道或有辱人格的待遇或处罚公约》（Convention Against Torture and Other Cruel, Inhuman or Degrading Treatment or Punishment）（以下简称《禁止酷刑公约》）。该公约在1988年12月8日在英国正式批准生效。该公约的缔约国有110多个，其中包括西班牙和智利，公约在此两国批准生效的日期分别为1987年10月21日和1988年10月30日。

西班牙的引渡请求涉及约130宗发生在1977年至1990年之间的酷刑或串谋使用酷刑的个案，其中只有3宗发生在1988年9月29日以后。基于上述考虑，上议院法庭的大多数法官裁定，就在此日期以前发生的酷刑或串谋使用酷刑的指控，不属可引渡之罪，其余少数指控，则属可引渡之罪。基于同样原理，上议院法庭裁定，关于皮氏在1978年8月21日以前串谋或企图在西班牙以外的地方谋杀他人的指控，并不构成可引渡之罪，理由是在该日期以前，英国法院对非英国公民在英国境外的谋杀行为无管辖权，对在境外串谋在外国谋杀他人也无管辖权。1978年8月21日，用以实施《欧洲防治恐怖主义公约》(European Convention on the Suppression of Terrorism)的《防治恐怖主义法》(Suppression of Terrorism Act)生效，英国法院对在缔约国境内的若干行为（包括谋杀）享有管辖权，但这是无济于事的，因为对皮氏的指控涉及的都是1978年以前的串谋或企图谋杀行为。至于控罪中涉及劫持人质的部分，上议院法庭（主要是Hope勋爵）分析了被指控的行为的内容，指出它并不胞合1982年英国《劫持人质法》(Taking of Hostages Act)（用以实施1979年《反对劫持人质国际公约》(International Convention Against the Taking of Hostages)）中对有关罪行的定义，因此，引渡请求的有关部分是无效的。

上面提到1988年9月29日以前，在英国境外使用酷刑不属英国法院刑事管辖权范围之内，这只是上议院法庭大多数法官的意见，有一位法官就此点持不同意见，他就是米勒（Millet）勋爵。米勒法官认为，虽然在1988年《刑事司法法》的有关条文生效之前，英国成文法未有把酷刑罪设定为域外犯罪，但是，按他的理解，根据国际习惯法，在1988年以前——至少是在1973

年（即皮氏上台时）以后，有系统地大规模使用酷刑作为统治的手段，已经是各国均可以行使普遍管辖权的国际罪行，正如海盗罪、战争罪和违反和平罪一样。由于国际习惯法是英国普通法（不成文法）的一部分，所以在1988年以前，英国法院已经有权根据普遍管辖原则，对符合上述标准的酷刑行为行使治外法权。

米勒法官认为：

"如果以下两个条件都得到满足，则可根据国际习惯法，对国际法所禁止的犯罪行使普遍管辖权。第一，有关犯罪须是违反国际法中的强行法（又称强制法或绝对法，即 jus cogens 或 peremptory norm）的。第二，有关犯罪的严重性和规模，须足以被认为是对国际法律秩序的攻击。"[20]

现在让我们进入"皮诺切特案"中的第二个主要问题，即前国家元首的豁免权问题。正如第一个问题，这第二个问题既涉及英国的国内法，也涉及国际公法。英国国内法的相关法规是1978年的《国家豁免权法》（State Immunity Act），这部法律主要就民事诉讼中的国家豁免权作出规定（例如规定豁免权不适用于国家的商业行为）。与本案相关的条文是《国家豁免权法》的第20（1）条，[21]它规定1964年的《外交特权法》（Diplomatic Privileges Act）可变通适用于国家元首，正如它适用于外交使节。

《外交特权法》第2条规定，1961年《维也纳外交关系公约》（Vienna Convention on Diplomatic Relations）若干条文在英国有

---

[20] [1999] 2 All ER 97 at 177。

[21] 第20（1）条的英文原文：Subject to the provisions of this section and to any necessary modifications, the Diplomatic Privileges Act 1964 shall apply to – (a) a sovereign or other head of State; (b) members of his family forming part of his household; and (c) his private servants, as it applies to the head of a diplomatic mission, to members of his family forming part of his household and to his private servants...

法律效力，包括以下条文。第29条规定，外交代表人身不得侵犯，不受逮捕拘禁。第31（1）条规定，外交代表在驻在国（接受国）享有刑事管辖上的豁免权。第39（2）条规定，[22]享有外交特权和豁免权的人员的职务如果终止了，这些特权和豁免权通常于该员离境时终止，但对于该员以使馆人员资格执行职务的行为，豁免权将仍然有效。

上议院法庭指出，外交代表在驻在国任职期间的行为所享有的刑事司法豁免权是绝对的和没有例外的，除非派遣国放弃此豁免权，同意有关外交人员在驻在国接受刑事审判（有关豁免权是属于国家而非外交人员个人的，所以外交人员个人也无权放弃此豁免权）。由于此豁免权适用于有关人员的所有行为，所以它可说是"以人为基础"的（ratione personae）；至于外交人员卸任后仍保留的有限豁免权，则是"以事为基础"的（ratione materiae）——它只适用于外交人员在任内的公务行为，即与其执行其职务有关的、以其外交人员身份作出的行为，而非私人性质的行为。

上议院法庭认为，根据《维也纳外交关系公约》的变通应用和国际习惯法，一个到访英国的外国国家元首在英国享有"以人为基础"的、绝对的刑事管辖上的豁免权，而一个已卸任的前外国国家元首，正如其他外国官员一样，在英国可享有"以事为基础"的、有限的、适用于公务行为的刑事司法豁免权。因此，本

---

[22] 第39（2）条的英文原文：When the functions of a person enjoying privileges and immunities have come to an end, such privileges and immunities shall normally cease at the moment when he leaves the country, or on expiry of a reasonable period in which to do so, but shall subsist until that time, even in case of armed conflict. However, with respect to acts performed by such a person in the exercise of his functions as a member of the mission, immunity shall continue to subsist...

案中的关键问题是，皮氏被控的（在 1988 年以后发生的、基本上可引渡的）使用酷刑和串谋使用酷刑行为，是否其任内的执行职务的行为。

上议院法庭在 1998 年 11 月的判决中，对此问题曾有三对二的分歧。[23] 持少数意见的两位法官（他们的意见与原审法院三位法官的意见一样）认为，有关酷刑的施用是智利前军政府维持其统治的手段之一，故不是私人行为而是公务行为，因此皮氏可就此享有豁免权。他们并指出，虽然智利参加了《禁止酷刑公约》，但公约的条文并无明示或默示缔约国已放弃了这种豁免权。持多数意见的三位法官则强调，酷刑是国际法所不容的，因此，使用酷刑绝不应被视为国际法所承认的国家元首执行职务中的行为。

对于这个问题，上议院法庭在 1999 年 3 月的判决中有较为一致的意见，它以六比一的绝大多数裁定，皮氏不能就有关指控享有豁免权。在作出此裁定时，上议院法庭充分意识到本案的划时代意义：

> 这点在国际层面有相当的重要性：如果就 1988 年 9 月 29 日后被指控的酷刑行为，皮诺切特参议员被裁定不享有豁免权，这便是（至少根据本案中律师的调查研究）有史以来首次有一国内法院以豁免权不适用于某些国际罪行的起诉为理由，拒绝把豁免权给予一个国家元首或前国元首。（见于 Browne–Wilkinson 勋爵的判词[24]）

---

[23] 同注 6。
[24] [1999] 2 All ER 97 at 111.

值得留意的是，在1999年3月的判决中，上议院法庭的大多数法官认为，皮氏仍可就其被指控的在1988年12月8日以前作出的酷刑行为享有豁免权，亦即是说，有关豁免权的丧失，只适用于指控中的在1988年12月8日以后作出的酷刑行为。1988年12月8日是《禁止酷刑公约》在英国正式生效实施的日子，在此以前，此公约已在西班牙和智利生效实施。1988年12月8日的意义是，从此日起，《禁止酷刑公约》同时实施于西班牙（本案中的请求引渡国）、英国（被请求引渡国）和智利（享有有关刑事司法豁免权的国家）。

由此可见，和1998年11月的判决不同，上议院法庭在1999年3月的判决中就豁免权问题的裁定，并非基于酷刑是国际习惯法所不容、故不能视为公务行为的这种较为空泛或一般性的理据，而是基于对《禁止酷刑公约》的具体内容及其背后的用意的研究和分析。

1984年的《禁止酷刑公约》在《世界人权宣言》、《公民权利和政治权利国际公约》和1975年联合国大会通过的《保护人人不受酷刑和其他残忍、不人道或有辱人格的待遇或处罚宣言》的基础上，对在世界范围内怎样更有效防止和惩治酷刑的使用，作出进一步的规定。《禁止酷刑公约》第1条设定了"酷刑"的定义，特别强调酷刑是"公职人员"或"以官方身份行使职权的其他人"为了若干目的而使他人"在肉体或精神上遭受剧烈疼痛或痛苦的任何行为"。缔约国有义务在其境内防止酷刑行为（第2条），并把它认定为刑事罪行（第4条）。缔约国应就以下情况确定其管辖（第5条）：

（a）在其领土内的酷刑行为（领土管辖）；
（b）疑犯是该国公民的酷刑行为（国籍管辖）；
（c）受害人是该国公民的酷刑行为，如果该国认为应予管辖

的话（保护管辖）；或

(d) 酷刑行为的疑犯在该国境内，而该国不把他引渡至根据上述 (a)、(b) 或 (c) 项享有管辖权的国家（普遍管辖）。

此外，缔约国应规定酷刑行为为其引渡法中可引渡之罪（第8条）。如缔约国在其领土内发现酷刑行为的疑犯，"如不进行引渡，则应将该案提交〔该国自己的〕主管当局以便起诉"（第7条），这便是著名的"或引渡或起诉"原则（dedere aut judicare）的应用。

《禁止酷刑公约》所采用的对治酷刑行为的方案，是当代国际刑法中的一个典型，而"普遍管辖"（universal jurisdiction）和"或引渡或起诉"原则便是它的基础。[25] 正如一位学者指出：

> 普遍管辖使世界各国在追诉国际犯罪时，形成了一张天罗地网。国际犯罪在普遍管辖体系下无一疏漏。国际罪犯无论在哪里发现，终将逃脱不了刑罚惩罚。[26]

---

[25] "普遍管辖"是法院刑事管辖权的四种依据之一，其他的管辖权依据是"属地管辖"原则、"属人管辖"原则和"保护管辖"原则。根据"普遍管辖"原则，在某些国际犯罪的情况下，甲国的法院可对乙国公民在乙国或丙国对乙国或丙国公民的犯罪行使刑事管辖权。至于"或引渡或起诉"，则是在有关条约规定的情况下缔约国须承担的国际法义务。"普遍管辖"和"或引渡或起诉"是不同但在某些情况下关系密切的概念。例如《禁止酷刑公约》规定缔约国就有关酷刑行为享有普遍管辖权，缔约国并就这些罪行承担"或引渡或起诉"的义务。在这情况下，普遍管辖权可能构成"或引渡或起诉"的先决条件：除非甲国对乙国公民在甲国以外对乙国或丙国公民的酷刑行为享有普遍管辖权，否则涉嫌在甲国以外对非甲国公民犯酷刑罪的乙国公民便不能在甲国法院被起诉和审讯。但是，如果涉嫌犯酷刑罪的是甲国本身的公民，则"或引渡或起诉"原则的应用便与普遍管辖权无关，因为甲国可根据属人管辖原则对他进行起诉和审讯。

[26] 曹建明等主编：《国际公法学》，法律出版社，1998年，页614–615。

另一位学者进一步阐释：

按照普遍管辖的原则，只要是在其领土内发现被指控实施了国际犯罪的罪犯，无论犯罪人是不是本国公民，不论其犯罪是否在本国领土内发生，也不论其犯罪的受害者是哪个国家及其公民，每个国家都有权对其进行刑事管辖。这个原则，在客观上就对国际犯罪分子造成了一个无以逃脱的法网。[27]

在本案中，上议院法庭持多数意见的6位法官均认为，承认一位前国家元首就其任内的酷刑行为的豁免权，是与《禁止酷刑公约》的条文和精神互相矛盾、互不兼容的。按照他们的理解，《禁止酷刑公约》第1条提到的"公职人员"，既包括各级政府官员，也包括国家元首（虽然他们仍承认现任国家元首在出访外国时所享有的豁免权是绝对的）。第1条中关于酷刑罪的定义表明，以私人身份而非官方身份向他人施加的酷刑，根本不属《公约》所针对的"酷刑"的范围之内。因此，如要说某官员的酷刑行为是公务行为并因而享有豁免权，则

第134条〔即设定酷刑罪并实施《禁止酷刑公约》的《刑事司法法》第134条〕便变成废纸。因为只有两个可能性：一是被告人的酷刑行为是以私人身份作出的，那么他便根本不能根据第134条入罪；二是被告人的酷刑行为是以官方身份作出的，那么他便享有豁免不受起诉。（见于米勒勋爵的判

---

[27] 张智辉：《中国刑法通论》，中国政法大学出版社，1993年，页75。

词)[28]

上议院法庭还强调，外国前国家元首就其公务行为的豁免权在其性质和范围上是与其他外国官员就其公务行为的豁免权是一致的，所以如果前国家元首的酷刑行为享受豁免（除非其国家表明放弃有关豁免权），那么其他官员的酷刑行为也应享有同样的豁免，这样《禁止酷刑公约》的普遍管辖原则便是形同虚设的了。因此，上议院法庭的结论是，在西班牙、智利和英国相继批准《禁止酷刑公约》之后，智利便再不能以其前国家元首涉嫌所犯的酷刑行为是公务行为为理由，主张其豁免权以反对西班牙根据普遍管辖原则就有关行为向英国提出的引渡请求。

在6位持多数意见的法官中，其中两位更有一些较为独特的见解，是值得留意的：贺贝（Hope）勋爵的意见比6人中的主流较为"保守"一点，而菲利斯（Phillips）勋爵的意见则比主流较为"激进"一点。贺贝法官认为，即使是在《禁止酷刑公约》在有关国家实施后，皮氏仍可就个别的、孤立的酷刑行为的指控享有豁免权，但如果他被指控的是有系统地、广泛地使用酷刑作为统治手段（贺贝指出，在本案中虽然在1988年以后的酷刑指控寥寥可数，但根据有关指控它们并非孤立的个别事件，而是皮氏有系统地使用酷刑镇压异己的政策的一部分），豁免权便不能适用，因为根据国际习惯法，这样使用酷刑构成严重的国际罪行、违反国际法中的强行法。在这方面，贺贝特别提到美国的判例 Siderman de Blake v. Argentina（1992年）[29]（指出在1976年作出的酷刑行为是违反国际法中的强行法的）、1993年就前南斯拉夫

---

[28] [1999] 2 All ER 97 at 179.
[29] (1992) 965 F 2d 699.

成立的国际法庭章程（其中关于危害人类罪（crimes against humanity）的第5条提及酷刑）、1994年就卢安达成立的国际法庭章程（其中第3条规定，基于民族、政治、族裔、种族或宗教理由，在广泛或有系统地针对任何平民人口进行的攻击中实施酷刑或其他若干行为（如谋杀、灭绝、奴役、驱逐、监禁、强奸等），构成危害人类罪）、及1998年《国际刑事法院罗马规约》（Statute of the International Criminal Court）第7条（就危害人类罪作出类似卢安达国际法庭章程第3条的规定）。

至于菲利斯法官，则对于有关豁免权的历史基础提出质疑。他指出，在国际法的发展史中，国内法院在刑事上就非公民的治外法权是新生的事物，翻查国际法的四大渊源——习惯、司法判例、学者著作和一般法律原则，都找不到关于一国的前国家元首其任内的公务行为是否在别国刑事法院享有豁免权的权威性规范。他的结论是：

> 并不存在已成立的国际法规范，要求在国际犯罪的起诉中承认"以事为基础"（ratione materiae）的国家豁免权。国际罪行和就这些罪行的治外法权都是国际公法上的新生事物。我不相信它们能与"以事为基础"的国家豁免权共存。治外法权的行使是凌驾于一国不干涉别国内政的原则的。就国际罪行来说，不干涉别国内政的原则不能是优先的。当国际犯罪是以官方名义进行时，它与其他国际犯罪同样令人厌恶、甚至更加令人厌恶。治外法权一旦确立，把以官方身份作出的行为排除出去是不对的。[30]

---

[30] [1999] 2 All ER 97 at 189–190.

四、"皮诺切特案"的意义和影响

英国上议院法庭在"皮诺切特案"的判决的最大启示是，在某些情况下，贵为国家元首的人，如在本国犯有严重侵犯人权的暴行，在其卸任后即使其本国不对他进行司法追究，他在国外也可能受到逮捕、起诉、引渡或审判，而对他采取行动的无须是国际刑警或国际性的刑事法庭，任何根据有关国内法可以对他行使刑事管辖权的国内法院，都可以置他于其刑事程序之内。如果他涉嫌所犯的是某些国际罪行，他和他的国家将不能主张其豁免权。所谓天网恢恢，疏而不漏，在国际刑法和国际人权法的威力下，在"普遍管辖"原则和"或引渡或起诉"原则的罗网中，草菅人命的暴君将在世界范围内无所遁形。

"皮诺切特案"的哄动之处，在于它涉及的是一个国际知名的前国家最高领导人，但是，其他较低层次的官员或军人在他国法院就其在本国的违反人权的暴行接受刑事审讯和被判刑的案例，在近年来已存在于一些欧洲国家法院。在 90 年代，法国、德国、奥地利、瑞士、比利时、荷兰、丹麦和瑞典的法院都曾处理过在前南斯拉夫和卢安达的动乱中犯下侵犯人权暴行的人的调查、起诉、审讯或判刑。[31] 这些案例均可视为国际刑法的普遍管辖原则的体现。

国内法院根据普遍管辖原则审判侵犯人权的国际罪行的最著名案例，应该是 1962 年以色列最高法院判决的"艾希曼案"（A - G of Israel v. Eichmann）。[32] 艾氏是纳粹德国的高级官员，曾参与策划和执行对犹太人的大屠杀，二次大战后逃离德国。1960 年，以色列情报人员从阿根廷把他绑架到以色列受审。以色列最

---

[31] Amnesty International（见注 17），页 16 – 18；Wedgwood（见注 2），页 837 。
[32] (1961) 36 ILR 5.

高法院裁定，艾氏所犯的是战争罪行和危害人类罪（或称违反人道罪），属最严重的国际罪行，以色列法院有权行使普遍管辖权。艾氏终于被处死刑。"尽管以色列帕特工到阿根廷绑架艾希曼的做法侵犯了阿根廷主权而受到抗议和批评，但以色列确认以对战犯的普遍管辖原则却得到了普遍的支持。"[33]

考虑到以上案例，我们可以看到，英国上议院法庭在"皮诺切特案"的判决，是对已经在国际刑法中存在的普遍管辖原则的禀承和发展。它一方面示范了普遍管辖原则的威力，另一方面把它推展至国家前最高领导人的层次，并且指出，在刑事管辖方面的豁免权来说，一个前国家元首与其他各级政府官员的地位是半等的，他们所享有的豁免权都是一种"以事为基础"的豁免权，只适用于他们执行其职务的行为，而在若干情况下，使用酷刑是不能被视为执行职务的行为的。

但是，必须承认，无论在理论的层面或是实践的层面，"皮诺切特案"都有明显的局限性，所以，如果说它开启了"人权在全球的执行"[34]之门，未免言之尚早。首先，在法理的层次，英国上议院法庭其实并没有满足参与诉讼的人权团体的要求。这些团体希望争取被承认的法理论点是，根据国际习惯法和英国普通法，英国法院在 1988 年《禁止酷刑公约》和《刑事司法法》实施之前，早已享有对像酷刑这样的国际罪行的普遍管辖权和治外法权，所以皮氏早在 70 年代犯有的暴行乃属可引渡之罪。可是，除了米勒勋爵之外，其他大法官都不愿意去得这么远。此外，人权分子希望确立的另一原则是，就侵犯人权的严重国际罪

---

[33] 赵永琛：《国际刑法与司法协助》，法律出版社，1994 年，页 148；也可参见张智辉（见注 27），页 87；Amnesty International（见注 17），页 15。

[34] Chinkin（见注 8），页 711。

行来说，前国家元首不能享有豁免权，不论其有关行为是否被视为公务行为。可是，除了菲利斯勋爵外，其他大法官也不愿意去得这么远。他们只愿意把皮氏的豁免权的丧失，建筑在《禁止酷刑公约》中的字眼和英、西、智三国均已批准实施此公约的事实之上。

让我们再看实践的层次。有论者认为，皮诺切特案"提供了一个强而有力的例子，示范出一个跨国性法律诉讼的普遍性体系的可能性和问题"。[35] 他的意见是，一个由忠于国际人权规范的自由民主国家法院和国际市民社会（包括提倡人权的非政府组织）所组成的跨国诉讼体系，比国际法庭或其他由国家组成的国际机构更能有效地确保国际人权法的实施和对违反者施以制裁。这很可能是过于乐观的、一厢情愿的想法。"皮诺切特案"的发展过程中，西班牙与智利之间以至英国与智利之间的外交友好关系明显地受到冲击，也有人担心该案会改变智利民主化过程中微妙的各方权力的均衡而造成政治动乱。此外，另一个实际的考虑是，皮氏以取得特赦和豁免权作为交出其独裁政权的条件，接受这个安排作为民主转型的代价是智利人民的选择，任何外国或外国司法机关对皮氏采取的行动都会惹来争议，并有干涉智利内政之嫌。由此可见，通过跨国性诉讼企图追究别国前领导人的暴行的法律行动，涉及复杂的外交和政治问题和多元的考虑，不宜简单化地把追求法律意义上的正义视为唯一的价值和目标。

从过去 30 多年来世界各国的司法实践中可以看到，虽然国内法院就若干国际罪行的普遍管辖权已经逐步得到确立，但这种管辖权被实际应用的案例却是罕有的（主要在像劫持飞机这类恐

---

[35] Aceves（见注 11），页 134。

怖主义活动的情况），[36] 其原因主要是政治性的考虑。由一国的刑事法院对别国的公民就其在该别国对该别国公民或他国公民的犯罪行为（尤其是侵犯人权行为）行使管辖权，在当今世界的现实政治环境和国际关系中，始终未能成为气候。一国要对别国的人进行这样的刑事程序（即使其目的是善意的，即为在该别国受害的人讨回公道），难免要在外交关系上付出一定的代价。当今世界始终还是主权国占主导地位的体系，一国过于热衷为另一国的人伸张正义，容易惹来怀疑的目光，甚至被指控为不尊重他国的主权或干涉他国的内部事务。再者，对在他国发生的事情行使普遍管辖权，也会遇到举证和其他技术上的困难。[37] 总之，这种诉讼很可能是吃力不讨好的事。

小国当然反对大国以国际警察自居，在自己的法院审判在别国发生的违反人权的行为。即使是大国，也不太喜欢普遍管辖权的过分膨胀和国家豁免权的萎缩。在这方面，哥富（Goff）勋爵在英国上议院法庭就"皮诺切特案"的判词中的这一段话是语重心长的（哥富法官是六比一多数判决中持少数意见的那一位法官）：

> 对于强大的国家来说，国家豁免权〔这里是指"以事为基础"的、适用于前国家元首以至其他官员的刑事豁免权〕是特别重要的，尤其是当有关国家的元首同时行使行政实权，因强烈的政治理由而憎恨他任内的作为的外国政府将视他为起诉的目标。以更接近我国的事情为例，我们不应忘记，在美国以至一些其他国家都存在着有一定影响力的意见，支持

---

[36] 参见赵永琛（见注33），页149。
[37] 同上，页150。

"爱尔兰共和军"推翻北爱的民主政府的运动。不难想象，一个持这种意见的外国政府，在英国的部长级官员或例如警官的较低级官员出现在第三国的时候，会以他曾默许发生在北爱的某一次肉体或精神上的酷刑行为为理由，要求该第三国把他引渡到那个外国受审。[38]

"皮诺切特案"的判词中还有一点值得留意的，便是至少一位法官承认，外国前国家元首和其他政府官员在英国法律下享有的刑事方面的豁免权，竟然比他们在民事方面的豁免权来得狭隘。关于民事方面的国家豁免权，英国上诉法院在1996年立有判例，案名是 *Al Adsani v. Kuwait*。[39]案中原告人声称科威特政府官员曾对他施以酷刑，他根据侵权法向科威特政府提起诉讼，要求损害赔偿。就着国家豁免权的辩护，他提出的论点是，酷刑是违反国际法中强行法的行为，所以国家豁免权不能适用。上诉法院却裁定此论点不能成立，因为英国《国家豁免权法》中关于民事上国家豁免权的例外情况的规定（例如说豁免权并不适用于商业交易），并不包括这种情况。

法院也曾裁定，如就外国政府官员在表面上行使他们的公务职能时作出的行为提起诉讼，要求赔偿，那么即使有关官员的行为是非法的，他们仍可享有国家豁免权。因为如果国家本身就他们的行为被直接起诉和追讨赔偿，国家可享有豁免权；如果有关官员被判有赔偿的责任的话，那么他们的国家便要补偿他们，这样国家豁免权便受到损害。〔这是不应该

---

〔38〕 [1999] 2 All ER 97 at 128.
〔39〕 (1996) 107 ILR 536.

发生的情况。][40]

加拿大1993年的判例 Jaffe v. Miller (No.2)[41] 支持了这个观点。此案件也是民事侵权诉讼，被告人是外国政府官员，被控诬告和串谋绑架，法院裁定他们可享有豁免权。但是，必须指出，这个判决的前提是，法院认为有关行为是有关官员在行使其职权的过程中作出的。赫顿法官在"皮诺切特案"的判词中有这样的一点附带意见（obiter dictum）：如果皮氏在英国的民事诉讼中被追讨赔偿，他可根据 Jaffe v. Miller (No.2) 案的原则享有豁免权。但是，如果正如"皮诺切特案"中大多数法官所表明，至少在1988年12月以后，皮氏的酷刑行为不能再以公务行为为借口享有刑事方面的豁免权，那么，在民事诉讼中，他的这些行为仍可被视为公务行为吗？这个问题是悬而未决的。

就酷刑等侵害人权的行为的跨国性民事诉讼，在美国较为普遍，所以在结束本节之前，让我们看看美国法下的情况。首先，就民事方面的国家豁免权，美国在1976年制定的《外国国家豁免权法》（Foreign Sovereign Immunities Act）作出了全面的规定。美国最高法院1989年的判例 Argentina v. Amerada Hess [42]清楚指出，《外国国家豁免权法》内列出的豁免的例外是详尽和没有任何遗漏的，对于任何没有被明文列出为例外的情况（包括某些违反国际法的情况），国家豁免权仍将适用。在1992年美国第九巡回上诉法院的 Siderman de Blake v Argentina [43]一案，这个原则被

---

[40] [1999] 2 All ER 97 at 157。
[41] (1993) 95 ILR 446。
[42] (1989) 109 SCt 683。
[43] (1992) 965 F 2d 699。

应用至就海外的酷刑行为的民事索偿。在本案中,一个阿根廷的家庭对阿根廷及它的一个省提起民事侵权诉讼,理由是阿根廷军政府人员曾对 Siderman 施用酷刑。法院在判决中,一方面裁定酷刑确是违反国际法中强行法的严重罪行,另一方面却坚持阿根廷可就此享有国家豁免权,因为《外国国家豁免权法》并没有规定豁免权不适用于违反强行法的所有情况。

根据美国法律,虽然一个外国的政府在美国国内的民事诉讼中,一般无须为其官员犯上的酷刑等违反人权罪向原告人承担赔偿责任,但在若干情况下,这些官员个人可能须承担赔偿责任。在这方面,最重要的判例是美国第二巡回上诉法院在 1980 年审理的"菲拉蒂加案"(Filartiga v. Pena – Irala)。[44] 本案的原告人和被告人都是巴拉圭公民,两位原告人正在美国寻求政治避难,被告人是以旅游签证入境的巴拉圭警官。原告人根据美国 1789 年的《外国人侵权追讨法》(Alien Tort Claims Act)提起诉讼,指控被告人曾在巴拉圭向他们和其家人施用酷刑,并令其家人致死。《外国人侵权追讨法》授权美国联邦法院处理外国人提出的关于有违国际法或美国缔结的条约的侵权行为的民事诉讼。上诉法院裁定法院对此案享有管辖权,因为有关酷刑行为是违反国际人权法,因而也是违反国际法的。

那么,在这类民事诉讼中,被告人是否能以有关行为是公务行为作为抗辩理由呢?在"菲拉蒂加案"里,法院指出,有关酷刑行为是巴拉圭宪法所不容的,所以被告人的行为不能视为国家行为而不受美国法院管辖。其他案例则显示出两个大原则。首先,如果被告人的行为确是以其官方资格作出的执行职务的行

---

[44] (1980) 630 F 2d 876。参见林欣:"论酷刑案件与美国国际人权司法",《外国法译评》,1994 年第 1 期,页 77–80。

为，他作为个人——正如他的政府一样——可享有国家豁免权。[45] 第二，法院在判定有关行为（例如侵犯人权的行为）是否公务行为时，可考虑行为地的法律的规定。[46] 例如，如果被告人是某国的官员，他被指控的、在该国作出的侵犯人权行为是违反该国本身的法律的，那么法院可以由此推断，此行为是超越该官员的职权范围并因此不受国家豁免权的保护的。但是，有关判例在这方面并非完全一致，也有些法院曾让犯有滥权和非法行为的外国官员享受国家豁免权的保护。[47] 此外，可否直接适用国际法（尤其是关于人权规范的国际习惯法）的规范，在美国法律中仍是并不明朗的。

严重侵犯人权行为的受害者在美国进行民事索偿的权利，在1992年的《酷刑受害者保护法》（Torture Victim Protection Act）下得到进一步的确认。[48] 这部立法适用于外国官员的酷刑行为和司法途径以外的杀人，对于诉讼理由和诉讼程序，这部法律都有详细的规定。但是，这部法律没有减损原有的《外国国家豁免权法》所设定的国家豁免权的范围，亦即是说，在《酷刑受害者保护法》通过之前国家豁免权适用的情况，在该法通过后仍然适用。[49]

---

[45] 参见 Curtis A. Bradley and Jack L. Goldsmith, "Pinochet and International Human Rights Litigation"（1999）97 Michigan Law Review 2129 at 2150 – 2151。
[46] 同上，页 2155 – 2156。
[47] 同注 45，页 2155（尤其是该页的注 131）。
[48] 同注 45，页 2156, 2180 – 2181; Ved P. Nanda, "Human Rights and Sovereign and Individual Immunities (Sovereign Immunity, Act of State, Head of State Immunity and Diplomatic Immunity): Some Reflections"（1999）5 ILSA Journal of International and Comparative Law 467 at 471 – 472。
[49] 但国家豁免权后来受到1996年的《反恐怖主义及有效死刑法》（Anti – Terrorism and Effective Death Penalty Act）的限制：见 Nanda（见注 48），页 472。

有学者指出，[50] 在美国境内起诉身在美国的外国官员，就其侵犯人权行为索偿，即使胜诉，真正获得金钱赔偿的可能性是不高的。但是，这种诉讼仍有一定的意义，它可以给予受害者一种心理上的补偿，在精神上有治疗的作用，而且可以把有关暴行的事实真相记录在案，成为人类的集体记忆的一部分，予以保存。

最后，让我们看看美国法律下国家元首或前国家元首的豁免权。在这方面，由于美国比英国实行更明确的三权分立原则，而这种豁免权的存废关乎美国与外国的关系，属行政决策机关而非司法机关的权责范围，所以美国法在处理这些豁免权的问题时，会比英国法院更加重视行政部门的判断，而不会自行适用国际法来裁决有关问题。[51] 以下的有关判例是值得参考的。在1994年的"阿里斯特案"（*Lafontat v. Aristide*），[52] 被告人是被政变推翻后流亡美国的海地总统，原告人指被告人应为海地军方杀死其丈夫的行为负责，要求赔偿。由于美国国务院向法院表示被告人作为海地总统可享有豁免权，法院便把诉讼撤销。在1994年的"马科斯案"（*Hilao v. Marcos*），[53] 原告人是菲律宾在马氏统治下的酷刑、非法处决和失踪的受害者家属，他们要求从马氏的遗产中取得赔偿。美国第九巡回上诉法院裁定马氏被控的行为不能享有豁免权，因为这些行为不是公务行为，而是越权的行为。法院指出："马科斯不是国家，而是国家元首，他是受到法律的约束的。"[54] 值得留意的是，法院在判词中提到的一个重要因素是，

---

〔50〕 Aceves（见注11），页145。

〔51〕 参见 Bradley and Goldsmith（见注45），页2148。

〔52〕 (1994) 844 F Supp 128。参见 Nanda（见注48），页475-476。

〔53〕 (1994) 25 F 3d 1467，(1995) 115 SCt 934。

〔54〕 (1994) 25 F 3d 1467 at 1471。

当时的菲律宾政府是支持这场针对其前总统的诉讼的，并向法院表明菲律宾与美国的关系不会因此诉讼而受不利影响。[55] 有些人或许会把此案理解为菲律宾政府默示放弃其前国家元首的豁免权的结果。[56]

在1997年在美国第十一巡回上诉法院终审的"挪维亚哥案"（United States v. Noriega），[57] 巴拿马军事强人挪维亚哥被美军绑架到美国就其贩毒罪受审。法院拒绝给予他作为国家元首的豁免权，理由主要是美国行政机关不承认挪氏为巴拿马国家元首；行政机关已"明显地表示其意向，即挪氏不应享有国家元首豁免权"。[58] 此外，这个判决的其他依据是，当时的巴拿马政府也表示愿意放弃豁免权，而且挪氏的贩毒活动也不被视为公务行为，而是私人的牟利行为。[59]

五、国际刑法与国际人权法的发展

如果要充分理解"皮诺切特案"的意义和影响，必须把它置于国际刑法和国际人权法的历史发展的脉络之中。国际刑法是国际法中新兴的部门，其不同部分的渊源和产生背景不一，其发展的步伐和方向并不稳定，至今仍未形成有清晰结构的体系。即使是国际刑法这个概念本身的定义，也没有很客观的内容，一个较流行的说法是国际刑法著名学者巴西奥尼（M. Cherif Bassiouni）提出的：国际刑法是国内刑法的国际方面和国际法的刑事方面的

---

[55] 同上，页1472。
[56] 参见 [1998] 4 All ER 897 at 927.
[57] (1990) 746 F Supp 1506 (S D Fla), (1997) 117 F 3d 1206 (11th Cir).
[58] (1997) 117 F 3d 1206 at 1212.
[59] 参见 Davis（见注14），页1376；Nanda（见注48），页476。

结合。[60] 国际罪行是国际社会通过条约、习惯或其他方式认定为应予刑事制裁的行为，[61] 这些行为被认为是违反国际社会的根本利益的。犯了国际罪行的人须承担个人的刑事责任，这与违反一般的传统国际法规范的情况不同，后者的责任是由国家承担的。

国际刑法的起源可追溯至 16 世纪时开始被国际社会认定为国际犯罪的海盗罪，到了 19 世纪，海盗罪已被清楚地确立为国际习惯法下的罪行，海盗被认为是"人类公敌"（hosti humani generis），任何文明国家的司法机关都可对他们施以刑事制裁，这便是"普遍管辖权"的先驱。现代国际刑法的奠基阶段，是第二次世界大战后战胜国设立国际法庭对战犯进行的审判。1945 年，美、苏、英、法四国签订了《关于控诉和惩处欧洲轴心国主要战犯的协议》，成立欧洲军事法庭（设于纽伦堡），就轴心国领导层成员犯下的违反和平罪（侵略罪）、战争罪（违反战争法或国际人道法的罪行）和危害人类罪（或称违反人道罪）进行审判。1946 年，盟军最高统帅总部在东京设立远东国际军事法庭，审判日本战犯。这些战犯审讯确立了一些重大的原则，[62] 例如，个人须承担国际犯罪的责任而接受惩罚；被告人的行为是其上级所命令的不构成免责辩护；被告人的行为不违反其本国的国内法不构成免责辩护；无论被告人在政府中如何位高权重，都不能作

---

[60] M. C. Bassiouni (ed.), *International Criminal Law*, *Vol.* 1 (Ardsley, NY: Transnational Publishers, 2nd ed. 1999) chap. 1. 可参见赵永琛（见注 33），页 3；曹建明等（见注 26），页 562。

[61] 参见 Steven R. Ratner and Jason S. Abrams, *Accountability for Human Rights Atrocities in International Law: Beyond the Nuremberg Legacy* (Oxford: Clarendon Press, 1997) at p. 8.

[62] 参见赵永琛（见注 33），页 97。

为免除其国际犯罪的刑事责任的理由。

在 70 年代,基于与日益猖狂的跨国犯罪的斗争的需要,国内刑事司法的普遍管辖模式开始建立起来。普遍管辖原则最初是针对恐怖主义活动(如劫持飞机、劫持人质)和跨国贩毒等行为的,后也应用至某些违反人权的罪行,上文提及的《禁止酷刑公约》便是一个范例。

在"冷战"结束后的 90 年代,国际刑事司法实践有了新的发展。联合国在 1993 年于海牙成立了国际刑事法庭,专门处理前南斯拉夫种族冲突中犯下的战争罪、灭族罪、危害人类罪、酷刑罪等,1994 年又就卢安达内战中的同类罪行设立国际刑事法庭。更令人鼓舞的是,在 1998 年 140 多国家代表参加的罗马会议上,120 个国家投票赞成通过了《国际刑事法院罗马规约》,开始筹划成立一个对灭族罪、危害人类罪、战争罪和侵略罪享有管辖权的国际刑事法院。[63]

国际刑法和国际人权法是有一定程度的交叉重叠的,但也有不少不同之处。国际刑法中很多部分与国际人权保障没有直接的关系,例子包括关于劫持飞机罪、毒品罪行、环境保护、国家文物保护等的国际刑法规范。国际人权法也有很多部分与国际刑法没有直接的关系,因为国际人权法的主要内容,是关于国家的政府应该怎样对待其人民、尊重和保障其人权的法律规范和行为准则。国际人权法的实施,主要有赖于各国自动自觉地遵守其国际人权法上的义务,向有关国际人权机关提交报告,及重视其提出

---

[63] 参见高燕平:《国际刑事法院》,世界知识出版社,1999 年;王秀梅:《国际刑事法院研究》,中国人民大学出版社,2002 年。到了 2002 年 4 月 11 日,已有 60 国批准加入《国际刑事法院罗马规约》,因此,根据《规约》的规定,《规约》于 2002 年 7 月 1 日正式生效。到了 2002 年 8 月,加入《规约》的国家共有 77 个。

的意见、批评和建议。在国际或区际司法执行方面,世界大部分地区都未能赶及《欧洲人权公约》所设立的欧洲人权法院制度的水平,而即使是欧洲人权法院,也没有权力直接向违反人权的个人或法人施加制裁,它只能就有关国家是否有违其根据《欧洲人权公约》所承担的保护人权的义务,作出裁决。

由此可见,国际人权法如要得到更有效的实施,便需要国际刑法助其一臂之力。国际刑法的一个重要部分,是关于若干违反人权罪的界定和惩治的。国际刑法发展至今,以下这些侵犯人权的行为已被公认为国际罪行:种族灭绝、战争罪行、危害人类罪行、奴役、强迫劳役、酷刑、种族隔离、强迫失踪等。和一般国际人权法不一样,国际刑法中关于违反人权罪的规定是针对着违反了国际法的个人而非国家政府的,它的目的,是确保这些罪大恶极的人得以绳之于法。

正如有学者指出:

> 很多世纪以来,在施行暴政的国家,政府官员可以任意滥权而逍遥法外。虽然在过去300年,自由主义政权的兴起使某些国家的人权状况得到总体上的改善,但是,除了非常近期的一些情况以外,它仍未能为那些继续侵犯个人的基本权利的官员的惩罚,敞开门路。……历史上的总体情况是,作出政府行为的官员,在国内法下实际上均得以豁免于起诉。这个情况既适用于那些执行斯大林、希特勒、……的政策的、导致数以百万计人民受害的人,也适用于在其他国家(包括一些在其他方面遵从法治原则的国家)在较小规模上进行谋杀、使用酷刑和迫害异己的人。[64]

---

[64] Ratner et al.(见注61),页3-4。

在人权保障的范畴内,国际刑法的追求和使命,便是设法扭转这个局面,使那些以国家的名义对其同胞作出最卑鄙、最野蛮、最凶残的罪恶行为的衣冠禽兽,须在法的尊严下承担其应负的道德和法律责任,并得到其罪有应得的惩罚。从这个历史的高度去看:

> 国际人权法、人道主义法和刑法不单只是一些学术的领域。它们对人类的意义,在于它们可以帮助人类面对其过去的谬误和提防将来的暴行。[65]

国际刑法的执行模式有两种,一是"直接执行模式",二是"间接执行模式"。直接执行模式是指由国际刑事法庭直接负责案件的起诉和审理,纽伦堡和东京的战犯审判、关于前南斯拉夫和卢安达的暴行的国际刑事法庭、即将设立的国际刑事法院都是直接执行模式的典范。至于间接执行模式,便是倚靠国内刑事法院的力量,包括引渡等国际司法合作的力量,去对犯了国际罪行的人施以制裁。上文谈到的普遍管辖原则和"或引渡或起诉"原则,以至"皮诺切特案"本身,便是这种间接执行模式渐臻成熟的表现。

六、结 论

"皮诺切特案"是当代国际刑法和国际人权法的一个典型案例,它所凸显的问题是,如果一国的统治者在其任内犯有严重侵犯人权的暴行,而在其卸任后其本国的法律和司法制度未能有效保证他就这些暴行负上刑事上的责任,那么维护人权、伸张正义

---

[65] 同上,页 xxxiii。

的国际社会可以怎样把他绳之于法？

"皮诺切特案"所反映的现实是，由于国际刑事司法制度（相对于大部分主权国家国内法的刑事司法制度而言）的发展尚未达到十分成熟的水平，国际刑事法院又未成立，所以如果要对付上述的暴君的话，比较可行的办法仍是趁他们离开本国的时候，在国外对他展开刑事司法程序，如在"皮诺切特案"中在西班牙等国的法院起诉皮氏及向英国（皮氏所在国）提出引渡请求。"皮诺切特案"显示，"普遍管辖权"原则可为这些诉讼提供，而被告人即使曾贵为国家元首，也未必能以"国家豁免权"原则为抗辩理由。

"皮诺切特案"带出至少三个法学理论的问题，对这些问题，英国上议院法庭的法官并没有完全一致的意见，在国际法学界中也无定论。第一，针对严重侵犯人权的行为的普遍管辖权是否必须由国际条约或国内立法赋予？还是像米勒勋爵所说的，有关的普遍管辖权早已存在于国际习惯法之中？第二，就国际罪行（至少是最严重的、违反国际法中的强行法的国际罪行）来说，前国家元首或官员能否享有"以事为基础"的（即适用于其公务行为的）豁免权？在什么情况下，严重侵犯人权的行为仍可视为公务行为？第三，就前国家元首和官员来说，其刑事方面的豁免权与其民事方面的豁免权的关系究竟如何？是否有可能出现这种情况，虽然某前国家元首就其任内的严重侵犯人权的行为在国外的刑事诉讼中不享有豁免权，但仍能在民事诉讼中受惠于国家豁免权原则？这些问题将来如何解决，将决定"皮诺切特案"所展示的国际刑法的"间接执行模式"或上文所谓"跨国性法律诉讼的普遍性体系"在对统治者的暴行进行国际刑事追究的未来可行性。

虽然本文是从法学的观点出发的，但是，在这结尾的时候，让我们感受到,"皮诺切特案"所诉说的是人间的一个悲情故事。它包涵了无数惨受酷刑对待的无辜人民及其家属的血和泪,也反映了不少在世界各地活跃的关注人权的非政府组织对真理和正义的执着追求。它不单是一些个人的故事,也是一个国家民族的故事,更是标志着20世纪末人类文明的发展水平的一个动人的故事。那么,故事的教训和启示何在? 就让我借用尊敬的巴西奥尼教授的话来响应:

文明所应获得的评价,不是决定于它们在科技上的成就,也不是决定于国家的富强程度,而是决定于它们所体现的人道主义素质,以至它们对于法治的尊重。这便是人类面对的全球性的挑战。在这方面,法学家们更是任重道远,因为法律的建构、制定和执行是我们的工作。我们在履行我们的任务时,国际刑法是一种重要的工具。如果新的世界秩序将会出现的话,那么,正义必须是它的重要元素之一。[66]

---

[66] Bassiouni(见注56),页 x。

从哈贝马斯的哲学看现代性与现代法治[*]

一、前 言

关于什么是现代法，众说纷纭。梅因把从古代法到现代法的演化理解为从"身份"到"契约"的进程。[1] 韦伯则出"理性法"的概念，认为现代法的特点是它的理性化和形式化，即是说它是一套有普遍适用性的抽象规范，其运作有相于政治、宗教和道德的自主性。[2] 昂格尔进一步指出，现代法是一种独特的"法律秩序"，具有普遍适用性、自主性（包括实体上的、制度上的、方法上的和职业上的自主性）、公共性（即是由政府而非由私人团体实施的）和实证性（即是说它是成文的、明确的）。[3]

在20世纪90年代，德国思想大师哈贝马斯提出了他的现代法治观，这可算是西方法理学传统的发展的另一里程碑。众所周知，哈贝马斯是20世纪后半期西方最重要的思想家之一，2001

---

[*] 本文原为笔者在 2001 年 6 月于吉林大学的演讲的讲稿，后发表于 2001 年 10 月由清华大学法学主办的"法治：中国与世界"研讨会。

[1] 参见 Henry Maine, *Ancient Law* (Beacon Press, 1963)。

[2] 参见 *Max Weber on Law and Economy in Society*, ed. M. Rheinstein (Harvard University Press, 1954)。

[3] 参见 Roberto M. Unger, *Law in Modern Society* (Free Press, 1976)，或中译本昂格尔著、吴玉章及周汉华译：《现代社会中的法律》，中国政法大学出版社，1994年。

年春天他到中国的访问和演讲活动,曾被媲美于当年杜威和罗素的访华。[4]哈贝马斯的研究领域横跨哲学、社会学、政治学、历史学以至法学,是集大成的思想界巨人。他的各部著作,从1962年的《公共领域的结构性转变》,[5]到1981年的《交往行为理论》(或译作《沟通行为理论》),[6]再到1992年的《在事实与规范之间》,[7]都是脍炙人口、影响深远的。例如在法律和政治哲学的领域,《在事实与规范之间》在思想史上的地位,相信可与哈特的《法律的概念》、[8]德沃金的《认真地对待权利》[9]和罗尔斯的《正义论》[10]相提并论。

本文的主要目的,是介绍哈贝马斯的现代法治观和其相关的思想。但是,由于哈贝马斯的理论体系是跨学科的、全方位的,所以要了解他的现代法治观,便不能不先了解他的一般哲学和他对现代社会的看法。因此,本文以下分为这些部分。第二部分先介绍他的一般哲学,尤其是他对于人类行为和人类理性的分析,和他对于真理问题的看法。第三部分讨论哈贝马斯对于现代社会的分析和评价。第四部分便在前两部分的基础上,采讨哈贝马斯

---

[4] 参见逄之:"哈贝马斯中国之行记述",《二十一世纪》(香港),2001年6月号(总第65期),页112。

[5] 英译本为 Jürgen Habermas, *The Structural Transformation of the Public Sphere*, transl. by Thomas Burger (MIT Press, 1991)。

[6] 英译本为 Jürgen Habermas, *The Theory of Communicative Action*, vol. 1, transl. by Thomas McCarthy (Polity Press, 1986); Jürgen Habermas, *The Theory of Communicative Action*, vol. 2, transl. by Thomas McCarthy (Polity Press, 1989);中译本为哈贝马斯著、洪佩郁及蔺菁译:《交往行动理论》(两卷本),重庆出版社,1994年。

[7] 英译本为 Jürgen Habermas, *Between Facts and Norms*, transl. by William Rehg (MIT Press, 1996)。

[8] H. L. A. Hart, *The Concept of Law* (Oxford University Press, 1961)。

[9] Ronald Dworkin, *Taking Rights Seriously* (Duckworth, 1977)。

[10] John Rawls, *A Theory of Justice* (Harvard University Press, 1971)。

的法哲学。第五部分进一步讨论哈氏的理论中法治和民主的重要联系。第六部分进而探讨与法治和民主的关系相关的问题,尤其是自由主义和社群主义的对比,和哈氏怎样尝试以他的法治和民主观融合自由主义和社群主义。第七部分是结论,我们将对哈氏的有关观点进行总结、反思和评价。

二、人类行为、理性和真理

如果有一个概念可以用来总结哈贝马斯一生(到目前为止)的学术志业和追求的话,这应该是"沟通理性"(communicative reason 或 communicative rationality)的概念,这里的沟通或可译为"交往"、"商谈"、"协商"或"对话"。要了解什么是沟通理性,先要明白"沟通行为"(communicative action)的概念。

哈贝马斯对人类的活动或行为作出分类,这个分类乃基于不同行为的不同性质和目的。[11] 例如,第一类行为是目的性的,即人为了某个目标的实现而作出此行为,此行为是达成该目标的手段。第二类行为是受规范调节的行为,这即是说,人之所以作出此行为,乃因它是社会的道德规范或生活习惯所要求的。第三类行为是所谓"戏剧化"的行为,即此行为是为了表现人的自我而作出的。哈氏指出,除了这些行为之外,还有一种十分重要、但往往被论者忽略的人类行为,这便是他所谓的"沟通行为"(或译作"交往行为")。[12]

沟通行为是人与人之间在互相承认的基础上进行互相了解的互动性的行为,它以语言或符号为媒介;哈贝马斯指出,人类语言的使用的原始形态,便是进行这样的沟通。沟通行为是人与人之间的相互主体性(inter-subjectivity)的表现,相互主体性是指

---

[11] 参见曾庆豹:《哈伯玛斯》,台北:生智文化事业,1998年,第7章。
[12] 详见于哈贝马斯,前注6揭。

人作为主体与另一个人作为主体的互动关系,这有别于人作为主体以他人或客观世界为客体的目的性行为。

沟通行为的特点,在于它的非工具性、非目的性、非策略性。它不是以"成功"为取向的(它不是为了成功地实现某外在目标),而是以"理解"为取向的。纯粹的沟通行为没有任何外在目标(如赚钱或替自己谋取某种利益),如果它有目标的话,这目标便是理解对方,与对方交换意见,从而尝试达到共同的认识(共识)。

哈贝马斯指出,沟通行为的重大意义,在于它的前提是人与人之间的相互尊重和承认,因为尝试了解对方的观点或尝试说服对方接受自己的观点这个行动本身,便蕴涵着对对方作为主体的尊重和承认。因此,沟通行为是人与人之间互相尊重和承认的表现。在这里,我们会联想到黑格尔关于人有得到别人的承认的心理需要的观点,以至康德关于人应以他人为目的而非手段的说法。

根据哈氏的理论,通过以语言为媒介的沟通行为,可协调和联系社会中不同的人的行动,促进社会的有效运作,虽然沟通行为并非具有这种协调功能的唯一机制。哈氏更把以沟通行为为基础的"互动"与马克思所说的"劳动"相提并论,认为两者都是人类历史发展的动力或脉络;劳动是物质的生产,互动则取决于符号(如语言文字)的生产,哈氏认为,两者是同样重要的。[13]

现在让我们从沟通行为谈到沟通理性。正如哈贝马斯把目的性或策略性的行为予以区分,他也在"工具理性"和"沟通理性"之间作出区分。工具理性运用于目的已被决定后的阶段,为

---

[13] 参见罗晓南:《哈伯玛斯对历史唯物论的重建》,台北:远流出版公司,1993年;高宣扬:《哈伯玛斯论》,台北:远流出版公司,1991年,第4章。

了达到这个目的，采用什么的手段、方法或策略最为有效？怎样设计有关手段的具体内容？人类便使用其工具理性去解答这些问题。举例来说，如果我们的目的是派人登陆月球，那么为了实现此目的，我们便要用工具理性来建造火箭和宇宙飞船以及进行有关的物理学和天文学的计算。

至于沟通理性，则是在人与人之间的沟通行为中表现出来的。当一群人通过理性的商谈和讨论去互相理解、协调行动、解决问题或处理冲突时，这便是沟通理性的体现。反过来说，如果人类诉诸暴力以至战争来解决问题，这便是沟通理性的反面。由此可见，当人们用和平的、理性的语言沟通行为来进行交往时，他们便是在使用和发挥其沟通理性。

那么，怎样才算是理性的讨论、理性的沟通行为呢？在这里，哈贝马斯提出了一个重要的观点，就是讨论是否算是理性的，取决于这个讨论是否能满足一些程序上的先决条件。程序对于沟通理性的发挥是有关键作用的，因此哈氏形容沟通理性为一种"程序理性"（procedural reason）。为了描述有关的程序性条件，哈氏发展出他有名的"理想交谈情景"（ideal speech situation）的理论。[14]

理想交谈情境不是凭空想像出来的东西，根据哈贝马斯的理解，它是建基于人类语言沟通行为本身的内在逻辑，亦即是说，当人类进行沟通行为时，他们其实已预设了某些条件，这些预设或假设蕴含于沟通行为的性质之中，虽然沟通者通常不会自觉这些假设的存在，这些假设需要通过哲学分析去发掘出来。

---

[14] 参见黄瑞祺：《批判社会学》，台北：三民书局，1996年，第8、10章；艾四林：《哈贝马斯》，湖南教育出版社，第7章；高宣扬：《当代社会理论（下卷）》，台北：五南图书，1998年，第23章。

根据这些假设，哈贝马斯建构出理想交谈情境的以下特征。首先，在理想交谈情境下，参与讨论的机会是开放和平等的，讨论的内容是自由的。"开放"是指任何有兴趣参加的人都可以来参加，"平等"是指所有参加者都有平等的机会去发言，"自由"是指参加者可以畅所欲言，发言在内容上不设限制。

理想交谈情景的第二个特征是，沟通和讨论不会受到权力的或权力关系所造成的扭曲。例如，如果参加者包括雇主及其雇员，雇员由于害怕被雇主解雇，所以不敢说雇主不喜欢听的话，在这情况下，沟通便是受到权力的左右。同样，如果参加者有平民和官员，平民害怕得罪官员而不说心里话，不敢据理力争，这也是权力扭曲商谈的空间的例子。在理想交谈情景里，沟通是无强迫性或强制性的，没有人会因为权威的压力而被迫说不真心的话或被迫保持沉默。

理想交谈情景的第三方面涉及的是参加讨论者的心态或取向。参加讨论者必须持有一种开放和理性的态度，这就是说，他们必须尊重其他参加者，认真聆听他们的意见；在思考问题时，参加者不应只从自己的角度去考虑问题，而应愿意把自己放进他人的位置去考虑问题，尝试从他人的角度和利益出发来思考。最重要的是，参加讨论者应尊重有关事实和道理，不固执于己见，而须从善如流，勇于放弃自己的意见，而去接受他人提出的更有理、更好、更具说服力的观点。当然，这不是容易做到的，正因如此，理想交谈情景是一个"理想"的模式，是应然而非实然的东西。

在理想交谈情景的条件获得满足的情况下，人们进行的沟通讨论便是理性的，是人类沟通理性的体现。从沟通理性出发，哈贝马斯又发展出沟通权力（communicative power）的概念。[15]当一群人在一起发挥他们的沟通理性、进行理性讨论时，在他们之中便产生一种沟通权力。在人类社会和历史里，沟通权力是一种理性的力量，它是一种权力，但和基于暴力、武装或强权的权力不同，沟通权力是一种比较理性的、人道的、文明的权力形态。在下面，当我们谈到哈贝马斯的法律观时，我们会看到沟通权力怎样表现为社会的公共舆论、公共意志和法律。

在结束本节之前，我们还需介绍哈贝马斯的真理观和它与沟通行为理论的密切关系。哈贝马斯追随康德和韦伯等思想家的观点，认为现代化的其中一个特征，是西方中世纪的以宗教为基础的知识文化世界在现代分化（分殊化）为三个各自自主的领域，一是科学（关于客观世界的真理），二是道德、政治和法律（关于适用于人类和社会的规范），三是艺术（即"美"的范畴）。[16]在科学的领域，真理的标准是比较明确的，科学真理可通过实验和其他实证研究来检验。但是，在道德、政治和法律的领域，真理的概念又是否有意义呢？

根据18世纪启蒙运动的思维，人类凭其理性是可以发现道德、政治和法律范畴的真理的，但后来兴起的价值相对主义和后现代主义则认为，在这些范畴内根本无真理可言，道德、政治和法律秩序都不外是历史和社会中的权力斗争的偶然性、暂时性、妥协性的结果。[17]哈贝马斯则反对后现代主义的相对主义，并

---

[15] 参见 Habermas，前注 7 揭，第 4 章；曾庆豹，前注 11 揭，第 10 章。
[16] 参见 Jürgen Habermas, "Modernity: An Unfinished Project", in M. P. d'Entréves and Seyla Benhabid eds., *Habermas and the Unfinished Project of Modernity* (Polity Press, 1996), chap. 1.
[17] 参见拙作"从福柯的《规训与惩罚》看后现代思潮"，见本书第四篇文章。

以捍卫现代性和尚未完成的现代事业为己任。[18]

为了对治相对主义和重建启蒙时代对人类理性和社会进步的信心，哈贝马斯在沟通行为理论的基础上，提出了关于真理的"共识论"。[19]根据这个理论，即使在自然科学领域范围外的道德、政治、法律等领域，关于真理的探讨和追求仍是有意义、有价值的。那么，什么是真理？哈氏的真理的"共识论"认为，人们通过理性讨论而达成的共识便是真理，当然这"真理"并不是绝对或永恒的，而是相对于当时的历史和社会语境的。但是，这种真理仍不失为人们建立其政治和法律制度的基础。由此可见，哈贝马斯把真理的标准重新建立在人类理性的基础之上，只不过与启蒙时代的思想家不同，哈氏的理性不是主体性的，而是相互主体性的，真理不是存在于孤独的个人心中，而是存在于人与人之间的互动、交往和对话之中。

三、现代社会的分析

什么是现代社会？现代社会和传统社会的主要分别在那里？这一向是社会学的核心课题之一。在这方面，哈贝马斯在社会学的系统理论（包括曾经与哈氏进行论战的德国社会学大师卢曼（Niklas Luhmann）的社会系统论）和他的沟通行为理论的基础上，对现代社会的性质进行了分析和批判。[20]

哈贝马斯的现代社会观里的基本概念包括"社会系统"、社

---

[18] 参见 Steven Best and Douglas Kellner, *Postmodern Theory* (Guilford Press, 1991), chap. 7.
[19] 参见黄瑞祺，前注 14 揭，页 177 – 181、244 – 264。
[20] 参见汪行福：《走出时代的困境 — 哈贝马斯对现代性的反思》，上海社会科学院出版社，2000 年；张博树：《现代性与制度现代化》，学林出版社，1998 年；李忠尚：《第三条道路？— 马尔库塞和哈贝马斯的社会批判理论研究》，学苑出版社，1994 年。

会系统的"操控媒介"、"生活世界"、"公共领域"和"私人领域",我们在这里逐一予以阐述。首先是社会系统。复杂的、有其自主性和独特的运作逻辑的社会系统的出现,是社会演化的结果。现代社会的其中一个主要特征,便是它的系统十分发达,人类生活的很大部分被系统掌握于其中。哈贝马斯认为,现代社会中主要的系统有两个,一是经济系统,即市场经济或商品经济,二是政治系统,即国家、官僚和行政的体系。

哈氏指出,这两个系统有其各自的操纵媒介,经济系统的操控媒介是金钱,政治系统的操控媒介是权力。系统的存在和运作有其正面的社会功能,如维持社会的秩序和促进经济效益,但系统的根本问题是,其运作是以某种非人化、甚至是非人道主义的逻辑为依归的,不以一般人的意愿为转移。这是因为在系统中协调和整合人们的行为的,并非沟通行为,而是金钱、权力等系统操控媒介。在系统的运作中,理性是有其作用的,但这种理性主要是工具理性,而非沟通理性。

那么,沟通理性在现代社会的哪里?这便带我们到了"生活世界"的概念。生活世界原来是现象学的概念,哈贝马斯则把它和他自己的沟通行为理论和现代社会观结合起来。生活世界是人们日常生活的世界,也是他们的亲身感受和经验的泉源。生活世界的运作媒介不是金钱或权力,而是人与人之间沟通时所使用的语言符号。哈贝马斯强调,生活世界是人类沟通行为的背景和基础,而沟通行为则可被理解为对生活世界的表述。在生活世界里,人们在互为主体的基础上进行交往、互动、对话和沟通,他们寻求彼此的互相承认和理解。

哈贝马斯既肯定现代社会有其进步的一面,但他同时对现代社会的异化趋向提出了批判。他指出现代社会的其中一个主要危机,便是"系统对生活世界的殖民化"。[21] 这是指系统的运作逻辑过分膨胀,金钱和权力这些系统操控媒介越来越取代沟通行为而成为社会整合的力量,沟通理性的活动空间缩小,人类发挥其沟通理性的能力萎缩。这样,系统的宰制便使人失去了其自由和尊严,人渐渐成了系统的奴隶。

关于哈贝马斯的生活世界理论,还有一点是关键性的,便是"通过市民社会的社团网络而植根于生活世界"[22]的公共领域(public sphere)。公共领域是社会大众理性地讨论公共事务的空间或沟通网络,它是一个自由和自主的空间,不隶属于政治系统或经济系统,它是沟通理性在社会层面的最高体现。如果在公共领域中上述理想交谈情境的条件大致上能得以满足,人们可以自由和平等地、在不受权力扭曲的沟通环境中就社会问题进行理性讨论,从而形成公共舆论以至公共意志,那么,沟通理性便被彰显,沟通权力便得以发挥,这便是人类处理社会问题的最佳方案。

在哈贝马斯早期的著作里,他已经从西方近代史的角度论证公共领域的兴起。[23] 他把公共领域的起源追溯到十七八世纪的西欧,它表现为在诸如咖啡馆、沙龙、报章和杂志等媒介所进行的关于公共事务的理性讨论,而它的经济和社会基础是市场经济和新兴的资产阶级。哈贝马斯又提出了与公共领域相对的"私人

---

[21] 参见 William Outhwaite, *Habermas: A Critical Introduction* (Polity Press, 1994), chap. 6; Larry J. Ray, *Rethinking Critical Theory* (Sage Publications, 1993), chaps. 3, 4。
[22] Habermas, 前注 7 揭, 页 359。
[23] Habermas, 前注 5 揭。另参见 Craig Calhoun, "Introduction: Habermas and the Public Sphere", in Craig Calhoun ed., *Habermas and the Public Sphere* (MIT Press, 1992), chap 1。

领域"(private sphere）的概念，例如资产阶级的私有财产和家庭生活，便属私人领域的范畴。私人领域和公共领域都在生活世界之中，都以语言沟通行为为其运作的媒介，而且两者关系密切，例如哈氏指出私人首先是在私人领域形成的，然后才进入公共领域。

由于在现代，大众传播媒介和市民社会（在这里指不受国家操控的各种民间社会组织和力量）愈趋发达，今天的公共领域比十七八世纪时是更为庞大和复杂的沟通网络，从街头集会到跨国的电子媒体，都是公共领域的构成部分，而参加讨论者的背景也极为多样化，从个人以至跨国性的非政府组织，都是当代公共领域的参加讨论者。

四、哈贝马斯的法律观

哈贝马斯的法律观[24]是相当独特的，以上文提到的各个哲学和社会学的概念为基础而建构而成。简单来说，哈氏认为在现代社会里，法律的正当性（legitimacy）来自民主的立法程序，民主的立法的社会基础是沟通理性在公共领域的发扬。公共领域是生活世界的一部分，所以法律是来自生活世界的，但它又可进入社会系统里，发挥调控系统的运作的作用。因此，通过法律，沟通理性可对治系统对生活世界的殖民化。在下面，我们较详细地说明这些观点。

哈贝马斯指出，传统法和现代法的其中一个主要区别，在于它们的正当性的依据有所不同。所谓法的正当性问题，是指为什么人民须要服从法律，亦即是说，除了害怕因犯法而受到统治者

---

[24] 参见 Habermas，前注 7 揭；Mathieu Deflem ed., *Habermas, Modernity and Law* (Sage Publications, 1996)；Michael Rosenfeld and Andrew Arato eds., *Habermas on Law and Democracy: Critical Exchanges* (University of California Press, 1998)。

的制裁这个现实的、功利主义的考虑外，有什么道义上的理由去说明法律是应当遵守的。哈氏认为，在前现代的阶段，法律的正当性依据来自宗教或传统。例如，人们可能相信某些法律是符合上帝对人的旨意的，由于人须服从上帝，所以人也须遵守这些法律。大致来说，这便是西方自然法学说的观点。此外，从历代祖先继承下来的习惯法也可能被认为是神圣的并因而应该遵守的，这便是以传统的不证自明的约束力作为法律的正当性的依据。

哈贝马斯以为，现代是一个后形上学的时代，所有传统都受到理性的检验和批判，社会的世俗化也使宗教失去了原来的影响力，所以法律的正当性的原有基础已经瓦解。哈氏认为，在现代的语境里，法律的正当性的唯一解释，便是法律是人民自己为自己订立的，这个构想来自鲁索和康德，哈氏则采用了他自己的沟通行为理论，把这个构想发扬光大。

人民怎样成为自己的立法者？在这里，沟通行为和公共领域等概念便大派用场。法律的制定的过程，最终可追溯至公共领域中对有关社会问题的讨论。如果人们能就有关问题进行理性讨论，并在此讨论的基础上形成公共意见（公共舆论），再形成公共意志，那么这种公共意志便有可能转化成法律。这个转化过程便是正式的民主立法程序，包括法案在立法议会的提出、辩论、修改、投票通过等程序。在这种情况下制定的法律，既是沟通理性的体现，也是人民自主和负责地自我立法的表现，因此，这样的法是有其正当性的。

上面谈过，当人们在公共领域中进行理性讨论，发挥他们的沟通理性时，他们便凝聚了一股力量，可称为沟通权力。哈贝马斯认为，通过民主立法，这种沟通权力可转化为行政权力，从而进入社会系统之中，对系统的运作进行规范和调控，并把系统合法化。从这个角度看，法律有其双面性：它一方面诞生于生活世界的公共领域,另一方面可在社会系统里发生作用。它既带有沟通理性的烙印,又能与政治、官僚和行政系统的权力逻辑发生关系,并成为行政权力的媒介。因此,哈氏把法律形容为生活世界与社会系统之间的中介,它在现代社会中有举足轻重的角色。由于它同时接触着生活世界和系统,并把沟通理性带进社会系统,所以它有助于化解系统的非人化、异化的危机,对治生活世界被殖民化的问题。

关于民主立法,一般学者比较重视的是正式的立法程序,即从法案的起草、到议会中的审议法案和政治角力、再到法案的最终投票通过,而立法的民主性则主要基于议会中的民意代表的民主选举产生。哈贝马斯则特别注意正式立法程序之前以至与这正式立法程序同时进行的公共领域中的辩论、社会舆论的发展和公共意志的形成。在他的著作中,他花了不少篇幅去研究在公共领域中不同层次、不同渠道、不同形式和不同性质的理性讨论,例如关于道德问题以至实务问题的讨论,关于利害关系、利益的冲突和协调的讨论,以至在价值观念的层面的讨论等。

除了指出法律在调控系统的运作方面的重要功能外,哈贝马斯又提到法律在现代社会的另一个重要功能,就是法律能把生活世界中人们相互承认的关系予以普遍化和抽象化,建构为法律主体之间的关系。在生活世界中,我们能亲身经验和体会到人与人之间的互相尊重、互相承认、互相对话和互相理解,但是,在复杂而庞大的现代社会中,有需要把这种人际关系抽象化、普遍化为法律关系,亦即是说,透过法律,把在生活微观层面的道德、伦理关系大规模地转化为在整个社会中普遍适用的规范。

因此,哈贝马斯认为,在现代社会里,法律和道德的关系乃在于它们的互相补充。和传统社会不同,在现代社会中,道德规范所能发挥的作用是比较有限的。因此,有需要采用有强制的约束力的法律来补充道德规范的不足之处，以调控人们的行为以至复杂的社会系统的操作。

五、法治与民主

法治和民主的关系如何？在不民主的政治体制里，法治是否仍有可能实现？哈贝马斯从沟通行为理论出发，论证了法治和民主是密不可分、相辅相成的，他认为，如果没有民主，法治是没有可能的，反过来说，如果没有法治，民主也是没有可能的。[25]

我们从哈贝马斯的法治观谈起。哈氏认为，法治的核心，是一个权利的体系（system of rights），及对此体系中的权利的有效保障。[26]他所说的权利体系主要包括两大类的权利，他分别称为私人自主（private autonomy）的权利和公共自主（public autonomy）的权利。

私人自主的权利是指在任何一个由自由和平等的个人所组成的群体中，每个成员都应该享有的权利，这即是说，即使没有政府的存在，只要一群人结合为一群体，并互相承认对方的自由及其与自己和他人的平等性，那么便须承认每人都有这些私人自主的权利。私人自主的权利包括一般所谓消极的自由，如言论自由、人身自由，也包括作为社群的成员的权利（membership rights）（如居留权）和正当程序（due process）的权利。

至于公共自主的权利，则是因国家或政府的成立而产生的。哈贝马斯认为，公共自主的权利包括政治参与的权利，即参与公共领域中的讨论的权利，以及一般的选举权、被选举权等。此

---

[25] 参见哈贝马斯著、景跃进译："法治与民主的内在关系"，《中国社会科学季刊》（香港），总第9期（1994年11月），页139-143（英文原文刊于页132-138）；Martin Leet, "Jürgen Habermas and Deliberative Democracy", in April Carter and Geoffrey Stokes eds., *Liberal Democracy and Its Critics* (Polity Press, 1998), chap. 4.

[26] 见于 Habermas, 前注7揭，第3章。

外,公共自主的权利也包括得到社会福利保障和救济的权利,这是国家对其成员应有的责任和承担。

虽然权利的体系大致上可分为私人自主和公共自主两大部分,但是,哈贝马斯指出,权利的体系的内容(即哪些权利应受承认和保障)绝不是不言而喻、不证自明的,惟有通过公共领域中的理性的、民主的讨论,形成公共舆论和公共意志,而此意志又通过民主立法程序升华为法律,权利的体系的具体内容才得以彰显。由此可见,法治(作为权利的体系)对民主有高度的依赖性。

哈贝马斯举出18世纪末美国立宪过程中《权利法案》的制定为例子。[27] 无可置疑,《权利法案》是美国的法治制度的灵魂,但《权利法案》中的权利是从哪里来的呢?哈贝马斯指出,在美国立宪过程中,公共领域发挥了关键性的作用;通过理性讨论,社会大众形成了关于《权利法案》的制定及其应包括的内容的共识,最后,《权利法案》便被写进《美国宪法》之中。由此可见,法治是透过民主的立宪过程而建立的。

哈贝马斯把自己的法律观(或法治观)形容为"形序主义的法律观"(proceduralist paradigm of law),并把它与他所谓的"资产阶级形式主义的法律观"(bourgeois formal law)和"社会福利国家实体化的法律观"(welfare-state materialized law)予以区分和对比。[28] 在他看来,资产阶级形式主义的法律观强调的是个人权利自由和私人自主,福利国家实体化的法律观重视实体性的社会因素和社会保障,而他的程序主义法律观,则把产生法律的程序视为现代法的精髓。

---

[27] Habermas,前注7揭,页148。
[28] 同上揭,第9章。

在哈贝马斯眼中，产生法律的程序不单包括在立法机关的正式程序，也包括在公共领域进行理性讨论的程序性前提，即上述的对于讨论的公开性、自由性、平等性和不受权力的扭曲等程序性保障。在这些程序性规范的保护下，民主精神得以实践，公共意见和意志得以形成并提升为立法。因此，哈贝马斯的法律观和民主观都是程序主义的；他又以程序主义的概念来阐释司法裁判的正当性：他指出法院对案件的判决的正当性取决于司法审判程序的公正性，例如公开审讯、法官必须大公无私、诉讼当事人有陈词和辩论的机会、法院必须解释其判决理由等。哈氏指出，立法和司法都是沟通理性的体现，在立法中，人们就规范的证成进行理性讨论，而在司法中，人们则就规范在具体案件中的适用进行理性讨论。[29]

除了法治对民主的依赖性外，哈贝马斯又指出民主对法治的依赖性。哈氏提到民主需要以法治来制度化，这使我想起我国1978年中共十一届三中全会的历史性决议中的一句话："为了保障人民民主，必须加强社会主义法制，使民主制度化、法律化。"由于哈贝马斯的民主观是程序主义的，所以他特别重视法律关于民主的程序性规定。在议会中的民主实践，有赖于法律对议会中的理性讨论的制度化、程序化。至于在公共领域中的理性讨论和民主实践，也有赖于法制所提供的制度性的保障，如言论、出版、集会、游行自由等保障。

六、自由主义和社群主义

哈贝马斯认为，他对法治（尤其是权利的体系）和民主（尤其是公共领域的民主讨论和民主的立法程序）的关系的论证，确立了法治和民主的内在联系，而同一套论证方法，也可用来协调

---

[29] 同上揭，第5章。

和整合表面上对立的自由主义和社群主义（或共和主义）。[30]

在哈贝马斯眼中，自由主义强调的是个人的权利和自由，尤其是他所谓的私人自主。自由主义肯定私有产权和市场经济，亦即哈耶克所谓的自发形成的社会秩序（spontaneous order）；国家政府的角色是相当有限的，例如限于维持治安、对权利提供法制保障、建造基础设施以方便经济的发展、组织国防力量等。从自由主义的角度看，每个人都应有权在不伤害他人的前提下享受最大程度的自由，包括选择自己的价值信念和生活方式，以实现自己的个性和人生理想。自由主义无可避免地助长这样的一种心态，就是个人可以个人主义地、自利地生活，无须太关心周围的人以至国家民族，无须把他人或群体的利益和价值放在自己之上，从这个角度看，所谓"牺牲小我，成全大我"的心态是难以理解的。

至于社群主义或共和主义，哈贝马斯认为它强调的是人民主权（而非个人权利）和公共自主（而非私人自主）。社群主义对人的自我或人性的理解与自由主义不同，认为人的自我认识或身份认同与他作为社群的一分子这个事实和该社群的文化、传统与历史是密不可分的。这即是说，"我是谁？"很大程度上决定于我生活在什么的社会、文化、国家、民族或传统之中，这些外在的社会和历史因素决定了我的自我认识和人生追求。

因此，社群主义认为，人必须积极参与和投入群体的生活，把自己贡献出来，人才能找到其身份认同，才能实现其生命的意

---

[30] 参见哈贝马斯："民主的三个规范性模式"，《中国社会科学季刊》（香港），总第8期（1994年8月），页144–152（包括英文原文和中文提要）；曾庆豹，前注11揭，第11章；童世骏："'填补空区'：从'人学'到'法学'——读哈贝马斯的《在事实和规范之间》"，《中国书评》，总第2期（1994年11月），页29–43。

义和价值。社群主义思想向往古希腊城邦的公共生活,在那里公民不单享有民主参与决定公共政策的权利,更对城邦作为一个命运共同体负有神圣的责任,在城邦危急存亡之际,公民须为城邦献出自己的生命。社群主义强调公民不单是权利的主体,也是义务的主体,义务包括对他人、对整个社群的义务,甚至对国家、民族、传统和文化的责任。

哈贝马斯在沟通行为理论的基础上,提出协商式政治或协商式民主(deliberative democracy)的概念,[31] 用以融合自由主义和社群主义的精华,并同时极免此两者各自的极端化和弊病。协商式民主理论从自由主义那里吸收的是法治和个人权利的保障,它从社群主义那里吸收的是公共生活的重要性,尤其是在公共讨论的基础上形成公共意志。

根据协商式民主的理论,民主的精髓在于公共领域里的理性和民主的讨论与协商,但公共领域的存在和繁荣,则有赖于对于言论自由、新闻自由、信息自由、出版自由、集会游行自由、结社自由等自由权利的制度性的保障。自由主义的法治提供了这种保障,所以它对于协商性民主的实现,是功不可殁的。

协商式民主与自由主义的不同之处——也就是协商式民主与社群主义的相似之处,在于协商式民主不赞成"各人自扫门前雪"的取向,反对人们只顾自己的利益和权利,只在自己的私人生活中寻求满足,而对公共事务漠不关心。协商式民主主张个人必须积极参与公共事务的讨论,投入公共领域中的沟通协商活动,这便是协商式民主与社群主义的共通点。

但是,协商式民主与社群主义(至少是较强势的社群主义)也保持距离。协商式民主并不要求人们全心全意地、毫无保留地

---

[31] 参见 Leet,前注 25 揭。

把自己奉献给伟大的祖国或民族,它不需要人们为一些高层次的社会理想而自我牺牲。它要求公民所尽的责任,无非是积极地、认真地、诚意地、理性地参与在公共领域中进行的讨论协商,从而对公共舆论和公共意志的形成,以至权利体系的内容的确定,作出自己能力范围之内的一点贡献。

协商式民主的理想只限于程序层面,而不涉及实体性的社会共同理想,这便是它和社群主义或共和主义的不同。协商式民主提倡人民参与公共事务的讨论,但不要求他们认同和献身于某种实体性的社会理想或主张,如爱国主义或民族主义。在这方面,哈贝马斯提出了"宪政主义的爱国主义"(constitutional patriotism)的概念。[32]

宪政主义的爱国主义和一般的爱国主义有什么不同?以德国为例,希特勒的纳粹主义便是一种极端的爱国主义和民族主义,它认为德意志民族是最伟大、最优秀的民族,有最光荣的历史文化传统,作为这个民族的成员为民族和国家奉献自己、甚至牺牲自己,便是生命意义的最高体现。和爱国主义不一样,"宪政主义的爱国主义"的效忠对象不是国家或民族,而是国家的宪政秩序、其权利体系和公共领域,即尊敬、信任、认同和忠诚于这个保障人的自由、平等和沟通理性的政治和法律秩序,愿意参与其运作,为其运作略尽绵力。

哈贝马斯尝试在自由主义和社群主义之间,开拓出一条中庸之道,这就是协商式的民主。他指出,自由主义的最高价值之一是宽容,即容忍和尊重与自己不同的价值信念和生活方式,大家和平共存。但是,他认为光是宽容是不够的,因为这可能导致人

---

[32] Habermas, 前注 7 揭, 页 491 – 515。

们对他人漠不关心，因此，除了宽容之外，还需要商议，[33] 即大家一起讨论大家共同关心的事情，群策群力，凝聚共识。

但是，在多元主义的现代世界，就着不少价值观念和生活方式的问题，人们是没有可能达成共识的。共识较为可能的领域，便是社会秩序中的程序性、制度性的安排和权利的体系的内容，包括法制的架构。这样，通过法治、宪政和协商式的民主，我们便可尽量实践正义。正义是指所有人的尊严都受到平等的尊重。但是，由于现代社会中价值的多元，我们是没有可能也无须保证每个人都能过美善的生活（good life）的。哈贝马斯对于正义的关注远超于他对美善的生活的关注，从这个角度看，他在自由主义和社群主义之间开辟的第三条道路，还是比较靠近自由主义的。

七、结 论

在思想文化的领域，现代性的起源可追溯至17世纪自然科学的重大发现，和18世纪启蒙时代对于更合理和更美好的社会和政治秩序的追求。启蒙运动的思想家相信，正如人类可以凭理性识破关于自然宇宙的科学真理，人类也可以运用其理性，把自己从过往的愚昧和压迫中解放出来，建设一个更自由、更人道、更进步的社会。

在后现代主义思潮泛滥的今天，哈贝马斯仍然坚持启蒙和现代性是尚未完成但值得继承的事业，对此我是十分同意和欣赏的。哈贝马斯提出沟通理性的概念和真理的共识论，在我们对于理性和真理逐渐失去信心的今天，这也起了力挽狂澜的作用，为我们开出一条可行之路。

哈贝马斯对于现代社会的进步及其代价、它的光明一面和阴

---

[33] 参见曾庆豹，前注11揭，页303。

暗一面的分析是具启发性的。在现代，出现了公共领域，出现了法治、宪政、民主和"权利的体系"，这都是哈贝马斯所肯定的有进步性的事物。但是，哈氏同时看到了现代社会系统中金钱和权力这些操控媒介的力量过分膨胀的危机，尤其是它对于人类的沟通理性的威胁，这种对现代社会的批判是发人深省的。

哈贝马斯的法律观的独到之处，在于他把现代法理解为人类高贵的沟通理性的体现，并把法律的来源追溯至生活世界中的公共领域的理性讨论。他认为法律是生活世界与社会系统的中介，指出法律可以作为人类沟通理性抗衡社会系统的非人化的金钱和权力逻辑的工具，这些观点能使我们加深对于现代法的功能、价值和意义的认识。

哈贝马斯说明法治和民主的内在联系，又尝试融合自由主义和社群主义各自的睿见，这对当代政治和法律哲学的发展有深远的意义。尤其重要的是，哈氏指出，法治的核心是权利的体系，但这个体系的具体内容，必须通过公共领域中的理性和民主的讨论及民主的立宪和立法过程，才能彰显出来。他又指出权利体系中言论、出版、集会、结社等自由的关键性，因为它们是公共领域的民主运作的制度性基础。

至于哈贝马斯思想的主要弱点，可能在于他过于理想主义，高估了人们参加公共事务的讨论的能力和意愿，又对于人们不坚持己见、愿意接受他人意见、从善如流以达成共识的可能性，过于乐观。怀疑者可以指出，很多人在讨论中都不是理性的，很多问题都不是通过沟通便能解决的，对于绝大部分问题，共识都是没有可能的。

但是，哈贝马斯提出的"理想交谈情境"，顾名思义，始终不外是一个理想。他也承认，在公共领域之中，现实上很多讨论都不能满足理性讨论的条件或前提。我们未能实现某一理想，并不表示我们便应放弃此理想。在一定意义上，哲学的功能便是替人类勾划出一些理想和方向，一些值得我们努力去实现的目标。

回顾人类历史，我们会发现，社会中的进步并非不可能的事，而且确实曾经发生。进步不单发生在物质文明和科技的领域，也发生在精神文明和思想文化的领域。举例来说，以前奴隶制度被认为是理所当然的，在今日世界，绝对否定奴隶制度的人权思想已在国际间得到最普遍的承认。由此可见，人类的确有理性反思和通过沟通对话形成共识的能力。

对于我们法学工作者来说，哈贝马斯在跨科际的层次对法理学的研究和反思，具有重大的意义和启发性。我们可以明白到，现代法律是现代社会的一个环节，它与现代社会的其他部分，如哈贝马斯所谓的公共领域、生活世界、政治系统和经济系统，息息相关。我们可以通过对现代社会的性质和结构的研究，去了解现代法律。反过来说，我们又可从现代法律的特点和内容出发，进而研究现代社会。我们更可从现代法的价值信念、理想和追求之中，看到现代人的需要和挣扎，又看到我们作为法学工作者在现代社会中的角色和使命。这便是哈贝马斯的哲学对我们法学工作者的启示。

从福柯的《规训与惩罚》看后现代思潮[*]

后现代主义是当代西方学界内重要潮流之一,其影响力遍布人文社会学科的不同领域。后现代主义的源流是多方面的,它并不是一个结构完整、内容统一的体系。研究后现代主义的其中一个较可行的方法,是从一些主要的思想家那里入手,例如是德里达(Derrida)、利奥塔(Lyotard)、福柯(Foucault)、波德里亚克(Baudrillard)、罗蒂(Rorty)等。本文将以福柯的思想——尤其是他的重要著作《规训与惩罚》[1]——为出发点,探索后现代思潮的启示。虽然福柯未曾以后现代主义者自居,但是,由于他"对现代社会和整个西方传统文化的深刻批判,使他在客观上成为了后现代主义在理论上的真正启蒙者"。[2]至于《规训与惩罚》一书,福柯曾说这是"我的第一本书"(其实它并非福柯的首部著作,这里应是指福柯自己真正满意的第一本书),"这并非毫无原因:因为就福科作品的压卷之作而言,此书因极尽语言与

---

[*] 原发表于中国人民大学法律与全球化研究中心于2001年1月主办的"后现代法学与中国法制现代化"研讨会。
[1] 本书的英译本是 Michel Foucault, *Discipline and Punish: The Birth of the Prison* (Harmondsworth: Penguin Books, 1979)(由 Alan Sheridan 从法文原著翻译);中译本是米歇尔·福柯著、刘北成及杨远婴译:《规训与惩罚》,北京:三联书店,1999年。以下从本书中摘录的引文均取自中译本。
[2] 高宣扬:《后现代论》,台北:五南图书出版公司,1999年,页309。

结构、表述风格与篇章顺序之能事而颇具竞争力;就引人入胜而言,它丝毫不亚于《癫狂与文明》;而就原创性而言,也不亚于《事物的秩序》。福科又一次挖掘出最出乎意料的原始数据,他对历史记录的重新诠释又一次天马行空而发人深省。"[3] 此外,由于笔者本人是法学工作者,而《规训与惩罚》是一部刑罚的现代史,所以是笔者特别感兴趣的。

本文以下分为四部分。第一部分简介《规训与惩罚》的研究取向和主要论点。第二部分把《规训与惩罚》放进福柯一生的学术志业之中,并对福柯的思想作一总评。在第三部分,我们尝试勾划后现代主义的轮廓,并以此为背景,探讨福柯与后现代的关系。最后,第四部分就《规训与惩罚》、福柯和后现代思潮给我们的启示,予以反思。

一、《规训与惩罚》

《规训与惩罚》的副题是"监狱的诞生",原著为法文,出版于 1975 年。书在开始时绘影绘声地叙述了一名法国人达米安在 1757 年因企图弑君罪而被公开处决的场面;达氏所受到的折磨是惨绝人寰、令人毛骨耸然的,类似中国的凌迟和五马分尸。然后,福柯把镜头迅速移至 80 年后"巴黎少年犯监管所"的规章,并列出其中关于犯人每天生活的时间表的详细规定。于是,福柯指出:

> 19 世纪初,肉体惩罚的大场面消失了,对肉体的酷刑也停止使用了,惩罚不再有戏剧性的痛苦表现。惩罚的节制时代开始了。到 1830 年 – 1848 年间,用酷刑作为前奏的公开处

---

[3] 麦魁尔著、韩阳红译:《福科》,北京:昆仑出版社,1999 年,页 104。英文原著是 J. G. Merquior, *Foucault* (London: Fontana Press, 2nd ed. 1991)。

决几乎完全销声匿迹。(页15)

在西方现代法制史中，酷刑和肉刑在18世纪启蒙时代后的废除，以至监禁成为了刑事犯罪的主要处罚方式，这是否启蒙运动所带来的人类历史中的进步？这是否"'人性胜利'的进程"（页8）？这是否意味着"更少的残忍，更少的痛苦，更多的仁爱，更多的尊重，更多的'人道'"（页17）？虽然福柯没有正面回答这些问题，但从书中可以看到，他会对这些问题给予否定的答案。

在福柯看来，无论是中世纪的酷刑制度（即对人的肉体进行折磨），还是现代的监狱制度（即对人的肉体进行"规训"（包含纪律、教育、训练、训戒、规范化等意思））（页375-6），都不外是权力运作的模式之一，尤其是权力以人的身体作为媒介进行运作。福柯指出：

> 肉体也直接卷入某种政治领域；权力关系直接控制它，干预它，给它打上标记，训练它，折磨它，强迫它完成某些任务、表现某些仪式和发出某些信号。(页27)

福柯把自己在这方面的研究称为"肉体的政治技术学"和"权力的微观物理学"（页25、28）。这个研究的意义不限于人的肉体，也涵盖人的灵魂：

> 它〔灵魂〕确实存在着，它有某种现实性，由于一种权力的运作，它不断地在肉体的周围和内部产生出来。这种权力是施加在被惩罚者身上的，……它……生于各种惩罚、监视和强制的方法。……这个灵魂是一种权力解剖学的效应和工

具;这个灵魂是肉体的监狱。(页 31-2)

西方现代以前的刑罚为什么是这样残酷的肉刑,而且是当众的展示或"表演"?福柯指出,肉刑的形式和分量不是任意的,而是"经过计算的痛苦等级"(页37):

> 酷刑是以一整套制造痛苦的量化艺术为基础的。……酷刑将肉体效果的类型、痛苦的性质、强度和时间与罪行的严重程度,罪犯的特点以及犯罪受害者的地位都联系起来。制造痛苦有一套法律准则。……人们会根据具体的规则进行计算。(页37)

至于当众的折磨和行刑,福柯理解为王权的无上威力的宣示和对胆敢挑战王法的犯人的报复:

> 犯罪者破坏法律,也就触犯了君主本人,而君主,至少是他所授权的那些人,则抓住人的肉体,展示它如何被打上印记、被殴打、被摧毁。因此,惩罚的仪式是一种'恐怖'活动。……即用罪犯的肉体来使所有的人意识到君主的无限存在。公开处决并不是重建正义,而是重振权力。(页53)

针对这样的一种刑罚制度,信仰理性、人权和进步的启蒙时代思想家(如贝卡里亚)提倡改革,难道不是善意的吗?谁能否认,酷刑、肉刑和公开行刑的消失不是人类文明进步的表现?福柯却独排众议,力陈刑罚制度改革背后的阴险一面。他指出,刑罚制度改革的背景是经济的发展、资本主义的兴起和犯罪形态的改变。暴力罪行减少了,而对于财产的犯罪却随着产权结构的改变而大幅度增加，这直接威胁到资产阶级的利益。在这种社会转变出现之前，资产阶级曾愿意对民间的一些非法行为采取姑息的态度，现在则有需要对新兴的非法行为作更严厉的对治。因此，刑法的改革并非真的以人道主义为本，而是为了加强社会控制、对各式各样的犯罪进行全面的、细微的和高效率的管理。福柯说：

> 改革运动的真正目标，……与其说是确立一种以更公正的原则为基础的新惩罚权利，不如说是建立一种新的惩罚权力"结构"（或译作"经济"），使权力分布得更加合理（页 89）；使对非法活动的惩罚和镇压变成一种有规则的功能，与社会同步发展；不是要惩罚得更少些，而是要惩罚得更有效些；或许应减轻惩罚的严酷性，但目的在于使惩罚更具有普遍性和必要性；使惩罚权力更深地嵌入社会本身。（页 91）

但福柯指出，对于启蒙时代的刑法改革家来说，监禁并非是最主要、最普遍适用的刑事处罚方法；他们希望建立的是福柯形容的"符号的技术"（页 104），即通过各种刑罚的高透明度的实施，向整个社会不断传递讯息：犯罪者必定会受到其罪有应得的惩罚，以收阻吓作用。福柯把这种方法称为"运用于在一切人脑海中谨慎地但也是必然地和明显地传播着的表像和符号的游戏"（页 111），但"把监禁作为一种万能的刑罚"是与"这一整套技术格格不入的"（页 129），因此，"关于刑事监禁的观念受到了许多改革者的公开批判"（页 128）。那么，为什么监狱制度迅速地在 19 世纪成为了刑罚制度的主体？

福柯给我们的答案是惊人的。他说，监狱是一种规训组织，是规训权力的表现。而整个现代社会是充满规训组织的,如学校、工厂、医院、精神病院、军队等。规训组织所体现的是规训权力,而现代社会的政治和经济制度都是以规训权力为基础的。作为规训机构,监狱与现代社会的其他主要构成部分是同质相通的,只不过监狱比这些其他部分是更"彻底的规训机构"(页264):

> 它必须对每个人的所有方面 —— 身体训练、劳动能力、日常行为、道德态度、精神状况 —— 负起全面责任。学校、工厂和军队都只涉及某些方面的专业化,而监狱远远超过它们,是一种"全面规训"的机构。……它实行的是一种不停顿的纪律。……它对犯人施展一种几乎绝对的权力。它具有压迫和惩罚的内在机制,实行一种专制纪律。它最大限度地强化了在其他规训机制中也能看到的各种做法。(页264)

因此,对于福柯来说,整个现代社会都是一所监狱,所有人都在接受规训,只不过程度上有所不同而已。于是,我们发现《规训与惩罚》不单是一本关于现代监狱制度的性质和起源的书,更是一本关于西方现代社会的性质和起源的书。

《规训与惩罚》的第三部分的题目是"规训",这部分离开了刑事处罚的主题,转而论述"规训"的性质、目的、内容和手段。规训首先是针对人的肉体的,旨在塑造"驯顺的肉体"(docile bodies),使它一方面服从指示,另一方面又能满足既定的技能上或操作上的要求,就如机器一般:

> 肉体是驯顺的,可以被驾驭、使用、改造和改善。(页154)
> 许多规训方法早已存在于世,如在修道院、军队、工厂等。

> 但是，在十七八世纪，纪律变成了一般的支配方式。……要建立一种关系，要通过这种机制本身来使人体在变得更有用时也变得更顺从，或者因更顺从而变得更有用。……当时正在形成一种强制人体的政策，一种对人体的各种因素、姿势和行为的精心操纵。……这样，纪律就制造出驯服的、训练有素的肉体，"驯顺的"肉体。纪律既增强了人体的力量（从功利的经济角度看），又减弱了这些力量（从服从的政治角度看）。（页 155–6）

福柯详细和具体地描述和分析了这种营造驯顺的肉体的"政治解剖学"或"权力力学"（页 156），它的手段包括空间的分配、时间运用的管理、对于身体的动作和姿势的细致的调校、各类型的训练、操练和练习，对人的活动、行为、表现或能力的不断和深入的观察、监视、监督、检查、考核，并把所得数据纪录在案。此外，又对同一组别或群体中的个人进行量度、比较、区分、评核、等级化，并设定一些关于什么才是"正常"或"好"的标准、规范，从而对个人作出评价、分类或对个别人士予以排斥，并迫使人就范，即施以压力使其接受和遵从这些标准。

福柯特别强调监视系统在规训机构中的关键作用。书的第三部分的第三章题为"全景敞视主义"（Panopticism），这是福柯创造的词语，其含义来自英国功利主义哲学家边沁（Bentham, 1748–1832）的"敞视式监狱"（Panopticon）（或译作"全景式监狱"或"全景敞视建筑"）的建筑图则。这个建筑设计的中心是一座瞭望塔，周围是环形的建筑，内有很多小囚室。窗户、光线和窗帘的设计，使瞭望塔的人可随时观察到每个囚室的人的一举一动，囚室的人却不能看到瞭望塔的人，也不能看到其他囚室的人：

然后，所需要做的就是在中心瞭望塔安排一各监督者，在每个囚室里关进一个疯人或一个病人、一个罪犯、一个工人、一个学生。（页 224）

在福柯眼里，"全景敞视建筑展示了一种残酷而精巧的铁笼。……它是一种被还原到理想形态的权力机制的示意图。"（页 230）他并指出，"在 19 世纪 30 年代，全景敞视建筑成为人多数监狱设计方案的建筑学纲领。"（页 279）

规训不但体现于建筑形态，更与现代学术和专业知识有密不可分的联系。福柯认为，现代临床医学、精神治疗学、儿童心理学、教育心理学、犯罪学等关于人的科学的发展，与现代的医院、精神病院、学校、监狱等机构所体现的规训权力是相辅相成、互为因果和狼狈为奸的。"知识的形成和权力的增强有规律地相互促进，形成一个良性循环。"（页 251）例如，规训组织通过对于人的监视和观察而累积的档案资料，便成了这些学科的研究材料。"关于人的科学就是这样诞生的吗？这一点或许可以在这些'不登大雅之堂'的档案中得到解答。"（页 214）此外，这些学科又建立了什么是正常的人、健康的人，什么是好学生、好公民的标准或规范，以这些标准或规范来统治社会：

对是否正常进行裁决的法官无处不有。我们生活在一个教师－法官、医生－法官、教育家－法官、"社会工作者"－法官的社会里。规范性之无所不在的统治就是以他们为基础的。每个人无论自觉与否都使自己的肉体、姿势、行为、态度、成就听命于它。（页 349–50）

于是，福柯在《规训与惩罚》中作出了他就权力和知识的关系的经典论述：

> 我们应该承认，权力制造知识……；权力和知识是直接相互连带的；不相应地建构一种知识领域就不可能有权力关系，不同时预设和建构权力关系就不会有任何知识。（页29）

除了把规训与关于人的科学联系以外，福柯也探讨了规训与现代法治和现代资本主义的关系。关于前者，福柯指出，从表面上看，现代法治制度体现社会契约和主权在民的精神，保障人人平等权利，并实施民主宪政，看来是很美好的，

> 但是，规训机制的发展和普遍化构成了这些进程的另一黑暗方面。保障原则上平等的权利体系的一般法律形成，……是由我们称之为纪律的那些实质上不平等和不对称的微观权力系统维持的。……真实具体的纪律构成了形式上和法律上自由的基础。……"启蒙运动"既发现了自由权利，也发明了纪律。……纪律应该被视为一种反法律。……纪律实施的方式，它所调动的机制，一群人受到另一群人的不可逆的支配，永远属于一方的"过剩"权力，在共同的规章面前不同的"合作者"的不平等地位，这一切都使纪律联系区别于契约联系，并且使契约联系从具有一种纪律机制的内容之时起就可能受到系统的扭曲。（页249）

正如这段文字使我们想起马克思对资本主义法制的批判，福柯也引用到马克思关于资本累积的概念用阐明他的规训概念。他指出，正如资本累积的技术促进了"西方的经济起飞"（页247），规

训所代表的"人员积聚的管理方法"有助于"西方的政治起飞"(页247):

> 实际上,这两个过程 —— 人员积聚和资本积累 —— 是密不可分的。……资本主义经济的增长造成了规训权力的特殊方式。(页247-8)

现在,让我们进入《规训与惩罚》的第四部分,亦即它的最后部分。在这里,福柯指出,在遏止犯罪方面,其实现代监狱制度并不成功,它不但无助于减低犯罪率,而且成为了生产累犯和"过失犯"(delinquents)的温床。在福柯眼中,过失犯是现代心理学和犯罪学所创造的概念,指一种不正常的人 —— 即因其生活和成长的环境恶劣或性格有缺陷而有犯罪倾向的人(页281),一种被认为需要接受治疗和改造的人。福柯在这里提出一个惊人的论点,他说,监狱制度表面上看来并不成功,这只是因为我们未能看到它的真正功能:

> 监狱及其一般的惩罚并不旨在消灭违法行为,而是旨在区分它们,分配他们,利用它们。……它们倾向于把对法律的僭越吸收进一种一般的征服策略中。……刑罚不是简单地"遏制"非法活动,而是"区分"它们,给它们提供一种普遍的"经营机制"(general "economy")。(页307)

福柯指出,现代监狱制度其实是成功的,因为

> 监狱极其成功地制造出过失犯罪(delinquency)这种特殊的、在政治上或经济上危害较小的、有时可以利用的非法活动形

> 式,……把过失犯罪构造成一种知识对象的过程包含着能够分解非法活动、从中分离出过失犯罪的政治运作。(页312-3)

福柯认为,监狱生产出"过失犯",又把"过失犯"从其他罪犯中区分出来,这是符合统治阶级的利益的,正因如此,所以监狱制度能在批评声中屹立不倒。他指出,在18世纪末、19世纪初的西欧,社会矛盾日趋激烈,对于政权和有产阶级的挑战和斗争往往采取了"犯罪"的形式,"一系列的非法活动也被纳入反对法律及反对推行法律的阶级的自觉斗争中"(页309)。在这情况下,把监狱制度和打击犯罪活动的矛头对准在所谓"过失犯",有助于使犯罪非政治化,从而减低犯罪活动在整体上对政权构成的威胁。

此外,过失犯对于统治阶级也有利用的价值。统治阶级中那些进行非法活动的人可以吸纳过失犯以经营娼妓、贩毒等勾当,警方又可以吸纳他们为犯罪分子中的告密者。过失犯的增加又为警权的扩张提供条件,现代警察组织可以肆无忌惮地对整个社会进行全面的监控:

> 过失犯罪及其导致的密探和普遍的治安控制,构成了一种对居民进行不间断监视的手段:它是一种有可能通过过失犯本身对全部社会领域进行监视的机制。(页317)

二、福柯的研究事业

福柯(1926-1984)一生的事业,可以理解为以一种特殊的批判角度和独特的触角去研究西方现代史的一个尝试。"对于许多研究欧洲大陆哲学的学者来说,福科是一位把哲学和历史学结合起来的思想家。正是在这样的结合中,福科对现代文明提出了令人深思的批评。"[4] 福柯选择研究的历史领域是不寻常的,如精神病、临床医学、监狱、性,他所关注的都是社会里的边缘群体,如精神病人、囚犯、同性恋者。他"为一切被传统视为'异常'的人们和事物鸣不平,进行翻案",[5] 他从事的是"对于我们自身的永恒批判"、"对于我们的历史时代的永恒的批判",[6] 从而"探讨自由的无限可能性"。[7] 他相信"我们在我们的自主性中的不断继续创造",[8] 他相信他的历史研究"能从使我们现在如此这般的偶然性中分隔出这样的一个可能性,即我们不再是、不再做和不再想我们现在所是、所做和所想的东西的可能性"。[9]

在福柯看来,历史是权力斗争的舞台,正如它是战争的故事。他说:"权力是战争,即以非战争的手段延续的战争",所以应该用"斗争、冲突和战争"的概念去分析权力的运作。[10] 福柯说,在人类历史中:

> 人类并非从战斗到战斗然后逐渐进步至一个由法治终于取代战争的普遍互惠状态;人类把它的每一个暴力装置在规则制

---

[4] 麦魁尔,见注3,页8。
[5] 高宣扬,见注2,页311。
[6] 同上注,页188及318–9。
[7] 同上注,页318。
[8] Michel Foucault, "What is Enlightenment?" in Paul Rabinow (ed.), *The Foucault Reader* (London: Penguin Books, 1991), 页32, 44。
[9] 同上注,页46。
[10] Michel Foucault, "Two Lectures," in Nicholas B. Dirks et al. (eds), *Culture/Power/History: A Reader in Contemporary Social Theory* (Princeton: Princeton University Press, 1994), 页200, 208。

度里，因而从宰制再到宰制。[11]

福柯对于权力和"权力——知识"的论述是他的思想中最有影响力的部分。他指出，关于权力的传统分析把焦点放在国家（政府）的权力那里，这是很不足的。福柯认为，在现代社会中，权力是无处不在、无孔不入的，它在社会的每一个角落、每一个层次、每一个机构、每一个人际关系中运作，权力构成了一个千丝万缕的网络，所有人都身堕其中。福柯把权力形容为"一个交错和能动的力量关系的场域，它产生着深远的、但永不是绝对稳定的宰制的效果"。[12] 他认为在现代社会中存在着比以往更多的权力中心和其中的循环接触和联系。[13] 现代社会中的权力是没有统一中心的，它并非集中在若干国家机关那里，也并非掌握在个别的人或阶级手里。权力是分散的、星罗棋布的，它在社会中的运行管道就正如血管在人体中的分布。作为主体的人很大程度上是权力关系（及其相关的话语和实践）所塑造出来的，他们成为了权力流通的渠道。

正因为权力是无所不在的，所以受压迫者对权力的反抗可在社会的每个角落进行。因此，福柯所认同的社会斗争是局部的、地方性的、社区性的（如妇女、同性恋者、少数群裔、囚犯等人进行的争取权益的斗争），而非马克思主义所主张的由工人阶级发起的、针对国家最高权力机关的革命。在福柯的著作中，包括在《规训与惩罚》里，福柯不忘提醒读者各种被遗忘的斗争在历

---

[11] Michel Foucault, "Nietzsche, Genealogy, History," in Rabinow (ed.), 见注 8，页 76, 85。

[12] Michel Foucault, *The History of Sexuality: An Introduction* (London: Penguin Books, 1984), 页 102。

[13] 同上注，页 49。

史中的存在。例如他在谈及公开处决的刑罚制度时,提到被处决者有时得到民众的同情,甚至因此而出现骚乱。后来的"铁链囚犯队"的使用和废除,"也与各种冲突和斗争有关系"。[14] 在讨论"过失犯"的问题时,他论及当时代表工人阶级的报章对于正统官方的论述提出了批判,指出犯罪的成因主要是社会的不公,而非过失犯个人的性格上的所谓犯罪倾向。在公开发言中,福柯甚至"明确宣称囚犯的首要任务就是设法越狱",[15] 使当局为之震惊。

福柯不相信客观、普遍和中立的真理的存在。在他看来,任何关于真理的知识都是带着权力的烙印的,因为,正如他在《规训与惩罚》中强调,知识和权力永远是互相依附的。真理又反过来论证权力的正当性,从而强化权力。于是,社会中的人所信以为的真理,原来不外是社会权力网络所制造出来的海市蜃楼。

福柯关于"权力—知识"的看法表面上类似于马克思主义者对于被奉为真理、实际上反映统治阶级的利益和世界观的"意识型态"的批判,其实两者是迥然不同的。马克思主义肯定科学与意识形态两者的区分,科学是符合客观真理的,而意识形态则是虚假的意识,当被压迫者在不知不觉中接受了这种意识形态时,他们其实是被欺骗了。代表科学真理的马克思主义的任务,是把他们从这种被蒙蔽的状态中释放出来,使他们认清他们被压迫的真相,从而投身革命事业。但在福柯看来(在这方面他追随的是尼采的观点),客观真理并不存在,真正的科学也并不存在,所以科学与意识形态的区分是不能成立的。福柯又把马克思主义评判为"全盘性、全能主义的理论"(global, totalitalitarian theo-

---

[14]《规训与惩罚》,见注1,页296。
[15] 见麦魁尔,见注3,页4。

ries),[16] 这些理论试图用一套概念体系对历史作整体性的解释，福柯认为是无济于事的、对历史研究弊多于利的。

福柯的学术生涯可以分为三个阶段。[17] 第一阶段是 50 年代末到 60 年代，其代表作为《癫狂与文明》(1961 年)、《精神诊疗所的诞生》(1963 年)、《语词与事物》(1966 年，英译本名为《事物的秩序》)、《知识考古学》(1969 年)。在这阶段，他研究的主要是现代的"知识型"(epistemes) 和话语 (discourse，又可译为"论述")的历史条件和建构规则，他把这种研究称为"知识考古学"。在关于现代精神治疗学的研究中，福柯的

> 目的是要说明，以精神治疗学为代表的近代科学知识，是如何一方面以真理的身份，打着客观科学知识的旗号，在社会中普遍地传播开来；另一方面又作为权力干预和控制社会的基本手段，起着规范化和法制正当化的功能。[18]

在《语词与事物》中，福柯追溯了现代关于人的学科的起源，包括关于生命的学科（生物学）、关于语言的学科（语言学）和关于劳动的学科（政治经济学），人——包括生活的人、说话的人、劳动的人——成为了现代科学研究的对象，"人"便是这样诞生的、由话语论述所建构出来的。

福柯的事业的第二阶段是 70 年代，《规训与惩罚》便是这个时期的代表作。在这个时期，福柯的研究取向从"知识考古学"转向所谓"权力系谱学"，"系谱学"这个用语来自尼采。知识考

---

[16] Foucault, 见注 10, 页 202。
[17] 参见高宣扬，见注 2, 页 326–9。
[18] 同上注, 页 326。

古学的关注主要是知识、理论、话语的层次,而权力系谱学则转而研究知识在社会组织中的应用和相关的历史实践及权力现象。《规训与惩罚》对于驯服人体的规训权力的技术运作进行细仔分析,又点出了现代关于人的科学与这种权力的互相依附的关系,可以说是这个时期的登峰造极之作。

第三个时期是70年代末到80年代初,其代表作是三卷的《性史》。在福柯的生命的这个最后阶段,他的研究旨趣从人宰制他人的技术转移至人"对于自身的技术",即人怎样对待其自身、怎样创造自己、掌握自己、以至改变自己;[19] 他同时调整了他以往对于启蒙运动、现代性和其价值理念的全盘否定。例如,在"什么是启蒙?"一文中,[20] 他承认他所主张的对现实批判的精神是与启蒙运动一脉相成的,他正面评价现代性中"急于对现在作出想象、把它想象为另类的模样并改变它"的态度,[21] 又说"启蒙运动的历史意识的核心包涵这个原则",即"批判原则和我们在我们的自主性中不断创造的原则"。[22] 除了提到人的自主性以外,福柯在文中又不止一次提到人对自由的追求。人的自由和自主性,这不正是以康德为代表的启蒙精神的终极关怀吗?

三、福柯与后现代

甚么是后现代,众说纷纭。正如一位西方学者指出:"'后现代'"并不代表一套有系统的理论或一个全面而完整的哲学,它是对于现今文化的一些不同的分析和注释,及对于一些互相关连

---

[19] 参见高宣扬,见注2,页328; Steven Best and Douglas Kellner, *Postmodern Theory: Critical Interrogations* (New York: Guilford Press, 1991),页61。

[20] 见注8。

[21] Foucault,见注8,页41。

[22] 同上注,页44。

的现象的描述。"[23] 在《后现代论》一书中，高宣扬指出：

> 不管后现代主义思想家们赋予"现代性"什么样的内容和意含，他们都以批判现代性为己任。……"后现代"孕育于"现代性"内部、而又不断地进行自我超越。对现代性的批判，乃是后现代主义自我形成、不断自我超越的一个内在动力和重要条件，因而构成后现代主义的一个重要特征。……后现代批判原则不同于现代批判原则的基本特征，就是立足于活生生的多元化人类生活，将批判活动变成为无固定原则、无固定中心、无确定目的、无固定形式以及无完整体系的、理论与实践相结合的游戏活动。[24]

因此，后现代主义可以理解为对现代性的反动。在本文这个部分，笔者将在描述现代性的基础上，尝试勾画后现代主义的轮廓，然后探讨福柯与后现代的关系。由于后现代主义的足迹遍布当代西方思想文化世界的几乎所有领域，不可能在这里一一处理，本文所论述的后现代主义，主要限局于哲学和社会思想的范畴。

"现代"和"前现代"应如何分界，在历史学中并无定论，但相信大家都会同意，宗教改革运动以前的欧洲中世纪属于前现代，而启蒙运动和法国大革命以后则属于现代。从前现代到现代的进程，可理解为发生于两个不同而相关的层面，一是思想文化的层面，二是政治、经济、科技和社会变迁的层面。例如在第一

---

[23] Steinar Kvale, "Themes of Postmodernity," in Walter Truett Anderson (ed.), *The Fontana Postmodernism Reader* (London: Fontana Press, 1996), 页18, 19。
[24] 高宣扬，见注2，页109、187。

个层面，我们可以看到基督教的主导地位的减退，科学和启蒙理性的兴起，以至后来的浪漫主义文化潮流；在第二层面，我们可以看到民族国家的建立、资本主义的兴起、民主宪政体制的诞生，以至工业革命、都市化、帝国主义等现象。

对于什么是现代性 — 尤其是思想文化层面的现代性 — 的精髓，哈贝马斯在"现代性：一个尚未完成的事业"一文中有精辟的论述。[25] 他提到法国启蒙运动的精神："追求完美的理想，及一个来自现代科学的启发的概念，即知识的无限的进步、以及社会和道德的不断进步"。[26] 他指出，启蒙运动健将孔多塞（Condorcet）相信，"文艺和科学的发展不但将给予人类驾驭大自然的能力，还将带来人类对自身和世界的了解、道德进步、社会制度中的正义、以至人类的幸福"。[27]

同时，哈贝马斯引用了韦伯对现代性的认识，即现代性是以往由宗教思想所主导的世界观的分化为三个独立的价值领域 — 科学、道德和艺术，科学追求的是关于客观世界的真理，道德追求的是规范人类行为的普遍原则和社会及法制中的正义，艺术则追求美。哈氏指出：

> 18世纪启蒙运动思想家所构想的现代性的事业，便是一方面根据其各自的内在逻辑不断发展客观化的科学、道德和法律的普遍性基础及自主的艺术，同时把它们的高深形式和实践运用所累积的认知能量释放出来，藉以进行生活条件和社

---

[25] J?rgen Habermas, "Modernity: An Unfinished Project," in Charles Jencks (ed.), *The Post-modern Reader* (London: Academy Editions, 199?), 页158。

[26] 同上注，页159。

[27] 同上注，页163。

会关系的理性建构。[28]

由此可见，启蒙精神是现代性（至少是社会和哲学思想范畴中的现代性）的精髓。启蒙思想家受到 17 世纪科学的突飞猛进的启迪，坚信人类理性不但可以使人类明白大自然和宇宙这个物质世界的真相，还可以帮助人类批判其历史中的社会的不公，从而建设一个更正义、更合理、更符合人的尊严、价值和潜能的社会。换句话说，理性将把人从愚昧和压迫中解放出来，人类的未来将比其过去更加美好，人类将在其历史中实现进步，渐臻完美。这种进步不限于物质文明，还涵盖精神文明；不限于人所掌握的种种知识，还涉盖人的道德情操。

现代西方政治和社会思想的主流，包括自由主义、民主主义和社会主义，都可理解为启蒙精神的体现。自由主义对过往的专制政体提出批判，强调政治权力被滥用的恶果，因此提倡法治、宪政、人权和自由。民主主义认为国家主权在民而不在君，因而努力建设一个人民真正当家作主的、反映人民的利益和意愿的政体。以马克思主义为代表的社会主义追求人从"必然王国"到"自由王国"的跳跃、每个个人和所有人的潜能的全面发展，它批判资本主义的不公，坚持人类解放的进步事业和共产主义的理想。这三大主义异曲同工之处，在于它们均相信人类的理性，和人类凭此理性去建设一个更美丽的世界的可能性、甚至必然性。这便是我们这里所说的启蒙精神。在我国，80 多年前的五四运动，高举"民主"和"科学"的旗帜，不愧被誉为中国现代史上的启蒙运动。

那么，甚么是后现代？在《后现代状况》这部关于后现代的

---

[28] 同上注，页 162。

经典著作中，利奥塔一针见血地指出，"我把后现代定义为对于后设叙事话语（metanarratives）的不予置信。"[29]"后设叙事话语"又可译作"元叙事话语"，或称为"宏观叙事话语"（grand narratives），例子是黑格尔关于绝对精神在人类历史中的辩证发展和体现的叙事话语，及马克思等思想家关于人类进步和解放事业的历史轨迹的论述。利奥塔认为，西方社会已处于后现代，这些宏观叙事话语已失去其可信性、说服力和吸引力，它们显得苍白无力，再无能为任何思想或行为提供正当化（legitimation，即正当性或合法性的论述）。

后现代主义者看到的世界是支离破碎的，由无数零散的经验片段和互不兼容或不互协调的话语或"语言游戏"所交织而成的。利奥塔认为，在后现代的境况下，"社会'原子化'（atomization）为很多由语言游戏组成的有灵活性的网络"。[30]每个语言游戏都有其独自的规则，但我们没有可能发现"这些语言游戏之间共通的后设规则（metaprescriptives）"。[31]因此，给予语言游戏其正当性（legitimacy）的资源是内在的而非外在的，即来自参与这个游戏的诠释者公共体（community of interpreters）："正当化只能来自人们自己的语言实践和沟通互动"。[32]至于曾经雄霸一时的科学，利奥塔认为科学也是有其独特规则的语言游戏："科

---

[29] Jean-Francois Lyotard, "The Postmodern Condition," in Steven Seidman (ed.), *The Postmodern Turn* (Cambridge: Cambridge University Press, 1994)，页27。关于后现代法学，可参见郑强："美国后现代法理学概观"，《外国法译评》，2000年第2期，页44；信春鹰："后现代法学：为法治探索未来"，《中国社会科学》，2000年第5期，页59。

[30] Jean-Francois Lyotard, *The Postmodern Condition* (Minneapolis: University of Minnesota Press, 1984)，页17。

[31] 同上注，页65。

[32] 同上注，页41。

学在玩它自己的游戏;它无能为其他语言游戏提供正当化"。[33]

后现代主义和代表现代性的思想层面的启蒙传统的基本分歧在于它们对于"真理"、"理性"、"知识"、"人的主体性"、"历史中的进步"等基本问题的不同认识,尤其是对于"真理"的不同看法。后现代主义对真理的看法可以追溯至 19 世纪尼采的哲学,所以不少学者认为,尼采是"后现代思想的主要先知(central prophet)"。[34] 尼采(1844－1900)对于"真理"和"事实"持怀疑、批判和否定的态度,他不相信客观真理或事实的存在,也不相信人类的语言能掌握客观现实世界,唯一存在的是人们对世界的不同诠释、人们对事物的不同视角,不同视角之间没有真假之分。他猛烈批评西方传统基督教的道德文化为否定生命的奴隶道德,他歌颂人的原始生命力的激荡,强调人的意志的无限创造力,主张人的英雄式的不断奋斗和超越自我。在后现代主义的思想里,在福柯的著作里,我们都不难看到尼采哲学的踪影。

启蒙传统相信人作为主体是自由、自决和理性的,人通过理性可认识关于客观世界以至人类自身历史的真理,获得知识,而知识把人从愚昧和压迫中解放出来,人类因而可在其历史中取得进步。后现代主义则质疑客观和普遍的真理的存在或可知性,怀疑理性的能力及指出它的阴暗面,并认为主体是虚构的,历史中的进步是虚幻的。后现代主义又进一步批评那些关于所谓普遍真理的话语或宏观论述不但是虚假的,还是具有压迫性和排他性的,有巩固宰制和镇压"他者"的效果,助长西方文明以"理性"、"文明"、"人道"、"进步"这些冠冕堂皇的口号来征服其他

---

[33] 同上注,页 40。
[34] Richard Tarnas, *The Passion of the Western Mind* (New York: Ballantine Books, 1993), 页 395。

民族和文化，又在阶级、种族、性别等基础上压迫西方社会中的弱势群体。为了反对以普遍真理自居的全能主义性质的抽象话语，后现代主义者提倡地方性的、具体的、以生活经验为依据的话语和知识，并支持地方性的对宰制和压迫的反抗。后现代主义歌颂文化和生活方式的多样性、多元性和差异性，尤其同情被正统、主流话语边缘化的弱势群体的处境及其争取权益的斗争。

后现代主义对于客观和普遍真理的怀疑，并非如尼采那般非理性，而是有其哲学和社会学上的论据。后现代主义基于其对人类语言的反思，认为语言有其严重的局限性。传统思想家以为人类的语言的内容与客观现实世界是对应的，通过语言，人可以了解、描述和分析客观世界。后现代主义者则指出，语言及其他类似的符号系统不外是人类文化和社会的产物，任何语言或符号系统都蕴含着既定的、预设的世界观、价值观和偏见，因而有其主观性、任意性和偶然性。意义是由词语或符号之间的相互关系所产生的，至于词语或符号与外在世界的关系，则不得而知。我们用语言来了解和谈论世界，就等于戴着有色眼镜看世界。任何语言都是有色眼镜，并不存在相当于无色眼镜的中立的语言。但是，我们又不能除下眼镜，因为离开了语言或符号系统，我们认识的世界便不再存在。眼镜或语言，便相当于利奥塔说的语言游戏。由于语言游戏之间存在着不可跨越的鸿沟，所以普遍真理是遥不可及的。

福柯是否后现代主义者？我们可以从他对于真理的观点谈起。福柯在《规训与惩罚》及其他著作中对知识和权力的关系的论述清楚显示，他并不相信客观的、可脱离权力而自我证成的关于真理的知识的可能性；在他看来，现代关于人的科学——如心理学、精神治疗学、医学、教育学、犯罪学，不但不是真理，更是宰制人的权力工具。同时，他对于马克思主义作为全能主义式的理论的批判立场,也显示他像利奥塔一样,不相信这类宏观论述作为真理的有效性。因此,福柯的真理观很明显是后现代的。

后现代主义对人的主体性进行解构,福柯也参与了这项工作。他在关于现代的"人的科学"的话语的"知识考古学"中指出,人或主体的概念是由这些话语所建构的。在以《规训与惩罚》为代表的"权力系谱学中",他更分析与这些"人的科学"相辅相成的现代规训权力怎样驯服现代人的身体和塑造其灵魂。在关于性的历史的研究中,他又论证现代社会中关于性的话语和政策怎样规范人的自我认识、道德观念和行为。人的主体性是虚幻的,是由话语、社会、文化和权力所决定的,这又是后现代的主题之一。

最后,后现代主义对启蒙传统持批判态度,对启蒙时代所信奉的理性和进步观念提出质疑,而福柯也是否定理性和进步的。他不相信启蒙时代的理性带来了一个更人道、更自由的社会,反之,他认为由于现代社会是规训社会、一个由各种类似监狱的社会机构组织而成的监狱网络,所以现代社会对人的监督和控制,比前现代的社会有过之而无不及。启蒙理性带来了规训,也带来了压抑人、强迫人接受某些关于什么人是"正常"人的标准的"人的科学",所以理性绝非人类的救星。在历史中福柯看不到进步,历史不外是由一种宰制变为另一种宰制的历程;在他那里,启蒙运动者和马克思主义者所看到的光明和希望是并不存在的。

福柯对现代社会的批判比不少后现代主义者来得更为严厉,这反而使他的思想带有现代、反现代和前现代的混合色彩。一些后现代主义者的著作弥漫着游戏人间、玩世不恭或随波逐流的态度,因为他们放弃了对真理和理想社会的信奉,他们再没有坚固的基础去进行社会批判。福柯对现代性的猛烈批判,反映出他仍然有一种执着,就是对追求自由和解放的执着。追求自由和解放，这不正是现代启蒙传统的宗旨吗？福柯以现代社会对人宰制和操纵为理由批判现代社会，可以说是以现代精神来反对现代的实况；而他一方面反叛现代，一方面又提不出如何改造社会的积极方案，令人怀疑他是否钟情于前现代。有学者认为，福柯是"一个结合了前现代、现代和后现代观点的理论家"、"一个充满深奥矛盾的思想家"，[35]这是有一定道理的。

有些论者甚至不认为福柯是后现代主义者。例如哈贝马斯在上面引述过的"现代性：一个尚未完成的事业"[36]一文中对三类知识分子予以区分："年青保守主义者的反现代主义者、旧保守主义者（Old Conservatives）的前现代主义和新保守主义者的后现代主义"，[37]并把福柯归于第一类。对于哈氏来说，这类人反对工具理性，企图遁出现代世界，追求自我的体验、创造和无穷的想象力；哈氏认为，尼采和德里达也属于这类人。另一位学者多特（Nigel Dodd）也持类似哈氏的观点，认为福柯不是后现代主义者，而是反现代主义者。[38]

最后，还有一个具启发性的看法，就是把福柯形容为一位"新无政府主义者"，这是麦魁尔（J. G. Merquior）在他关于福柯的专著中提出的。[39]麦氏指出，福柯不相信总体性的革命而寄望于分散的、自发性的反抗运动，不相信阶级斗争而寄望于如妇女、同性恋者、囚犯等群体的斗争，又不相信制度化的安排，这些都是与无政府主义一脉相承的。但麦氏认为，在两点上福柯与以克鲁泡特金（Kropotkin）为代表的无政府主义者不同，所以

---

[35] Best and Kellner，见注19，页36。
[36] 见注25。
[37] 见注25，页167-8。
[38] Nigel Dodd, *Social Theory and Modernity* (Cambridge: Polity Press, 1999)，页104。
[39] 麦魁尔，见注3，页191-3。

要称他为新无政府主义者。第一,他反对乌托邦主义,不相信对于理想社会蓝图的设计。第二,他是非理性主义的,否定科学,而克氏却相信他的无政府主义理论是有科学根据的。

四、结 论

任何思想建设都没有可能是十全十美、无懈可击的,它可能有它的洞见,使人受到启发,同时又有它的盲点、弱点,令人感到不足。后现代主义以至福柯的思想也不例外。

后现代主义的主要贡献在于纠正启蒙理性的狂妄自大、它的傲慢与偏见。以启蒙传统为代表的现代思想对人类的理性的能力估计过高,对人类前途的看法也流于过分乐观。后现代主义指出了启蒙理性的局限、真理的复杂多元性,它促使我们对于不同传统、信念、价值观和生活方式,持更加宽容、更加开放的态度。后现代主义又教我们认识到以真理为化身的宏观话语的霸道性,它们把一些另类价值和弱势群体予以边缘化或予以排除,因而是有压迫性的。

福柯对于权力、知识和真理的论点是发人深省的。他提醒我们,号称为科学的知识或话语不一定是科学和可信的,它们总是和权力纠缠在一起,所以绝非是客观和中立的。这些知识不一定能帮助人,反而可能被用来操纵人、劳役人,我们必须引以为戒。

福柯对现代社会的规训性的批判也是有启发性的。他使我们认识到,现代化不一定带来进步,现代化的代价可能是十分昂贵的;在某些重要方面,现代人比前现代的人更不自由、更受权力的支配。现代人从公开行刑的野蛮中解脱出来,却进入监狱制度的另一种野蛮之中。

如果福柯对于权力的散布性、网络性和无所不在性的分析是对的话,那么启蒙时代提出的用以驯服国家权力的法治、宪政、人权以至民主都是很不足的，因为它们只能对治国家机关的权力的行使，对于在现代社会各层次、各领域、各机构里受到权力操纵和摆布的人是无能为力的。因此，我们必须对权力的治理的问题重新思考。正如马克思主义指出，在财产分配不公的情况下，资本主义法治所赋予的平等权是虚假的，福柯的研究则指出，在规训权力的运作中，这些平等权也是虚假的。

但是，可能由于福柯是上面提到的"新无政府主义者"，他回避了关于权力的正当性（legitimacy）的问题。是否所有权力都无正当性可言？如果是这样，而社会和历史又是如福柯所理解的权力的角逐和斗争，那么哪些斗争才是正义的、值得支持的？如果斗争是无正义与否之分的，那么世间的公理何在？

公理便是社会中和人际间的真理，于是我们回到真理的课题，即现代与后现代之争的焦点。人类社会之所以能延续至今，人之所以能分工合作、和平共处，就是因为他们都愿意接受某些关于政治和道德的规范性原则，这就是一种有一定普遍意义的真理，尽管它只是暂时性的、局部的、尚待修改的。在非无政府状态的社会秩序中，关于权力的安排是不可或缺的，但我们需要区分正当（legitimate）的权力和不正当的权力，正当的权力是值得巩固和维护的，不正当的权力则是需要监控以至杜绝的，而对于不正当的权力的反抗则是正义的。在这里，如要区分正当和不正当的权力，惟有依靠规范性、道德性、法律性的原则，别无他途。

对于这些原则是什么，大家可能有不同的意见。但是，如果我们相信真理和正义的存在，我们便可以进行理性的讨论，因为真理是越辩越明的。我们可以提出有力的论据，据理力争，以理服人，凝聚共识。但是，如果我们不信有真理和公理，不同的论据是同样任意的、无真假之分、无强弱之分的，那么辩论便是徒然的。

后现代主义指出不同的知识系统、话语论述或语言游戏的互不兼容性,这是有一定道理的,例如回教原教旨主义与基督教原教旨主义之间,便有难以跨越的鸿沟。但是,因此而把所有语言游戏一视同仁,以为它们只能是自我证成的,距离真理同样遥远,则似乎是言过其实了。再用有色眼镜的比喻,不同的有色眼镜并不是同样差劲的,它们颜色不同、颜色的深度不同,镜片的度数又不同。它们对真实世界的歪曲程度是不同的。

就以现代科学为例,它把人送上月球,又把他们平安带回来,古代的巫术能做到这件事吗?现代科学是否比古代巫术更接近客观真理?后现代主义者可以回答说,在实用上的成就,不能用以证明真理性,但这不能说服科学家放弃真理的追求,也不能解释现代科学在全球范围内的广被接受。

又以人权规范为例,后现代主义者可以说它不外是启蒙时代西方文化的产物,没有客观性和普遍性,不应强加于其他文化和民族。但是,这不能解释为什么人权观念在国际社会越来越受认同,越来越多国家不但在其国内宪法中规定人权的保障,更自愿加入各种国际人权公约,承担尊重和保障人权的国际法上的义务。难道人权思想与纳粹主义是同样程度地偏离于真理吗?

再举一例,源于达尔文的生物进化论认为,人是从较低等的生物进化而来的,一些基督教原教旨主义者则坚持《圣经》中"创世记"的字面含义,拒绝接受进化论,坚持亚当和夏娃是由上帝以超自然的力量创造的。在这两种说法或语言游戏之间,我们是否真的没有可能作出理性的抉择?

笔者个人认为,无论是后现代主义或福柯的研究成果,都未能说服我们放弃现代启蒙精神的凭理性追求真理、进步和一个更人道、更合理的社会的伟大而崇高的事业。如果说这是一套宏观叙事话语，那么就让我们承认它是宏观叙事话语吧！须知纳粹主义和以神道教为基础的日本军国主义也是宏观叙事话语，难道它们与启蒙时代及其产生的自由主义、民主主义和社会主义的关于人类进步和解放事业的宏观叙事话语同样值得我们委身吗？因此，即使在后现代的今天，我们是无须以启蒙理性为耻的。

论立宪主义[*]

一、前　言

立宪主义（constitutionalism）是一种关于人类社会应如何组织其国家及其政治生活的规范性思想，其精髓在于以宪法和法律来规范政府的产生、更替及其权力的行使，藉以防止人民的人权受到政权的侵害，并进而确保政权的行使能符合人民的利益。立宪主义既是一个价值目标，也是一种手段——就是实现自由主义理想的其中一种方法：自由主义高扬每个个人的尊严、价值、自主性、自由和人权，并指出国家统治者所掌握的政权是人权和自由的最大威胁。政权的滥用的后果可以是极其严重的，故我国古语有云"苛政猛于虎"。立宪主义可视为用以驯服这条老虎的重要工具。

立宪主义不只是一个遥远和飘渺的理想，在现代，不少国家和民族已经成功地把它付诸实践，成绩有目共睹。相对于非立宪主义的国家来说，立宪主义国家的成立，可算是一种道德上的善，亦即是说，立宪主义国家的创建是值得争取的，从非立宪主义国家到立宪主义国家的过渡，是人类文明进步的表现。西方法制史学者 Caenegem 指出，虽然在历史中不同种类的政体此起彼

---

* 原发表于台湾中山人文社会科学研究所于 2002 年 3 月主办的"公民社会基本政治社会观念"研讨会。笔者取得该所同意在此刊载，谨此致谢。

落，看似混乱，"但是有时人们确能创造出一个有价值的和长远来说有进步意义的模式：立宪主义和议会制政体便是一例"。[1] 有些西方学者甚至认为，"现在看来，立宪主义民主（constitutional democracy）是唯一有正当性的（legitimate）政体"。[2]

在人类历史中，立宪主义政体的缔造，绝不是轻而易举、一蹴而就的事，而是无数人前赴后继、艰苦奋斗、以血泪交织而成的气壮山河的故事。立宪主义是为了对治非立宪主义政体所造成的苦难而产生的，正如当代匈牙利学 Sajo 指出，"立宪主义的宪法不是为了追求幻想和革命性的乌托邦而诞生的。……它们所反映的是在先前的政体中孕育着的和关于这先前的政体的恐惧。如果宪法有一个理想景象的话，这便是政权再不应像以往那般行使。"[3] 日本学者杉原泰雄以下这段话更是语重心长：[4]

> 宪法是对充满苦难的生活经验的批判和总结……。宪法的历史充满了人类在各个历史阶段中为摆脱生活上的痛苦而显示出来的聪明才智。我们学习宪法就是为了学到这些聪明才智，为了避免失败而未雨绸缪。

那么，立宪主义是如何在人类历史中产生的呢？立宪主义有哪些

---

[1] R. C. van Caenegem, *An Historical Introduction to Western Constitutional Law* (Cambridge: Cambridge University Press, 1995), p. 32。

[2] Richard Bellamy and David Castiglione (eds), *Constitutionalism in Transformation: European and Theoretical Perspectives* (Oxford: Blackwell Publishers, 1996), p. 2。

[3] Andras Sajo, *Limiting Government: An Introduction to Constitutionalism* (Budapest: Central European University Press, 1999), p. 2。

[4] 杉原泰雄着，吕昶及渠涛译：《宪法的历史——比较宪法学新论》（北京：社会科学文献出版社，2000年），页3、7。

内容和元素？立宪主义在当代面对的是甚么课题？本文以下各节将就这些问题进行初步的探讨。

二、立宪主义的历史

立宪主义是西方文明的产物，其滥觞和成长与西方从古希腊和罗马文明时代至中世纪再到近现代的历史、文化、宗教、哲学、政治和法律的发展有千丝万缕的关系。另一方面，正如自然科学和各大宗教一样，立宪主义有其跨文化的普世性，其说服力和适用范围绝对不限于西方国家，例如在亚洲，印度和日本便是成功建立立宪主义国家的典型例子。但是，为甚么立宪主义首先出现于西方世界呢？要回答这个问题，便须宏观地回顾西方文明的历史进程。

首先，我们回到西方文明的古典时代，即2000多年前古希腊和罗马文明。在这时代，并不存在立宪主义的概念，但是诞生了一些日后成为立宪主义的重要元素的思想和实践，如法治、政治制衡、民主、共和、民法等。亚士多德认为法治是优于人治的统治模式，因为法律是理性的体现，不受情欲的困扰。他又主张介乎全民统治与贵族统治之间的混合式政体，以达到政治上的均衡。雅典等古希腊城邦的民主生活是民主的典范，重要决策和法律由全体公民在集会中讨论和表决。罗马在其共和时代的民主政制和议会组织也是后人所赞颂的，罗马公民相信领导人的权力乃来自人民。罗马帝国的民法（civil law）十分发达，并重视对于私人之间的合同和财产权利的保障，这为日后西方法治秩序的建设，奠定了稳固的基础。

罗马帝国在公元5世纪覆亡后，西欧经历了长达数世纪的混乱和文明倒退的"黑暗时代"。公元11世纪以后，欧洲的封建主义政治和社会制度稳定下来，再次孕育出辉煌的文明，是为西方的"中世纪"文明。从长远的历史发展的角度看，中世纪文明可视为现代立宪主义的温床。我国著名学者钱端升把它形容为"近代宪法观念萌芽时代"。[5]

西方中世纪封建社会在政治上的特征是,王权并不是绝对或十分强势的,而是受到若干其他社会力量所制衡的,这些力量包括贵族(贵族源于武士阶层,拥有兵权)、教会(中世纪时以罗马教皇为中心的天主教会盛极一时,其势力横跨整个西欧)和一些享有高度自治权的城镇。为了争取这些社会力量的支持(尤其是当他准备与外国开战时),国王便成立议会(如英国的Parliament和法国的Etats Generaux),由贵族、僧侣和平民三阶级的代表共同组成,分享国家的权力。这种议会架构后来便成为立宪主义国家的核心组织之一。

除此以外,中世纪社会也存在其他限制和约束国王的权力的因素。首先,在封建制度的社会关系中,领主与其臣下(包括国王和他的诸侯)的关系是契约式的,双方都有各自的义务,而不只是臣下对其领主单方面的绝对服从的义务。其次,中世纪盛行"双剑论",双剑是指掌管世俗事务之剑和掌管精神或属灵事务之剑,两者都是由上帝赋予的,前者赋予国王,后者赋予教会。因此,国王的权力范围是有限的,更不是最高的;国王的权力来自上帝,而教会才是上帝在世上的代表。在中世纪,王权与罗马天主教会的权威一直互相抗衡,直到16世纪宗教改革导致罗马教会在政治上的权力的衰落。

第三,中世纪的法律观也构成对于王权的重要制约。这种法律观是多元的,包括习惯法、神圣法、自然法、罗马法等。在日耳曼民族的传统文化中,习惯法享有崇高的地位,习惯法的权威

---

[5] 钱端升:《钱端升学术论著自选集》(北京:北京师范大学出版社,1991年),页132。

凌驾于王权之上，即使君主也不能恣意违反习惯法，如侵犯贵族根据习惯法所享有的各项特权。13世纪神学和哲学大师阿奎那（St. Thomas Aquinas 1225－1274）指出，神圣法和自然法都是由上帝订立的永恒法的组成部分，自然法是人类凭其理性思维便能发现的，但人必须得到上帝的启示才能认识神圣法。神圣法和自然法都是高于人自己制定的法律（人间法）的，它们是人间法的标准，暴君制定的恶法便因不符此标准而不是真正的法。此外，中世纪出现了对古罗马法的研究的复兴，虽然罗马帝国时期的法律是倾向于专制王权的，但罗马私法中对私有产权的保护却构成对恣意行使的权力的限制。总括来说，正如Caenegem指出：[6]

> 法律意识深深地植根于西方社会，人们十分认真地对待权力的正当性（legitimacy）问题。在历史中出现的对不法行为的强烈抗议，反映出西方文化对法律作为社会基石的执着和信仰。

在中世纪的英国，《大宪章》（Magna Carta）的制定便是王权在封建社会中受到制衡和法律的关键地位的典型反映。13世纪初期，英王约翰（King John，在位于1199至1216年）因其苛政引起贵族和僧侣的反抗，最后在1215年被迫签订颁布《大宪章》，这份法律档确认贵族、僧侣等人根据习惯法所享有的若干特权，并对王权作出相应的限制，如规定国王不得任意征税或非法拘捕人民。《大宪章》是一份限制统治者的权力、保障被统治者的权利和自由的法律档，构成统治者与被统治者之间的契约，并宣示了法律高于王权的原则；因此，不少论者认为《大宪章》是立宪主

---

[6] 同注1，页25。

义的源头和后世的人民权利和人权宣言的前身。在欧洲中世纪的其他国家，也出现过类似此《大宪章》的法律档。

但是，从中世纪封建制度对王权的限制到现代立宪主义国家的道路绝不是平坦的，其中经历了专制王权（absolutism）的建立和反对专制王权的革命斗争，这种情况在英国和法国相继出现，而英国、法国和原为英国殖民地的美国，便是现代立宪主义的摇篮。现代立宪主义可理解为对专制王权的专横的反动，如果没有近代专制国家的出现，可能就不会有现代立宪主义的理论和实践。但是，现代立宪主义之所以能得以成功建立，却是由于它所反对的专制王权有其中世纪封建主义的背景，而这种封建主义包涵了上述的有利于日后立宪主义的建立的因素。同时，正如马克思主义者所指出，立宪主义的建立是符合近现代资本主义市场经济发展的需要的，他们把立宪主义对专制主义的革命称为"资产阶级革命"。

16世纪至18世纪是西方世界从中世纪步进现代的转折时期，宗教改革削弱了罗马天主教会的权威，地理大发现和市场经济的兴起又导致封建贵族地主阶层的衰落，代之而起的便是民族国家的专制王权和城镇的市民阶级（即所谓资产阶级）。在英国的都铎（Tudor）王朝下（如在位于1509年至1547年的亨利八世和在位于1558年至1603年的伊利莎白一世），在法王路易十四下（在位于1643年至1715年），专制王权盛极一时。法国政治思想家博丹（Jean Bodin 1530 – 1596）提出的"主权"（sovereignty）理论，为专制王权提供了理论基础。[7]

对于立宪主义的理论和实践来说，17世纪的英国的经验是最关键性的，并构成了两位近代政治思想的鼻祖——霍布斯

---

[7] 关于主权思想的历史沿革，可参见本书的第一篇文章。

(Thomas Hobbes 1588－1679)和洛克(John Locke 1632－1704)——的思想背景。17世纪上半期,英国政治出现严重的分裂,一方是英王查尔斯一世(Charles I,在位于1625年至1649年)及其支持者,另一方是以国会为基础的政治力量和在宗教上持异议的清教徒(Puritans)。虽然查尔斯一世在国会的压力下在1628年接受和签署了《权利请愿书》(Petition of Rights),可算是第二份的《大宪章》,但双方的冲突并未止息并在后来酿成内战(1642年至1649年),查尔斯一世战败并被处决。英国竟然废除了君主政体,在军事强人克伦威尔(Oliver Cromwell 1599－1658)的统治下,部分军人在1647年起草了《人民公约》(Agreement of the People),宣示人民的权利,准备以此作为国家的宪法性档。[8]但克伦威尔去世后,查尔斯二世(Charles II,在位于1660年至1685年)复辟,革命告一段落。1685年查尔斯二世去世,其继位者詹姆斯二世(James II,在位于1685年至1688年)又受到国会和新教徒的反抗,导致1688年的"光荣革命"(Glorious Revolution),詹姆斯二世被推翻,王位由玛丽(Mary)及其夫荷兰亲王威廉(William of Orange)继承,条件是他们必须接受国会在1689年通过的限制王权、保障人民各项权利的《权利法案》(Bill of Rights)。在此以后,英国成为了君主立宪(constitutional monarchy)的国家,即国王的权力置于法律之下,法律须由国会通过并经国王签署,国家最高政治权力由国王和国会分享。1701年,国会还通过了《王位继承法》(Act of Settlement),其中包括确立司法独立原则的规定。

---

[8] 此外,克伦威尔领导的政府在1653年也曾制定《政府章程》(Instrument of Government),对国家机关的结构和功能作出规定。这份档被誉为欧洲史上第一部成文宪法:见 Caenegem,同注1,页119。

虽然英国是立宪主义的先驱,但英国没有制定一部完整的成文宪法。成文宪法是指一部内容完备的法律档,规定国家的权力结构、国家政府各机关的产生、组成、权力、运作及其相互关系,以至政府与人民的关系,尤其是人民的权利和自由。成文宪法是由国家全体公民(或其代表)所制定的,它是国家的根本大法,享有高于其他法律的权威,它更是其他法律的权威或效力的渊源,因为立法机关的立法权本身,也是由宪法所赋予的,并受到宪法的规限。美国在 1787 年制定的《美利坚合众国宪法》(Constitution of the United States of America),便是这种成文宪法的鼻祖和典范。除了英国等极少数国家之外,实行立宪主义的现代国家(以至一些并不真正实行立宪主义的现代国家)都享有一部成文宪法。

美国原是英国在北美洲的 13 个殖民地,于 1776 年颁布《独立宣言》(Declaration of Independence),为了要脱离英王的专制统治和争取成立独立国家,与英国开战。独立战争初期,13 个州缔结了《邦联条款》(Articles of Confederation,1776 年制定,1781 年在各州完成确认程序),以邦联形式成立联盟。独立战争胜利后不久,各州有意组成"更完美的联盟"(a more perfect union),于是在 1787 年制定了《美利坚合众国宪法》。这部新宪法,加上其在 1791 年修订时增补进去的《权利法案》(Bill of Rights),对于立宪主义在世界范围内的进展,具有划时代的意义。美国立宪主义一方面继承了英国普通法(Common Law)的法治传统和法国18 世纪启蒙时代的凭理性建构更完美的政治秩序的精神,发扬了英国思想家洛克的"社会契约"理念和"自然权利"(natural rights)人权思想、以及法国思想家孟德斯鸠(Montesquieu 1689 – 1755)的"三权分立"政制设计思想,另一方面更有其突破欧洲政治传统的原创性 — 如建立了世界上首个大型的联邦制的共和国，不单有立法、行政和司法机关的横向性分权和相互制衡，而且有联邦政府和各州政府的纵向性分权，立法议会（分为参众两院）由民主选举产生（不像欧洲国家议会有世袭的贵族），总统也由民主选举产生，并由法院独立处理宪法的解释和应用上的争议。美国立宪主义是以成文宪法规范政治生活和保障人权的典范，其影响力在现代世界无远弗届。

1789年，法国大革命爆发，立宪主义的理论和实践在欧洲取得了继17世纪英国革命以来的重大突破。法国大革命的最主要思想导师是鲁索（Jean Jacques Rousseau 1712－1778），他的"主权在民"的主张，在长时期奉行君主制的欧洲具有革命性的意义。法国大革命时期最有代表性和对后世最大影响力的立宪主义文献是国民议会在1789年8月颁布的《人和公民的权利宣言》，它"把自然的、不可剥夺的和神圣的人权阐明于庄严的宣言之中"，并规定："在权利方面，人们生来是而且始终是自由平等的"（第1条）；"任何政治结合的目的都在于保存人的自然的和不可动摇的权利"（第2条）；"整个主权的本原主要是寄托于国民"（第3条）；"法律是公共意志的表现。全国公民都有权亲身或经由其代表去参与法律的制定"（第6条）；"凡权利无保障和分权未确立的社会，就没有宪法"（第16条）。1793年、1795年和1799年法兰西共和国的第二、第三和第四部宪法都交予全体公民复决通过，反映出宪法是国家根本大法、应由全民参与其制定的民主立宪观念。

在19世纪，受到18世纪末期美国和法国立宪的先例的影响，立宪运动席卷欧洲大陆，各国相继制定成文宪法（如1809年瑞典宪法、1814年挪威宪法、1815年荷兰宪法、1831年比利时宪法、1848年瑞士宪法、1849年丹麦宪法、1861意大利宪法、1867年奥地利宪法、1871年德国宪法、以至法国在1804年、

1814年、1815年、1830年、1848年、1852年和1875年的多部宪法），其中绝大部分为君主立宪而非共和制的宪法。此外，少数欧美两洲以外的国家，也在19世纪制定了宪法（如1876年土耳其宪法、1889年日本宪法）。

踏入20世纪后，西方国家的宪法在内容上出现一些新的趋势，一方面是变得更加民主，即把选举权扩展至全体公民（通常是先扩展至全体男性公民，后来再推广至女性公民），另一方面是把经济权利和社会权利（如工作的权利、受教育的权利、享有医疗等社会福利的权利）纳入公民权利的范畴，而不限于传统的人身权、财产权、言论、宗教、集会、结社等自由。一次大战后德国的魏玛宪法便标志着这种20世纪立宪主义的新思潮，其经济基础是传统"自由放任"式的资本主义向国家对市场经济进行干预调控的修正的资本主义的过渡，以至"福利国家"或"社会国家"的逐步建立。

但是，20世纪30年代纳粹主义和法西斯主义的兴起，构成了立宪主义在20世纪面对的最严峻挑战。纳粹主义和法西斯主义国家的政治制度都是极权主义（totalitarian）的，国家全面控制人民生活的所有范畴，国家政府的权力是绝对的和不受制约的，人民的人权和自由得不到宪法和法律的有效保障。因此，虽然这些国家仍有其宪法，但宪法是徒有虚名的，它只是专制政权的装饰品，不能发挥调控政治的操作和限制政府的权力的功能。最终来说，极权主义与立宪主义是互不兼容的。

纳粹主义和法西斯主义在第二次世界大战中被击溃，在西德、意大利和日本，立宪主义国家建立起来。在20世纪后半期成立的不少新的政权都是奉行立宪主义的，虽然这些国家是否能建立稳定和持久的立宪主义政体，尚待观察。在亚洲地区，不少立宪主义政体也已成功地建立。在21世纪初的今天，立宪主义的生命力在全球范围内是茂盛的、强大的、如日中天的。

三、立宪主义的基本元素

《美国独立宣言》说:"人人生而平等,他们都从他们的造物主那边被赋予了某些不可转让的权利,其中包括生命权、自由权和追求幸福的权利。为了保障这些权利,所以才在人们中间成立政府。而政府的正当权力,则系得自被统治者的同意。"孟德斯鸠则指出:"只有权力不被滥用的时候,实行限制的国家才会有政治自由。但以往的经验告诉我们,执政者往往都滥用权力。……为了不让权力得以滥用,必须制定以权力抑制权力的社会形态。"[9]

美国开国时期政治家杰斐逊(Thomas Jefferson 1743 – 1826)提醒我们:"信赖,在任何场所都是专制之父。自由的政府,不是以信赖,而是以猜疑为基础建立的。我们用制约性的宪法约束受托于权力的人们,这不是出自信赖,而是来自猜疑。……因此,在权力问题上,不是倾听对人的信赖,而是需要用宪法之锁加以约束,以防止其行为不端。"[10]另一位美国开国元老麦迪逊(James Madison 1751 – 1836)则指出:"在设计一个让人管治人的政府时,……你必须首先给予政府治理人民的能力,然后保证政府能治理好自己。"[11]

---

[9] C. - L. de S. Montesquieu, *The Spirit of the Laws*, first published 1748, translated and edited by A. M. Cohler, B. C. Miller and H. S. Stone (Cambridge: Cambridge University Press, 1992), XI. 4。

[10] 原文来自杰斐逊起草的《肯塔基州决议》(Kentucky Resolution)(1798年),这是一份宣示州(相对于联邦政府)的权利的重要文献。这里采用的译文来自杉原泰雄,同注4,页22 – 23。

[11] James Madison, Alexander Hamilton and John Jay, *The Federalist Papers*, first published 1788 (Harmondsworth: Penguin Books, 1987), p. 320.

以上都是足以传诵千古的至理明言，它们表述了立宪主义的真谛：用当代日本宪法学学者芦部信喜的话说，"近代立宪主义宪法，是以限制国家权力、确保个人的自由权利为目的"；"近代宪法即是自由的法底秩序，……以自然权思想为基础。要将此自然权予以实证法化的人权规定，就是构成宪法的核心的'根本规范'，而要维护这种根本规范的核心价值，辄是人类的人格不可侵原则（个人的尊严原理）。"[12]

当代阿根廷法学家 Nino 指出，[13] 立宪主义与"有限政府"（limited government）的概念是密不可分的，但如要寻根究底，则可发现立宪主义包涵以下由浅入深地排列的层次：一是法治，即政府的行为受到某些基本法律规范的限制；二是宪法的凌驾性，即宪法高于一般法律，比一般法律更难修改，并由宪法规定政府的组织形态；三是法律必须符合某些标准，如必须有普遍适用性、清晰明确、公开、不追溯以往、有稳定性和公正地执行；四是三权分立、司法独立；五是保障人权；六是司法审查制度，包括法院审查违反人权的立法的权力；七是民主，即某些政府职位必须民选产生；八是更具体和完备的民主政制，如立法议会由普选产生、总统由普选产生等。

我们可以这样理解立宪主义的精髓：立宪主义的宗旨在于保障在社会中生活的每个人都能在符合其人性尊严和人权的社会条件中生活，而由于历史证明，政治权力的滥用是人权受到侵犯的常见原因，所以立宪主义提倡对政治权力设定限制或约束。立宪主义不是无政府主义，立宪主义承认国家、政府和政治权力的存

---

[12] 芦部信喜著，李鸿禧译：《宪法》（台北：月旦出版社，1995），页 39、35。
[13] Carlos Santiago Nino, *The Constitution of Deliberative Democracy* (New Haven: Yale University Press, 1996), pp. 3–4。

在的正当性，所以宪法首先赋予政府权力，然后才限制此权力和规范其行使。宪法的另一个重要功能是设定大家都愿意接受的关于政权的产生以及和平转移的"游戏规则"，例如规定国家立法机关和行政首长的选举办法和任期，任期届满后，便再用这套游戏规则来决定政权鹿死谁手。这样，立宪主义政体便能超越古代的残酷的、你死我活的权力斗争：成者为王，败者为寇，甚至人头落地。

为了达到上述的目标，立宪主义所采用的方法主要有两种，一是法制上的设计，二是政制上的设计，而两种方法必须同时使用。法制上的设计乃根据法治和司法独立原则；政制上的设计则根据权力分立和权力互相制衡原则。这些法制和政制设计的基本原则，便构成立宪主义的基本元素。

法律作为由国家机关强制执行的、适用于社会成员的行为准则，世界各大文明古而有之，但现代意义上的法治和司法独立，却是西方文明的产物。举例来说，中国古代法家早已主张法律是国家制定和公布的行为准则，违法者要受到惩罚，在这样的制度下，国家权力的行使有一定程度的可预测性而不是完全任意的，人民可按照公诸于世的法律规范来调整其行为和生活。这是现代法治的必要但非足够的条件。现代法治观念所强调的而古代法家思想所欠缺的是，法律是高于国家的最高统治者的，即使是最高统治者，其权力也是由法律所赋予并受法律所约束的。一言以蔽之，现代法治的精髓，就是法律是凌驾于国家政权及国家的统治者之上的。

本文在上一节中已经指出，西方中世纪封建社会和基督教的法律观，已经包涵了法律高于王权的概念，而13世纪英国的《大宪章》更可理解为现代宪法的雏型。自从12世纪以来由英格兰法院在数百年间累积的司法判例构成的英伦普通法（Common

Law）传统，也为西方法治奠下了深厚的根基，并成为日后美国立宪主义的一大渊源。英伦普通法传统重视个人权利的保障，而正如上一节所指出，在17世纪末期，司法独立原则在英国正式确立，国王也不可以随意罢免法官，法院在个别案件中可独立和公正地审查政府行政机关的行为是否超越法律授予的权力范围。

在1885年出版的一部经典著作中，[14] 英国宪法学鼻祖 Dicey 首次使用"法治"（The Rule of Law）的用语。他认为英国宪法的特征有三，一是国会主权（sovereignty of Parliament），即国会的权力是至上的，二是法治，三是宪法性惯例（constitutional conventions）的重要性，宪法性惯例是指在实践中衍生的关于若干权力应如何行使的不成文的、但具有拘束力的规范。

关于他提出的法治概念，Dicey 认为它包涵三个要素。第一，政府权力是受到法律规限的、不可任意地行使的；任何人都不会受到惩罚，除非法院根据法定程序裁定他曾犯法。第二，在法律之下人人平等，平民以至高官在违法时同样要受到法律的制裁。第三，宪法性的权利和自由不只是抽象和空泛的一纸宣言，而是建基于法院在具体案件中的判例的。

在19世纪德国，也出现了类似于 Dicey 所谓的"法治"概念，这便是"法治国家"（Rechtsstaat）。Rechtsstaat 的概念是和 Polizeistaat（或译作警察国家，尽管这个翻译是有争议性的）或 Machtsstaat（以权力为基础的国家）相对的，在后者，掌权者可为所欲为，毋须遵守法律的规范。在法治国家里，政府的权力受到法律的约束，统治者必须依法办事。有些学者指出，[15] 法治

---

[14] A. V. Dicey, *Introduction to the Study of the Law of the Constitution*, first published 1885 (London: English Language Book Society and Macmillan, 10th ed. 1968).

[15] 参见 Caenegem，同注1，页15。

国家的概念可细分为形式性的法治国家和实质性的法治国家,他们并认为在第二次世界大战以前,德国的法治国家概念主要是形式而非实质的。[16] 形式性的法治国家概念只要求政府的行为必须合法,但并不深究法律本身是否民主地产生或法律的实质内容是否正义、合理或符合人权标准。

英国有法治传统而没有成文宪法,美国的立宪者则在英国法治传统和欧洲启蒙时代的政治思想的基础上建立了新型的宪治模式。在美国的宪治模式里,除了体现法治的法律外,还有体现宪治的成文宪法,这部成文宪法规定国家的政治体制,并保障国家不得侵犯的人权和自由。美国立宪主义吸收了主权在民的思想,认为宪法在理念上来说是由全体国民共同制定的。"美国立宪主义的基本构想是,政府须依照一根本大法(fundamental law)来运作。一部《宪法》之所以能世世代代地调控着国家,乃因它以笼统的语言写成,并根据特定的程序而制定,这使它的正当性(legitimacy)凌驾于一般法律之上。"[17] 在美国,《宪法》作为根本大法是凌驾于一般法律之上的,法律不得抵触《宪法》,而《宪法》和法律又都是凌驾于政府之上的。美国《宪法》的庄严性反映于它的不轻易修改,修宪的程序是十分严谨和繁复的,修宪比修改一般法律困难得多。[18]

自从美国最高法院于 1803 年在 *Marbury v. Madison* 案的判

---

[16] 参见芦部信喜,同注 12,页 39—40。

[17] Stephen M. Griffin, *American Constitutionalism: From Theory to Politics* (Princeton: Princeton University Press, 1996), p. 6.

[18] 根据《美国宪法》第 5 条,宪法修订案须由国会两院每院 2/3 多数的议员提出,或由 2/3 的州议会要求召开的制宪会议提出,然后须根据国会在两种方法中选择的其中一种方法通过:即 3/4 的州议会通过,或由 3/4 的州的制宪会议通过。

决开始,美国法院逐步建立了违宪审查的制度,即美国法院不单像英国法院可以审查政府行政机关的行为是否违法并因而无效,更有权审查立法议会所通过的法例是否违宪并因而无效。美国法院运用这种违宪审查权的目的,初期限于确保联邦政府的立法机关和州政府的立法机关都不会作出超越其宪法授权范围的立法,去侵犯到对方的权力范围。在 20 世纪后半期,美国法院的违宪审查权开始积极运用于人权保障的领域,不少立法都因其不符合法院对《宪法》中人权保障条款的解释而被推翻。正如本文下一节所讨论到的,这种司法审查权应如何运用已成了当代立宪主义的核心课题。

上文提到,立宪主义包括关于法制和政制设计的原则,政制设计的原则是权力分立和权力制衡。权力分立即三权分立,这个概念源于洛克和孟德斯鸠的政治思想,也和法治和司法独立等概念唇齿相依。洛克在 1690 出版的经典著作《政府论(两篇)》(*Two Treatises of Civil Government*)[19] 主张政府应依法治国,并认为政府的权力可分为立法权、行政权和"邦联权"(federative power,即与外国缔结联盟、向外国宣战或议和等权力,亦即外交权),而立法权和行政权应在不同的人手中(但行政权和邦联权则可由同一组人行使)。孟德斯鸠在 1748 年出版的经典著作《论法的精神》(*The Spirit of the Laws*)[20] 则提出了三权分立理论在后来最流行的版本:政府的权力可分为三种——立法权、行政权(即执行法律和公共政策的权力,这包括洛克所谓的行政权(关于国家内部事务的)和邦联权(外交权))和司法权(即法院

---

[19] John Locke, *Two Treatises of Government*, P. Laslett, ed., first published 1690 (Cambridge: Cambridge University Press, 1988).

[20] 同注 9。

依法审理刑事和民事案件的权力)。他主张此三种权力应分别交给不同的人,否则权力将过分集中,暴政便会出现,自由便会受到威胁。

三权分立的三权都是以法律为坐标来定义的,而法律的内容则由立法机关决定。鲁索的政治思想进一步强化了立法机关、国会——的角色,因为他认为立法机关所制定的法律应是人民的"公意"(general will)的体现,而在人民享有主权的国家里,公意是有最高的权威的,所有公民必须服从。

孟德斯鸠十分推崇英国的政制,并以它作为三权分立理论的蓝本。在欧洲各国中,英国是较早建立司法独立传统的国家,所以就司法机关独立于行政和立法机关来说,英国的经验对其他国家是有示范作用的。但是,在英国政制中逐步通过宪法性惯例演化而成的议会内阁制,却是有违"纯正"的三权分立理论的。正如宪法理论家 Maurice Vile 在《立宪主义与权力分立》[21]一书中指出,根据"纯正"的三权分立理论,不但政府机关应分为立法、行政和司法三大部门,而且这些部门里的人员都不应有所重迭。但是,在英国的议会内阁制里,首相是国会(下议院)中占多数席位的政党的领袖,本身也是民选国会议员,其内阁成员和主要官员也是民选国会议员,因此,在英国政制里,行政决策机关(首相及其内阁)和立法机关(国会)在其构成人员方面是有重要的重迭的。

在美国政制的设计里,权力分立理论得到更贯彻的实施。美国实行的是总统制而非议会内阁制。在英国,国会选举的结果便决定了谁当首相,但是在美国,国会和总统是由不同的选举分别

---

[21] Maurice Vile, *Constitutionalism and the Separation of Powers* (Oxford: Clarendon Press, 1967), pp. 13–18.

产生的。作为行政首长,总统是独立于国会的,总统任命的主要官员也是独立于国会的,他们不是国会议员。在英国,如果国会(下议院)对首相领导的政府投以不信任票,政府便要倒台;美国政制里没有这样的不信任票,虽然如果总统有犯罪行为,国会可对他进行弹劾。[22]

除了奉行三权分立之外,美国政制还加上一种权力制约和均衡(checks and balances)的安排。这是指三权分配给立法、行政和司法机关后,其中一个机关在某些情况下可参与另一机关的权力的行使,以致除非此两机关互相合作,否则有关权力便不能行使。像三权分立原则一样,制约和均衡原则的目的也是防止权力过于集中,确保有关权力在得到较多人同意后才能行使。

举例来说,即使美国国会参众两院都通过了一个法律草案,总统仍有权拒绝签署它并把它退回国会。换句话说,总统就国会的立法享有否决权。但是,这个否决权并不是绝对的,因为《宪法》还进一步规定,总统退回法案后,如果参众两院每院都以⅔的多数再次通过法案,则法案便生效为法律。[23]

制约与均衡安排的另一个例子是总统的人事任命权和外交权在某些情况下须得到参议院的同意才能行使。例如,总统提出的关于美国最高法院法官和某些主要官员人选的建议,要得到参议院的同意,总统才能予以任命。至于国际条约的缔结,更须取得参议院⅔多数的支持。[24]

美国宪法制度的另一个特色是,除了实现横向的权力分立(即立法、行政和司法三权分立)外,更建立了新型的纵向的权

---

[22] 参见《美国宪法》第1条第3款。
[23] 参见《美国宪法》第1条第7款。
[24] 参见《美国宪法》第2条第2款。

力分立制度，这就是联邦制。美国 1787 年《宪法》制定时，联邦有 13 个成员州，后来增至 50 个。像联邦一样，每个州都有自己的宪法；像联邦政府一样，每个州政府都按三权分立原则分为立法、行政和司法机关。联邦制是一种纵向的权力分立制度，因为在联邦政府和各州政府之间存在着一种权力划分的安排：就每州内人民生活和社会事务的管治来说，联邦政府享有某些权力，州政府则享有另一些权力（根据美国《宪法》第十修正案，没有明文赋予联邦的权力为州或人民保留）。[25]

四、立宪主义的当代课题

正如本文第一节所指出，立宪主义国家的建立，可理解为道德上的善；立宪主义国家在历史中的崛起，可理解为人类文明进步的表现。但是，在当代世界，尤其是在西方文明圈以外，还有很多国家仍未建立立宪主义的传统，它们的政治发展尚未走上轨道，它们之中有些在立宪主义国家的道路上属刚起步阶段，其前途未卜。因此，当代立宪主义的第一大课题，便是如何在全球范围内推动立宪主义国家的建立，使所有国家最终都能成为立宪主义国家。

正如世界各大传统宗教在全球范围内广泛传播一样，立宪主义的"福音"，现已传扬到地球每一角落。但是，并不是所有人都愿意接受这个"福音"：在非立宪主义国家掌握近乎绝对的权力的统治者，大都不愿意接受立宪主义的约束，更不愿意失去其权力；很多地方的人民都未能明白立宪主义是什么一回事，他们对此既缺乏理论上的认知，又没有生活上的经验或文化传统上的基础，去支持立宪主义的事业。

---

[25] 关于联邦制，可参见 K. C. Wheare, *Federal Government* (New York: Galaxy Book, 4th ed. 1964).

但是，立宪主义的前途绝不是灰暗的。我们从亚洲、非洲、拉丁美洲的一些非立宪主义国家转型为立宪主义国家的个案中可以看到，这种转型是有可能成功的，其中除了思想的因素外，当然还有经济、社会和文化等方面的因素，例如市场经济的发展、中产阶级的出现和市民社会的成长等。

在那些立宪主义已发展成熟的西方国家，由于民主也高度发展，他们面对的是立宪主义和民主之间的张力或潜在矛盾的问题，这可算是立宪主义在当代的第二大课题。在西方近现代史中，立宪主义的建立是先于民主（即全民普选立法机关和行政首长）的，例如在英国，立宪主义国家已在17世纪末形成，但全面的民主化要等到20世纪才告实现。立宪主义国家民主化后，成为了民主宪政国家，而民主和宪政这两个元素在一定程度上却是对立的。

民主基本上是多数人的统治，即少数服从多数，政治权力的行使乃根据多数人的利益和意愿。但是，宪政或立宪主义却构成对政治权力的约束，无论此权力是否掌握在多数人或少数人手中。因此，有人把宪政对民主的约束比喻为古希腊神话中Ulysses的情况：[26] Ulysses要同伴把他捆绑在船桅上，以免他受到海妖歌声的蛊惑。在宪政体制里，民选的政府和立法机关都不能作出违宪的事，除非他们修改宪法，把原来会是违宪的事变得不违宪。但是，修改宪法必须依照宪法规定的程序进行，而通常是相当困难的。

宪法对民选政府和立法机关的制约有多方面的好处，其中最

---

[26] Stephen Holmes, "Precommitment and the Paradox of Democracy," in Jon Elster and Rune Slagstad (eds), *Constitutionalism and Democracy: Studies in Rationality and Social Change* (Cambridge: Cambridge University Press, 1988).

重要的有三。第一，宪法是全民参与制定的，它比立法机关制定的法律有更高的权威。因此，民选的立法机关也不能制定违反宪法的法律，这些法律不一定代表民意。第二，即使民选立法机关制定的这些违宪的法律真的代表当时的民意，这些法律也不应有效，因为宪法反映的是国家和人民长远的利益，包括未来世代的人民的利益。今天的国民不应轻易作出违宪和违反未来世代的人民的利益的事，他们应三思而后行，而修宪程序便为他们提供这种反思的机会。第三，民选政府和立法机关代表的至多是大多数选民的利益和意愿，但他们不应罔顾少数人的利益，做出侵犯少数人的基本权利和自由的事。宪法所保障的，正是每个人（而不只是大多数人）的基本权利和自由。

那么，由谁来判断政府的行为或政策和立法机关的立法是否违宪呢？上述美国 1803 年 *Marbury v. Madison* 案所建立的制度，便是由法院作出这个判断，因为法院享有宪法的解释权。在 20 世纪，法院的违宪审查权大为膨胀，例如美国最高法院在 1954 年 *Brown v. Board of Education* 案中宣布把黑人和白人学童分在不同学校的安排为违宪，又在 1973 年 *Roe v. Wade* 案中把严格限制堕胎的法例视为违宪，都在社会上惹来极大争议，不少人甚至质疑这些由总统任命而非民选产生的大法官，是否应有权在这些重大社会政策问题上作出最终的决定，以否决民选立法机关的立法。

但是，如果宪法要有效地限制政府和立法机关的权力，藉以保障人权，那么便必须设立一种解释和在具体案件中适用宪法条文的机制，作为保证宪法的实施的监护者。在美国宪制里，法院、尤其是美国最高法院 便承担了这个角色。虽然法院的某些判决是很有争议性的，但由法院作为宪法的捍卫者的制度，大体上仍是得到美国人民的支持的，他们对美国最高法院尤其尊敬和信任。法院的宪法解释权和违宪审查权本身也不是不受制约的，法院在每个判词里都要详列其判决的法理依据，尝试向整个法律专业共同体以至任何有理性的人说明它的判决为什么是对的：法院是以理服人的，而不是以力服人的。美国的违宪审查制度基本上是成功的，不少国家都相继仿效，但不一定把违宪审查权交给一般法院，反而为此设立专门的宪法法院。例如在第二次世界大战后，德国、意大利、西班牙、葡萄牙等国都相继成立了宪法法院，[27] 80年代和90年代以来，南韩、南非和一些东欧国家也设立宪法法院。台湾司法院的大法官会议的功能也相当于宪法法院，并在80年代后期以来十分积极地发挥其功能。[28]

立宪主义在当代的第三大课题，是如何处理多民族或族裔和多元宗教、文化和语言国家里的冲突，包括国家中某些地区的群体要求自治或甚至脱离原来的国家并组成独立主权国家的呼声。在后冷战的时代，随着共产主义等意识形态的衰落，民族意识、族裔意识、宗教群体意识转趋高涨，反而激化了某些社会矛盾。这些矛盾是不容易解决的，很容易演化为暴力斗争。立宪主义面对的挑战，便是如何设计适当的宪制安排 — 如联邦或地方自治的模式 — 去和平地解决这些问题。举例来说，中国大陆和台湾地区之间问题的和平解决，可能会取决于一种具创新性的宪制设计。

最后，立宪主义在当代的第四大课题，便是不但以宪政的手段和平地解决主权国家内部的族裔和其他群体冲突，还以宪政的

---

[27] 参见 Mauro Cappelletti, *The Judicial Process in Comparative Perspective* (Oxford: Clarendon Press, 1989).

[28] 苏永钦：《违宪审查》（台北：学林文化事业有限公司，1999）；李念祖：《司法者的宪法》（台北：五南图书出版公司，2000）。

手段和平地解决国际纠纷。在 1795 年，启蒙时代哲人康德（Immanuel Kant 1724 – 1804）曾发表《永久的和平》一文，[29] 描述出一个理想世界的图像：所有国家都已演化为立宪主义国家，并缔结成一和平的邦联，战争变成过去，法治原则成为世界秩序的基础。立宪主义原是关于国家以内的政治权力如何组织和受制约的理论，但立宪主义的根本理念，如人权保障、法治和权力分立，是完全有可能从国内的层次推广到世界的层次的。立宪主义的最终理想，不只是在一国范围内设计和实现维护人权的法制和政制，而是在全球范围内设计和实现维护人权的法制和政制。

在今天，这个理想仍是遥不可及的，但是有迹象显视，我们已开始朝着这个方向进发。第二次世界大战后联合国成立，以至现在联合国的功能（虽然是有限的）仍继续发挥，便是有积极意义的。国际法的稳步发展，包括海牙国际法院的设立，90 年代就前南斯拉夫和卢安达的战争犯罪的国际刑事审判庭的成立，最近国际刑事法院的成立，以至欧洲联盟和世界贸易组织等区域性和国际性合作组织的建立，都有助于加强法治在世界范围内的角色。再加上经济、文化等领域的"全球化"的趋势，地球上国际的交流和合作的水平是史无前例的。

西方法制史学者 Caenegem 曾说：[30] "有些政治程序和概念具有超越其经济和文化背景的偶然性的用处和价值。有些历史学家……相信政治和文化发展有其内在的生命和内在的逻辑。"立宪主义的概念和发展引证了这段话。立宪主义有跨时代和跨文化

---

[29] Immanuel Kant, "Perpetual Peace: A Philosophical Sketch," first published 1795, in Hans Reiss (ed.), *Kant: Political Writings*, H. B. Nisbet, transl. (Cambridge: Cambridge University Press, 2nd, enlarged edition, 1991), pp. 93 – 130.

[30] Caenegem, 同注 1, 页 173 – 174.

的普世意义和价值，它的内在生命是坚强的，它的内在逻辑是不可抗拒的，它闪耀着的智慧乃来自对数千年来人类在其历史中饱尝的苦难的沉痛反思。

从英、美、加的一些重要判例看司法与传媒的关系[*]

一、引　言

保障人权是现代宪法的金科玉律，而对于哪些人权应实施哪种程度的保障，则涉及个人权利和社会集体权益的权衡轻重、以至不同人权之间的权衡轻重等问题。就司法与大众传播媒介的相互关系来说，所涉及的人权和社会利益包括言论、信息和新闻自由、刑事被告人或其他诉讼当事人获得公平审讯的权利、某些诉讼当事人的隐私权，以至维持法院的尊严和权威这种社会整体利益的考虑。在某些情况下，这些权利、利益和价值是并无冲突的，甚至是相得益彰的，例如法院公开审判案件，传媒予以广泛报道，使社会大众知导公义得以伸张。但在另一些情况下，有关人权、利益和价值之间却可能存在一定的张力以至矛盾，立法者或一定程度行使着"造法"功能的法院，需要予以平衡和在不同价值之间作出取舍。

在这方面，新闻自由和公正审讯之间的可能矛盾，便是一个典型的课题。新闻媒体在案件审讯之前或审讯期间的夸张性、渲染性、失实性、导向性或某些其他形式的报道或评论，可能对法

---

[*] 原发表于北京大学香港大学法学研究中心在 1999 年 10 月于北京举办的"公民权利保障与司法公正"研讨会。

院（尤其是实行陪审团制的法院）产生影响，使它不能不偏不倚地判案；公共舆论所造成的社会压力，也会对诉讼当事人以至其代表律师产生影响，危及案件审判过程的正常进行。此外，由"传媒审判"代替"法院审判"，便是篡夺了法院作为宪法所设定的司法审判机关的应有功能，有损法院的尊严和权威。此外，如果公开审判和传媒有权报道法庭新闻的原则是绝对的、不受限制的，那么某些诉讼当事人应受保障的隐私权、以至因国家安全或其他公共利益理由需要对某些信息保密的原则，便不能得以维持。由此可见，传媒在什么程度上可报道或评论正待审理的案件、审讯在什么范围内应公开举行、法律或法院在什么情况下可限制有关案件的消息的发布，在现代法治社会中是一个需要深思熟虑的课题。

本文的目的，便是介绍英、美、加三个主要普通法国家在处理这个课题上累积了的一些司法判例，从中我们可以看到他们的高层法院就有关问题的法理和司法思维是怎样发展的、他们在互相衡突的人权、利益和价值之间是如何作出权衡、取舍和协调的。由于篇幅所限，本文只能谈及一些最著名的、影响力最大的及较近期的判例。本文的重点在于有关判例所反映的思维模式和价值判断的方法，而非全面介绍一个部门的实体法。希望这样的研究，能对我国未来在这方面的立法以至司法工作，有一定的参考价值。

二、英国的重要判例

英国实行陪审团制度，英国普通法容许传媒对尚待审理的案件的言论表达空间，相对于一些欧洲大陆法系的国家较为有限根据历史悠久的普通法藐视法庭（contempt of court）原则，传媒中关于尚待审理的案件的报道或评论，如可能危及案件的公正审理或影响司法公正，法院可治以藐视法庭罪。这个传统原则与在现代西方日益提升的言论自由和新闻自由原则如何协调，在1973年的 Attorney – General v Times Newspaper[1]案中就受到考验。此案最终导致欧洲人权院判决英国政府败诉，即有关英国法有违《欧洲人权公约》第10条中关于表达自由的保障（Sunday Times v United Kingdom）。[2]

在本案中，被议论的尚待审理的案件是对一间药厂的一系列300多宗的民事索偿诉讼（这些诉讼无需用陪审团审理，由专业法官处理便可）。原告人都曾在怀孕期间服用该药厂制造的一种镇静剂，因而诞下严重残缺的婴儿。《泰晤士报》刊登了一篇文章，认为药厂在与原告人正在进行的庭外和解谈判中应更为慷慨，不应只顾依赖法律技术上的论据来卸免自己的责任。其后，该报又准备刊登第二篇文章，详列有关证据和论点，以表明药厂在制药过程中未有履行其谨慎义务。英国律政司于是以藐视法庭原则为依据，向法院申请禁制令，禁止第二篇文章的出版。案件上诉至英国的上议院法庭（即英国的终审法院），该庭决定就第二篇文章颁发有关禁制令，至于已刊登的第一篇文章是否构成藐视法庭（鉴于该文章透过舆论施压，要求某诉讼当事人不完全坚持其法定权利），该庭法官中则有不同意见。

上议院法庭指出，关于藐视法庭的法理原则乃建基于公共政策的考虑，而非只着意于保障诉讼当事人的私人权利。公共政策要求禁止对司法工作的公正进行的干预，在这方面，必须在两种公众利益之间取得适当的平衡，一是言论自由，另一是保护司法程序不受干预。案中的第二篇文章详细讨论尚待审理的案件中的证据和论点，并试图说服公众人士某一方诉讼当事人是有过错的

─────────

〔1〕 [1974] AC 273.
〔2〕 2 EHRR 245 (1979).

一方，无论这是否会影响到将来参与此案审讯程序的法庭成员或证人，总之对案件先行作出自己的判断便是不对的，"传媒审判"是不容姑息的，这是对司法程序的干预，构成藐视法庭。

后来，欧洲人权法院却（以十一对九的多数意见）裁定，上议院法庭在本案中颁发的禁制令，有违英国所缔结的《欧洲人权公约》第10条。根据公约及有关判例法，对作为基本人权的表达自由的限制只能由法律予以设定，其限制背后的目的必须是正当的，而除非有关限制是在一个民主社会中所必须的、并与有关的正当目的相称，否则该限制便不能成立。欧洲人权法院指出，在本案中上议院适用的藐视法庭原则，其背后的目的是维护司法机关的权威，这个目的本身是正当的。但是，这个限制表达自由的法则的实体内容，却不是在民主社会中为了维护司法当局的权威所必须的，因为它过分地限制了表达自由，有关限制与其用以达致的正当目的并不相称，并不存在迫切的社会需要去支持此限制。

在这方面，欧洲人权法院强调的是，传媒的功能在于传播数据讯息和意见，而公众则有权取得信息。因此，对于例外的、不容许表达自由的情况，应尽量狭隘地界定。在本案中，受害人及其家人得悉案中有关事实、背景及论点，是他们的合理权益，况且因服药造成这么大的社会祸害、因科技发展而造成苦难，这都是公众极为关心的事情。案中涉及的文章带出大量事实，有助于公众对问题的认识，而且文章的语调温和，并不完全一面倒地说事情只能有一个结论。因此，在这种情况下，禁止文章的出版是违反《欧洲人权公约》的。由此可见，欧洲人权法院比英国上议院法庭更加重视表达自由的价值，而两法院对于本案涉及的文章的出版是否会危害到司法机关的权威，也有不同的判断。

一方面由于欧洲人权法院的这个判决，另一方面由于英国菲利摩委（Phillimore Committee）早于 1974 年便曾发表报告书，建议修改藐视法庭法，英国国会终于在 1981 年通过了《藐视法庭法》(Contempt of Court Act)，对有关法则进行了修改和补充。这部立法并没有完全取代原有的普通法，它只是改革了普通法中的某些法则，尤其是关于对尚待审理的案件的报道和评论的限制。根据新法，测试这种报道和评论是否违法的标准是，它是否构成司法公正受到严重妨碍或危害的重大风险。这样，有关入罪标准比原有普通法的标准似乎是提高了（即更难入罪）。[3] 此外，新法（第五条）又设定了一个重要的抗辩理由，就是有关的言论是对于公共事务或其他公共利益问题的善意讨论，而危害到有关司法程序的风险只是有关讨论所间接（而非直接）涉及的。

1982 年英国上议院法庭在 Attorney-General v English [4] 案的判决，为上述的抗辩理由提供了一个生动的说明。在本案中，被告人在地区选举举行一星期前，于报章发表一篇支持某候选人的文章，该候选人是天生残疾没有双手的，她的政纲是尊重生命、反对堕胎。该文章主张人的生命是神圣不可侵犯的，并提到如果该候选人出生于今天，便会有人提议让她饿死或以其他方法了结她的生命了。文章发表的当日刚好是一宗审讯正在进行的第三天，在这宗案件中，被告人是一名医生，被控谋杀一名患有唐氏综合症的婴孩。原讼法院裁定报章的编辑和所有人犯了藐视法庭，案件上诉至上议院法庭，法庭认为，《藐视法庭法》第 5 条的抗辩理由适用于本案，因为选举期临近，在过去 3 个月，"安乐死"和是否应让刚出世的严重伤残婴儿死去的问题一直是公众

---

[3] 关于原有普通法中的有关判例，参见 S. H. Bailey, D. J. Harris and B. L. Jones, *Civil Liberties: Cases and Materials* (London: Butterworths, 1995), 第 6 章。

[4] [1983] 1 AC 116。

讨论的议题,而案中涉及的文章并没有直接提及该名医生的审讯。

三、美国的重要判例

虽然美国在独立时继受了英国的普通法传统,但在独立后,美国普通法的发展在很多方面与英国分道扬镳。此外,和英国不一样,美国是有成文宪法的国家,宪法里的某些明文规定,对于关于传媒与司法的关系的判例法的发展,具有指导性的作用。例如美国宪法第一修正案明文保障言论和新闻自由,自从第一次世界大战以来,美国最高法院在其大量违宪审查的判例中,在第一修正案的基础上发展出一套内容丰富和充满哲理的法律规范体系。[5]另一方面,美国宪法第六修正案,又明文确立刑事案件的被告人接受无偏见的陪审团公开审讯的权利,而正如上文所指出,新闻自由和公平审讯之间可能存在着一定程度的矛盾,所以便出现宪法所保障的两种权利的平衡与协调的问题。

可能由于第一修正案的重大影响力,美国法院在处理传媒与司法的关系时,比英国法院更加重视新闻自由,在需要对新闻自由与其他权益或价值作出取舍时,美国法院更倾向把新闻自由放在优先的位置。不少论者甚至认为,宪法第一修正案所保障的言论和新闻自由,是整个美国政府制度的基础,宪法所规定的其他自由和权利的存在,都有赖于言论和新闻自由的存在。[6]至于言论和新闻自由为什么这么重要,最常见的论据包括以下四

---

[5] 关于第一修正案的判例法的发展史可分为三个阶段,可参见 Daniel A. Farber, *The First Amendment* (New York: Foundation Press, 1998), pp. 12 – 13。

[6] 参见 Don R Pember, *Mass Media Law* (Boston: McGraw – Hill, 1999), p. 45。

种。[7]第一,这种自由的行使,使政府的运作受到监察,防止权力的滥用和腐化。第二,言论和新闻自由是民主的必要条件,如果人民不能掌握关于各种公共事务的信息和真相,他们便没有可能通过民主选举或其他途径当家作主,自己管治自己。第三,在百家争鸣、百花齐放的"思想意见的自由市场"里,真理才能愈辩愈明。第四,言论和表达自由有助于个人作为主体的自我实导现,充分发挥其潜能。

在美国,传媒就尚待审理、正在审理或已经审理的案件的报道和评论的空间,远较英国为宽;虽然美国普通法中也有藐视法庭的原则,但它的适用范围远较英国为小。英美法在这方面的差异,可以追溯到1940年代美国最高法院的三个判例。

在1941年,最高法院在同一个以五比四的多数判决中处理了两宗涉及藐视法庭的案件,即 Bridges v California 和 Times-Mirror v Superior Court。[8]在前者,一位工会领袖批评法院的一个判决为"令人震怒"的,并暗示说如果法院执行判决,他将发动码头工人罢工,对他和他的工会不利的行动使码头不能运作;这些话并在报章发表。在 Times-Mirror 一案,被告报章在社评中就尚待判刑的一些案件发表评论,认为如果犯了袭击一些非工会成员的工会成员被轻判,将会是"严重的错误"。最高法院认为这两种情况都不能入罪,因为新闻自由是十分重要的,应容许关于争议性的问题的评论,在公众最关注这些问题的时刻及时发表。法院并采用了类似适用于煽动叛乱案件的测试,来决定在什

---

[7] 参见林子仪:《言论自由与新闻自由》,台北:元照,1999年,第1、2章; Kent R. Middleton, Bill F. Chamberlin and Matthew D. Bunker, *The Law of Public Communication* (New York: Longman, 4th ed. 1997), pp. 25 – 31。

[8] 314 US 252 (1941)。

么情况下可以藐视法庭为理由,惩罚关于案件及其审理的议论:除非有关议论对司法公正构成明显和当前的危险,除非议论极大可能立刻造成极其严重的恶果,否则不构成犯法。

在1946年的 Pennekamp v Florida[9]一案,最高法院再次应用了"明显和当前的危险"这个要求极高的测试。本案涉及强奸罪,被告报章在案件审结之前,发表了一篇内容失实的社评,并指责法官保护罪犯多于奉公守法的人民,因而被控藐视法庭。最高法院指出,容许对社会问题的自由讨论是美国奉行的基本原则,如果只容许在案件审结后才有公众讨论,传媒便不能有效地监察司法行为。在本案中,被告报章被判无罪。

虽然以上三宗案件都只涉及对案件的评论,而非对案情事实的描述,但是,由于这些案件订出了"明显和当前的危险"这个用以入罪的严格标准,美国便逐渐形成了一种与英国截然不同的实践,就是不再就传媒关于尚待审理、正在审理或已经审理的案件的评论或报道,以藐视法庭罪提出检控。

这样大的新闻自由的空间,无可避免地对公平审讯造成冲击。1966年,美国最高法院在 Sheppard v Maxwell[10]案作出的裁决,是美国法律史上的一个里程碑,突出了新闻自由和司法公正之间的矛盾,并指出了解决这个问题的路向。本案是7年内第五次因传媒的行为导致原审法院的刑事判决被最高法院推翻的情况。在本案中,被告人在传媒广泛对他作不利报道的情况下,被判谋杀其妻子的罪名成立。在他入狱12年及三次上诉失败后,最高法院以他没有获得公平审讯为理由,推翻了原判。其后,他在重审中被判无罪,但在数年后便去世。

---

[9] 328 US 331 (1946).
[10] 384 US 333 (1966).

最高法院在判词中重申宪法第一修正案的重要性，并强调传媒在监察刑事司法的公正运作上的角色。最高法院不愿意就传媒对于公开审讯的案件的报道，设立直接的限制。但是，最高法院认为原审法官有责任确保被告人得到公平审讯，不受偏见或冲动的影响。在本案中，原审法官在三方面未能尽此责任。首先，法官未能维持法庭的庄严气氛，记者的喧哗和拍照活动干扰了审讯，法庭变得像个嘉年华会。第二，法官未有适当地限制诉讼当事人、其律师和证人向报界发布足以妨碍公平审讯的消息。第三，法官未有采取适当措施，去确保陪审团不会受到在本案审讯前传媒作出的不利于被告人的报道的影响，这些措施可以包括转移案件到较远地区审讯、从较远地区输入陪审员、延期审讯、容许开审时更多盘问陪审员以确定他们是否已有成见、警告陪审员不要受报界消息影响等等。

此外，最高法院指出，为了保障审讯的顺利进行、不受传媒报道的过分影响，法官还可以向案件的当事人、其律师和案中证人颁发命令，以禁止他们与传媒讨论案件的某些方面，例如谁可能出庭作证、证供可能包括的内容、关于被告是否有罪的推测等。

在 Sheppard v Maxwell 案之后，美国社会开始意识到，如果传媒就待判案件的报道和评论完全不受约束，势必危及案件的公正审理。于是在不少州，报界和律师界自发地订出了一些守则，以规范关于案件的报道和讨论。在本质上，这些守则是自愿性而非强制性的，那么，法院是否有权在个别案件中，命令传媒遵守这些守则，或以其他方法限制传媒就案件的报道？这个问题在 1976 年 Nebraska Press Association v Stuart [11]一案中，诉讼至美国

---

[11] 427 US 539 (1976).

最高法院。

在本案中,被告被控谋杀其邻居一家6口。案件发生于一个小镇,却受到全国新闻界的广泛报道。为了保障日后正式审讯的公正,法官下令出席初级侦讯(一种预审程序)的记者必须遵守该州的新闻界和律师界的自愿性守则,不得报道初级侦讯内容中被告的招认、他对亲人的陈述和一些医学实验的结果。报界认为此禁令有违宪法第一修正案保障的言论和新闻自由,诉讼至最高法院。

最高法院裁定,法官的禁令在本案的情况下是违宪和无效的。法院引用了类似于煽动叛动案件的"明显和当前的危险"测试的标准,指出有关禁令如要成立,必须满足极高的举证责任,证明没有此禁令便不可能有公正的审讯。亦即是说,必须证明,禁令所针对的报道很大机会对案件的公正审讯造成严重的破坏。在这方面,最高法院指出有三种考虑的因素。首先是欲禁止的报道的性质和影响,是否足以对公正审讯构成明显和当前危险?其次是法官在颁发禁令之前,必须考虑是否可通过其他方法(如改变审讯地点、或在开审前盘问陪审员以确保其没有偏见),在不限制新闻自由的情况下保障公正审讯。第三要考虑的是禁令是否真是防止公众舆论的偏见的有效措施,例如在小镇中,口传的讯息可能已足以造成偏见,那么针对传媒的禁令便可能无济于事。

Nebraska 案的总体意义在于表明,就司法程序的公开聆讯来说,新闻界报道其内容的权利是受到宪法所保障的,除了极端例外的情况外,对于有关报道的限制是违宪的。美国最高法院在1977年的 Oklahoma Publishing Co v District Court [12]一案进一步肯定了这个原则。本案乃涉及被控谋杀铁路工作人员的一个11岁的

---

[12] 430 US 308 (1977).

少年，Oklahoma 州的法律规定涉及青少年犯的案件一般不公开审讯，除非法院另有命令。在本案中，法院容许公开审讯，但指令新闻界不得刊登该少年被告的姓名和其照片。新闻界对此指令提出挑战，诉讼至最高法院。最高法院裁定，既然原审法院已决定容许新闻界旁听此聆讯，便不应限制他们刊登有关报道的自由，因此有关指令是违宪的。

那么，法院能否以维护司法公正或保护当事人的隐私权为理由，决定不容许新闻界出席聆讯，从而杜绝出现危及司法公正或隐私权的报道的可能性？美国最高法院在 1980 年的 Richmond Newspaper v Virginia[13]一案，便面对了在什么情况下审讯可以不公开这个问题。在本案中，被告被控谋杀，其审讯则一波三折。首先是第一审的有罪判决在上诉时被推翻，并下令重审。第二和第三次的审讯都因个别陪审员出现问题而中途夭折。到了第四次的审讯，被告的律师请求法院进行不公开的审讯，得到法院的接受，结果被告被判无罪。Richmond 报业公司却对法院关于不公开审讯的命令提出质疑，并诉讼至最高法院。

最高法院指出，公开审讯是英美普通法的优良传统，也是一个十分重要的原则。公开审讯使法院的工作受到人民大众的监督，他们可以亲眼看到，法院是否在伸张正义。公开审讯的制度不但可增强人民对司法制度的信心，而且有助于减少司法权的滥用和证人作假口供。在严重罪行发生后，公开审讯也有助于人民大众愤怒情绪的宣泄。

最高法院又把公开审讯原则和宪法第一修正案的言论自由、新闻自由和集会自由等人权联系起来。法院指出，这些自由权利的其中一个主要目的，便是促进民间对于政府和公共事务的关心

---

[13] 448 US 555 (1980).

和讨论，人民从而参与社会公共事务的管理，民主原则因而得以实践。刑事司法审讯的进行，是人民十分关注的公共事务之一，因此，最高法院认为第一修正案已默示了一项权利，就是公众人士出席和旁听刑事审讯的权利。法院甚至指出，法庭有如街道和公园，都是公共地方，公众人士以至新闻界人士都有权在公共地方聚集，并在那里发言、行动（如游行），或聆听、观察和学习（如在法院里）。

此外，最高法院又指出，虽然第一修正案所隐含的出席审讯的权利是所有公众人士都享有的，但由于现实上绝大多数社会人士都倚赖传媒提供关于案件审讯的信息，所以新闻界出席审讯，可视为社会人士的代表。因此，在法庭中特别为他们安排记者席，或让他们优先入座，也是合理的做法。

最高法院认为，在本案中原审法官未有解释不进行公开审讯的原因，又没有考虑能否通过其他（不用闭门聆讯的）办法以确保司法公正，因此其关于闭门聆讯的命令是违宪的。但是，最高法院并非主张公众人士或新闻界有绝对的、完全不可被限制的权利出席司法审讯。法院承认，在某些情况下，如可证明政府在确保公正审讯上的利益优先于公众出席审讯的权利，闭门聆讯仍是合宪的，在这方面，有些法官提及涉及国家安全、商业秘密和年幼的被强奸者的案件为例子。

那么，如果案件涉及性侵犯，而受害人又是未成年者，是否可以不进行公开审讯？在 1982 年的 Globe Newspaper v Superior Court[14]一案，最高法院便要处理此问题。在本案中，有关法例规定，在涉及强奸、乱伦和其他性犯罪案件里，如受害人未满18 岁，则法院须禁止公众人士出席旁听审讯。此法例是否合宪，

---

[14] 457 US 596 (1982).

在本案中受到质疑。本案的被告人被控强奸，案中涉及两位16岁和一位17岁的受害人。最高法院裁定，有关法例是违宪的，因为政府提出的两个支持此法例的论点都未能成立。第一个论点是，本法例可使年幼的性犯罪受害人免受当众作证的痛楚和尴尬。最高法院认为，这个理由不足以支持在所有这类案件中划一举行非公开审讯，法例应容许法院根据个别案件的不同情况，酌情决定是否进行公开审讯。法院在作出决定时，应考虑到受害人的年龄、其心智成熟程度、犯罪的性质等，又例如该受害人不介意当众作证，那么审讯便可公开进行。至于政府提出的第二个论点，即一律不公开审讯此类案件，有助于鼓励未成年的性犯罪受害人勇于与执法人员合作，指证罪犯，最高法院则认为政府未能证明此点。

但是，最高法院在本案中并非裁定在任何情况下都不能闭门审讯，它仍愿意承认，在有十分明显的需要进行闭门审讯的情况下，这种审讯是合宪的。此外值得留意的是，本案只涉及未成年的受害人，至于如果案件涉及未成年的被告人，是否可不公开审讯，则不是本案所处理的问题。事实上，美国的很多州都有立法规定，对涉及未成年的被告人的刑事案件不进行公开审讯，以免他们日后受到社会的歧视。

至于法例是否可以限制传媒报道未成年的刑事被告人的姓名，美国最高法院在1979年的 Smith v Daily Mail Publishing[15] 一案曾作出判决。在本案中，一位14岁的少年涉嫌枪杀他的同学，记者通过采访有关证人、警员和控方律师，获悉该少年的姓名，并予以刊登。但 West Virginia 州的法例规定，报章如刊登未成年犯的姓名，属刑事罪行，可处以罚款或入狱。最高法院认为，虽

---

[15] 443 US 97 (1979).

然政府力证法例的目的在于协助未成年犯改过自新、免受社会歧视，但这方面的考虑须与言论自由和新闻自由原则权衡轻重。最高法院认为，有关法例对新闻界适用刑事处罚，这是过分的，而有关法例只适用于报章，不适用于电子传媒（在本案中也有3个广播电台播出了被告的姓名），这漏洞使被告的姓名可通过电子传媒公之于众，于是把被告姓名保密的目标便根本不能实现。因此，最高法院裁定，有关法例是违宪的。

四、加拿大的重要判例

加拿大继受了英国的普通法，也继承了英国普通法中（如藐视法庭原则）关于如何平衡司法公正与新闻自由的一般处理办法。但是，自从1982年加拿大在其宪法中加上《加拿大权利与自由宪章》（以下简称"权利宪章"）以来，加拿大法比以往更加重视新闻自由，因此，现时加拿大法在协调新闻自由和司法公正方面的取向，可算是介乎英国法和美国法之间。加拿大的《权利宪章》的第二条明文保障表达、新闻和其他传媒的自由，而第一条则规定，如要对宪章所保障的自由和权利作出限制，该限制必须是由法律规定的、合理的和在一个自由民主社会中可被明显证成的。

关于怎样应用"权利宪章"第一条的标准，加拿大最高法院在1986年的 R v Oakes[16]一案中创设了一套原则。根据这套原则，法院在应用第一条时，需要考虑两方面的问题。第一是研究有关法律对于有关权利作出限制，究竟是为了达到什么目标，这是否一个可支持对有关权利作出限制的目标，这目标是否涉及迫切和重大的问题。第二是考虑有关法律所采用的用以实现上述目标的手段或方法，是否与上述的目标相称，因而得以证成。这个

[16] [1986] 1 SCR 103.

问题又可分为三方面。第一是限制权利的有关方法与上述的目标是否有合理的联系，还是任意的、不公平的或基于非理性的考虑的。第二（而这点在很多案例中都是最关键性的）[17]是相对于其他可用以实现同一目标的方法，有关法律现在采用的方法，是否已把对有关权利的减损限于最低的程度。第三是限制权利的有关措施的后果，是否与上述目标相称。总而言之，法院需要在有关权利和对此权利作出限制背后的目标、作出限制时使用的手段之间，权衡轻重，从而判断限制有关权利的有关立法是否违宪。

加拿大《权利宪章》的制定及有关判例法的发展，对加拿大从英国普通法传统继承的藐视法庭原则构成一定的冲击，并导致关于报道法庭新闻的限制和关于闭门审讯的规定的放宽。从以下案例中，我们可以看到这些趋势。

正如上面指出，为了保证案件的公平审讯，英国普通法对新闻界在案件审讯之前的表达自由，作出一定程度的限制，但这些限制却不适用于美国。在这方面，加拿大在《权利宪章》制定后的主要判例是 Dagenais v CBC，[18] 这是加拿大最高法院在 1994 年的判决。在此案中，加拿大广播公司被下级法院禁止在一宗案件的审讯前播放一个电视节目，该案涉及 4 名天主教神父，被控虐待一些他们收容的儿童，而该电视节目虽属虚构故事，但情节与案情接近，法院认为该节目的播放可能危及案件的公正审理。

案件上诉至加拿大最高法院，最高法院以六对三的大多数决定撤销有关禁制令。最高法院指出，传统普通法的规则过于强调得到公平审讯的权利，对于表达自由则不够重视。最高法院认为

---

[17] 参见 Peter W. Hogg, *Constitutional Law of Canada* (Toronto: Carswell, 4th student edition 1996), pp. 682 – 3.
[18] [1994] 3 SCR 835.

在本案中，下级法院未有足够考虑是否可以透过其他（不涉及禁止在有关神父审讯前播放该电视节目的）方法去保障公正审讯，例如延期审讯、改变审讯地点、把陪审员隔离以确保其不受舆论影响、容许对陪审员的盘问以确保他们没有偏见、或由法官提醒陪审员不要受偏见影响等。因此，下级法院在本案中采用的对表达自由的限制措施，并未能通过上述 R v Oakes 案中订立的测试标准。

英国传统普通法中藐视法庭原则的其中一个分支是，对法院的恶意中伤或诽谤构成藐视法庭罪，因为这种行为损害法院的权威、对整个司法制度构成威胁。加拿大 1987 年的 R v Kopyto[19]案中，一位律师在代表其当事人向警方进行民事起诉失败后，对记者说法院的这个判决是"对正义的嘲弄"，又说加拿大的法院都是偏袒警方的，因此"法院和警方好像是用胶黏在一起的"。该律师因此被控藐视法庭，并在原审法院被裁定罪名成立。

安大略省的上诉法院却裁定，对这个律师的定罪是违宪的。《权利宪章》保障个人的言论和表达自由，原审法院应用的藐视法庭原则限制了这些自由，于是便须研究这个限制背后的目标及其用以实现目标的方法是否合理和得以证成。上诉法院认为，有关目标是保护司法制度，这本身是正当的。但是，有关方法并未能通过"相称性"的测试。在本案中，律师的发言在审讯结束之后，因此并不危及案件的审讯。而即使他的发言对加拿大法院的声誉有负面影响，却未能证明此发言对于司法制度的运作构成实际的威胁。因此，在这情况下以言入罪，是对言论自由的不合理的、过分的限制。

现在让我们再看加拿大法在另外两个领域的发展，即法庭新

---

[19] (1987) 62 OR (2d) 449.

闻和公开审讯。关于前者，加拿大最高法院的两个判例是值得留意的。在 1989 年的 Edmonton Journal v Alberta[20]一案，最高法院审查了阿尔拔达省法律中关于禁止新闻界报道婚姻诉讼的规定，并裁定该规定违反了宪法中新闻自由的保障。法院指出，司法活动应受公众的监察，因此法庭新闻的报道是应受保障的。虽然诉讼当事人的隐私权也应受保障，并可用以支持对于法庭消息的报道的某些限制，但在本案中，被质疑的法律所设定的限制过于严厉，所以该法律是违宪的。

在 1988 年的 Canadian Newspaper v Canada[21]一案，被质疑的法律是加拿大《刑法》中的一个关于限制报道性侵犯案中投诉人身份的规定。根据该规定，在此类案件中，如果投诉人或控方要求法院颁发禁止传媒透露投诉人身份的命令，则法院必须作出这样的颁令；至于在其他情况，法院则可酌情决定是否作出这样的颁令。最高法院裁定，这个规定并没有违宪：虽然它限制了新闻自由，但是它是可以根据《权利宪章》第 1 条证成的。这个规定的目的是消除性侵犯案件的受害者挺身而出去报案的顾虑，而惟有规定法院必须应受害者的要求作出有关颁令，才能给予当事人其所需的心理上的保证。

关于在什么情况下法律可对公开审讯原则作出例外性规定，加拿大安大略省上诉法院作出了两个重要判例。在 1983 年的 Re Southam（No．1）[22]案中，被质疑的立法是《青少年犯罪者法》中的一项规定，根据该规定，所有以儿童为被告人的审讯都不公开审讯，即报界和公众人士不能旁听。上诉法院裁定这规定是违

---

[20] [1989] 2 SCR 1326.
[21] [1988] 1 SCR 122.
[22] (1983) 41 OR (2d).

宪的,它承认该规定用以保护儿童的利益,这本身是一个正当的目标,但规定要求所有儿童案件一律不公开审讯,这便不能证成为用以达致有关正当目标的对有关权利(新闻自由)的减损限于最低程度的方法。

由于此判决,立法机关修订了有关法例,赋予法院酌情权,在儿童案件中根据个别案件的情况,去决定是否在案中进行公开审讯。在1986年安大略省上诉法院在 Re Southam (No. 2)[23]案中审查了这个修订后的规定,并裁定此规定为合宪。

五、小 结

从上文所论及的英、美、加国的有关判例中可以看到,就着新闻自由和司法公正以至其他藉得保障的利益或价值之间的可能矛盾,究竟应如何协调、平衡和解决,最终来说是导德价值判断的问题,个别国家、民族和其法制,都需要根据自己的历史、社会和文化情况,作出自己的抉择。在这方面,似乎并不存在放诸四海皆准的标准。

虽然如此,但不可否认的是,在当代法学思潮和外国的司法实践中,总的趋势是加强对于人权的保障,在传媒与司法的关系上,更加重视言论自由、新闻自由的保护,并对传统法中对于这些自由的限制的合理性和可取性,进行自我检讨和反思,从而建构一个更符合现代民主开放社会的需要的法律体系。这样的反思,包括反思新闻自由的价值和它在现代民主、法治社会中所肩负的使命。在民主法治的社会中,人民越来越关心司法机关的运作,而新闻自由则是人民获得他们所需要的信息的先决条件。

我们可以从本文所介绍的判例中,看到一些西方国家的最高法院如何思考新闻自由和司法公正等问题。由于国情和政治、社

---

[23] (1986) 53 or (2d) 663.

会制度的不同,他们思考的结论未必适用于中国,但是,从他们思考的过程、模式、经验和方法那里,我们仍可以得到或多或少的一些启发。例如,他们如何严谨地进行法理分析,以确定对言论和新闻自由的某项限制是否能予以证成,这是甚为动人的。又例如,他们怎样通过判例法的累积,逐渐发展出一套法理思维,去处理一些充满困难的政策和价值抉择的法律问题,这也是发人深省的。我国的现代法学起步较迟,仍需更多吸收他人的经验和智慧作为自己成长的营养,在新世纪的开始,愿以此共勉。

对古代法家思想传统的现代反思[*]

一、引言

在我国正努力建设社会主义法治国家之际,对古代法家思想传统的反思是有积极的时代意义的。众所周知,先秦的儒家和法家都是塑造中华法系的主要思想力量。有学者把唐朝之前中华文明的法律思想分为"礼治时期"、"法治时期"和"礼法调和时期",[1]也有学者把中国法文化传统的总体发展历程描述为"中国法律的儒家化"或"儒学的法家化"。[2]儒家提倡"礼治"、"德治"或所谓"人治",法家则崇尚"以法治国"(见《韩非子·有度、显学》);很明显,法家比儒家更重视法律在政治和社会中的作用。那么,对于中国法制现代化的事业来说,古代(主要是指先秦)法家思想是否有意义、有价值的传统文化资源?在21世纪的世界里,那些二千多年前的法家典籍 — 如《管子》、《商君书》、《韩非子》等 — 是否还值得重读?我们今天所追求的"法治"是否完全是西方文化的产物,与中国传统思想和文化毫

---

[*] 本文原发表于香港大学、香港城市大学及中国法学会合办的、在2002年1月于香港举行的"第四届亚洲法哲学研讨会"。本文的部分注释在中南财经政法大学范忠信教授的安排下由其研究生汤建华、易江波两位同学完成,作者谨此向他们三位致谢。

[1] 见杨鸿烈:《中国法律思想史》,台湾商务印书馆,1964年。

[2] 见瞿同祖:《中国法律与中国社会》,北京中华书局,1981年。

不相干？本文的目的，便是对这类问题进行初步的探索。

在漫长的中国思想史中，人们对先秦法家思想的认识和评价，并不一致。从汉代到近代以前，由于儒家思想的主导地位，先秦法家长期受到贬斥和批判。西汉司马谈在《论六家要旨》中指出："法家不别亲疏，不殊贵贱，一断于法，则亲亲尊尊之恩绝矣。可以行一时之计，而不可长用也。故曰：'严而少恩'。"司马迁在《史记·商君列传》说："商君，其天资刻薄人也。……余尝读商君《开塞》、《耕战》书，与其人行事相类。卒受恶名于秦，有以也夫！"班固在《汉书·艺文志》中谈到法家的缺点："及刻者为之，则无教化，去仁爱，专任刑法而欲以致治，至于残害至亲，伤恩薄厚。"

到了宋代，苏轼说："韩非著书，言治天下无若刑名之贤，及秦用之，终于胜广之乱，教化不足而法有余。秦以不祀，而天下被其毒。……然秦韩之治行于一时，而其害见于久远，使韩非不幸获用于世，其害将有不可胜言者矣。"〔3〕清代卢文弨则认为："商韩之术，用之使秦强，不知正乃所以速其亡也。今当圣道大明之日，其说之谬，夫人而知之，固不待于禁绝。若非之辞辨锋锐，澜翻不穷，人以其故尤爱之。"〔4〕

但是，近现代以来，为古代法家伸冤和平反之声，却此起彼落，不绝于耳。这种现象的时代背景是，中国在西方列强的压迫下，急需找出变法图强之路。儒家传统在五四新文化运动"打倒孔家店"的口号中受到怀疑和否定，而西方国家实行的法治和宪政，则提醒国人中国也曾有过法家"以法治国"的思想。严复

---

〔3〕 转引自杨日然：《法理学论文集》，台北月旦出版社，1997年，页299-300。
〔4〕 同上。

说:"居今日而言救亡学,惟申韩庶几可用。"[5]章太炎说:"商鞅之中于逸诽也两千年,而今世为尤甚。其说以为自汉以降,抑夺民权,使人君纵恣者,皆商鞅法家之说为之倡。呜呼!是惑于淫说也甚矣。"[6]章太炎为商鞅等法家人物正名,肯定他们的历史功绩,并认为要治理好国家,必须批判人治,像先秦法家那样"专以法律为治"。[7]

梁启超把先秦法家的主流思想形容为"法治主义",并把它与"术治主义"和"势治主义"区分。[8]梁启超认为:"法治主义,为今日救时惟一之主义";"立法事业,为今日存国最急之事业";"自今以往,实我国法系一大革新时代也"。[9]

胡适一方面对"法家"这个名称提出质疑,因为在先秦时期并无所谓"法家";另一方面,胡适指出,盛行于战国中后期(公元前4至3世纪)的、一般被称为"法家"的思想,性质类似于西方所谓的法理学或法治的学说。[10]他强调法家深受儒家、墨家和道家的影响,所以"当时所谓'法家'其实只是古代思想的第一次折衷混合。……当日的法治运动正是古代思想调和折衷

---

[5] 同上。
[6] 杨志钧编:《章太炎政论选集》上册,中华书局,1977年,页68;转引自李海生:《法相尊严·近现代的先秦法家研究》,辽宁教育出版社,1997年,页3(同时请参见页41、81)。
[7] 李海生,同上注,页42。
[8] 梁启超:《先秦政治思想史》,中华书局香港分局,1986年重印版,页137。
[9] 梁启超:"中国法理学发达史论",载梁启超著、范忠信选编:《梁启超法学文集》,中国政法大学出版社,2000年,页71。
[10] 关于胡适在其《中国哲学史大纲》上卷的观点的讨论,可参见李海生,前引注6,页7、101。

的结果。"[11]胡适特别指出,法家所主张的主要不是"刑"而是作为客观标准的"法",他又强调成文法的公布的进步意义和法家思想中的平等主义。

胡适以后,不少学者采用马克思主义的历史观去理解法家思想,认为法家思想所反映的是当时与正在没落的封建贵族和奴隶主贵族阶级相对的新兴地主阶级的利益,具有进步和革新的意义。[12]台湾学者戴东雄则从中国法制现代化的要求出发,指出"法家之法治学说,对于法的平等性与安定性,提倡甚力",[13]中国继受近代欧陆法,并非"毫无历史的背景和理论上的渊源",甚至"应归功于法家之法律成文化的法律观"。[14]戴氏更认为,"尽管中国法家与西洋的法实证主义,起源于不同的历史环境与文化背景;但二者皆有共同的理论基础和相同的学说"。[15]

但是,并非所有近现代的论者都对古代法家思想传统表示同情、肯定或愿意放弃历代以来累积的否定评价。例如,著名法学家梅仲协就法家思想集大成者韩非评论说:"我国二千余年来,政治之所以未纳正轨者,揆其原因,半误于儒家,半惑于韩非。"他认为韩非"本不知法律为何物,而妄以法治为名而行其人治之实,'惨礉少恩'(见《史记》)'而终不免以人为殉',致使吾国上下,即在近几十年来,对于法治的概念,还是弄不清楚,以为

---

[11] 姜义华主编:《胡适学术文集·中国哲学史(上册)》,中华书局,1991年,页274。
[12] 参见李海生,前引注6,页12;张国华:《中国法律思想史新编》,北京大学出版社,1991年,页111-114。
[13] 戴东雄:《从法实证主义观点论中国法家思想》,台湾三文印书馆,1973年,页1,转引自李海生,前引注6,页272。
[14] 戴东雄,同上,页1-2;李海生,同上,页290、5。
[15] 同上,页2;李海生,同上,页290。

民主国家所励行的法治制度,便是韩非所主张的一套严刑峻法,残民以逞的法治"。[16] 此外,当代著名思想家余英时也严厉批评法家思想的"反智论"(余氏所用语),包括其思想专制、愚民政策和对于知识与学问的排斥。[17]

从上面可以看到,如何理解和评价我国古代的法家思想及其当代意义,确是一个具争议性的课题。在下面,让我们从两个角度去看法家思想传统;首先是它在哪些方面具有进步的、积极的意义,在哪些方面与我们当前急需建设的现代法治有相通的地方;然后我们再看,法家思想传统在哪些方面存在缺陷或局限,以致它必须接受改造,才能在现代世界中继续发挥其生命力。简单来说,我们要厘清的,便是在现代语境里古代法家思想传统的精华和糟粕、正面和负面。

二、古代法家思想传统的正面

(一) 法的客观性

二千多年前的法家思想家已经认识到,法是用以规范和衡量人们的行为的客观的、公正的准则,并因此把法比拟为度量衡。《管子》说:"尺寸也,绳墨也,规矩也,衡石也,斗斛也,角量也,谓之法"(《七法篇》);"法律政令者,吏民规矩绳墨也"(《七臣七主篇》);"法者,天下之仪也。所以决疑而明是非也,百姓之所悬命也"(《禁藏篇》);"法者,天下之程序也,万事之仪表也"(《明法解篇》)。《慎子》说:"有权衡者不可欺以轻重,有尺寸者不可差以长短,有法度者不可巧以诈伪。"[18] 《商君书·

---

[16] 梅仲协:"中国古代的法律思想",载《国父法律思想论文集》,页914;转引自杨日然,前引注3,页301。

[17] 余英时:"反智论与中国政治传统",载余英时:《历史与思想》,台北联经出版事业公司,1976年。

[18] 《意林》卷二引《慎子》佚文,参见张国华,前引注12,页145。

修权》说:"法者,国之权衡也";"先王悬权衡,立尺寸,而至今法之,其分明也"。

《韩非子·外储说右下》进一步指出,法不单是行为的标准,更是纠正不当行为的一种建设性的力量:"椎锻者,所以平不夷也。榜檠者,所以矫不直也。圣人之为法也,所以平不夷,矫不直也。"

(二) 法的强制性

法家强调"法"和"刑"的结合,他们认识到,使法有别于道德或"礼"等行为规范的最重要特征,便是法是以国家的强制力为其后其后盾的,违法的后果,便是国家施予刑罚。《韩非子·定法》说:"法者,宪令着于官府,赏罚必于民心。赏存乎慎法,而罚加乎奸令者也。"

在法家眼中,赏罚是法的实施的必要和有效的工具,这个观点乃建基于法家的类似近代功利主义哲学的人性观。《管子·禁藏》说:"夫凡人之情,见利莫能弗就,见害莫能勿避。其商人通贾,倍道兼行,夜以继日,千里而不远者,利在前也。渔人入海,海深万仞,就彼逆流,乘危百里,宿夜不出者,利在水也。故利之所在,虽千仞之山,无所不上;深渊之下,无所不入焉。"

《商君书》指出:"民之于利也,若水于下也"(《君臣篇》);"羞辱劳苦者,民之所恶也;显荣失乐者,民之所务也"《算地篇》;"人性好爵禄而恶刑罚"(《错法篇》);人既然有这些共通的好恶,"故民可治也"(《错法篇》):就是通过法定的赏罚来导引他们的行为。《韩非子·八经因情》说:"凡治天下,必因人情。人情者有好恶,故赏罚可用。赏罚可用,则禁令可立,而治道具矣。"

(三) 法定的产权

法家思想家常常提到法律的"定分止争"的功能,用当代的话语来说，便是界定产权、平息纷争。《管子·七臣七主》说：
"法者所以兴功惧暴也，律者所以定分止争也，令者所以令人知事也。"正如梁启超所指出，这里的"分"就是指权利，"创设权利，必借法律，故曰定分止争也。"[19]《商君书·定分》里对产权的意义有个生动的说明："一兔走，百人逐之，非以兔也。夫卖者满市，而盗不敢取，由名分已定也。故名分未定，尧、舜、禹、汤且皆如焉而逐之；名分已定，贫盗不取。"

法家关于国家和法律的起源的学说，在某些方面与近代西方霍布斯、洛克等人的思想相似，即指出国家和法律的出现乃是针对原始社会的无政府状态（"自然状态"）中出现的问题的。《管子·君臣下》说："古者未有君臣上下之别，未有夫妇妃匹之合，兽处群居，以力相征，于是智者诈愚，强者凌弱，老幼孤弱，不得其所，故智者假众力以禁强虐而暴人止。"《商君书·开塞》的论述则更为详细：

> 天地设而民生之，当此之时，民知其母而不知其父，其道亲亲而爱私。亲亲则别，爱私则险，民生众而以别险为务，则有乱。当此之时，民务胜而力征。务胜则争，力征则讼，讼而无正则莫得其性也。故贤者立中，设无私，而民日仁。当此时也，亲亲废，上贤立矣。凡仁者以爱利为道，而贤者以相出为务。民众而无制，久而相出为道，则有乱。故圣人承之，作为土地货财男女之分。分定而无制，不可，故立禁。禁而莫之司，不可，故立官。官设而莫之一，不可，故立君。既立其君，则上贤废而贵贵立矣。

---

[19] 梁启超："管子传"，《饮冰室合集·专集第28》，转引自李海生，前引注6，页89。

《韩非子·五蠹》则把国家和法律的兴起联系至资源有限的情况之下的人口增长：

> 古者丈夫不耕，草木之实足食也；妇人不织，禽兽之皮足衣也。不事力而养足，人民少而财有余，故民不争。是以厚赏不行，重罚不用，而民自治。今人有五子不为多，子又有五子，大父未死而有二十五孙。是以人民众而货财寡，事力劳而供养薄，故民争。虽倍赏累罚而不免于乱。

(四) 法与人民的利益

虽然法家人物都是所谓"法术之士"，[20] 即为君主出谋献策、协助君主管理国家的以政治为职业的专家，但是法家所提倡的法并非只反映君主的利益，也是（至少在理想的情况下）符合人民的长远利益的。《管子》提出，立法应考虑民情的好恶，以求"令顺民心"："人主之所以令则行，禁则止者，必令于民之所好而禁于民之所恶也。民之情莫不欲生而恶死，莫不欲利而恶害。故上令于生利人则令行，禁于杀害人则禁止。"（《形势解篇》）另一方面，《管子》又说："不为爱民亏其法，法爱于民。"（《法法篇》）

《韩非子·心度》进一步指出，"圣人之治民，度其本不从其欲，期于利民而已。故其与之刑，非所以恶民，爱之本也。"《韩非子·奸劫弑臣》又对法家的事业作出如下描绘："圣人者，审于是非之实，察于治乱之情也。故其治国也，正明法，陈严刑，将以救群生之乱，去天下之祸，使强不凌弱，众不暴寡，耆老得

---

[20] 冯友兰著，涂文光译：《中国哲学简史》，北京大学出版社，1985年，页178。

遂,幼孤得长,边境不侵,君臣相亲,父子相保,而无死亡系虏之患。此亦功之至厚者也。"

正如《商君书·靳令》所指出,法家追求的是"以刑去刑,刑去事成"。《韩非子》把法家理想的逐步实现归纳为三个(未来的)阶段,分别称为"明主之国"(《五蠹篇》)、"至治之国"(《用人篇》)和"至安之世"(《大体篇》)。到了"至安之世"(这可能令人想起老子的理想):

> 法如朝露,纯朴不散。心无结怨,口无烦言。故车马不疲弊于远路,旌旗不乱于大泽。万民不失命于寇戎,雄骏不创寿于旗幢。豪杰不著名于图书,不录功于盘盂,记年之牒空虚。(《大体篇》)

(五)公与私的区分

古代法家思想的另一贡献是确立"公"和"私"的区分,"公"是国家整体的利益,"法"是"公"而非"私"(个人利益)的体现。《韩非子·诡辩》说:"夫立法令者,以废私也。法令行而私道废矣。私者,所以乱法也";"能去私曲就公法者,民安而国治。能去私行行公法者,则兵强而敌弱。"(《有度篇》)

其他法家人物对于公和私的问题也有类似的论述。战国初期楚国的吴起主张"明法审令",厉行"使私不害公"的"法治"。[21] 商鞅要求明"公私之分",主张"任法去私",反对"释法任私"。他称赞尧、舜、三王、五霸"皆非私天下之私也,为天下治天下",并指责"今乱世之君臣","皆擅一国之利,而管

---

[21] 《战国策·秦策三》。参见张国华,前引注12,页132。

一官之重,以便其私,此国之所以危也。"[22]另一位前期法家人物慎到更明确提出,法的重要作用在于"立公弃私","法之功莫大使私不行";"有法而行私谓之不法"。[23]他又说:"古者立天子而贵之者,非以利一人也。……立天子以为天下也,非立天下以为天子也;立国君以为国也,非立国以为君也;立官长以为官也,非立官以为长也。"(《慎子·威德》)他甚至主张臣下"以死守法"和"守职",[24]而不是忠于君主个人。至于君主,他要求"大君任法而弗躬为,则事断于法矣。"(《慎子·君人》)

(六) 法的平等适用

法家提出"不别亲疏,不殊贵贱,一断于法"的主张,[25]是与原有的"别亲疏,殊贵贱"、"礼不下庶人,刑不上大夫"的"礼治"秩序针锋相对的;在礼治秩序里,贵族享有各种特权。[26]正如在西方近代资产阶级革命时期,"法律之前人人平等"的主张针对的是当时贵族(以至教会)的特权,中国古代法家思想中的法律平等适用的概念,也有其作为巩固王权、对抗贵族的政治斗争中的武器的意义。虽然如此,但正如资产阶级的"法律之前人人平等"的原则一样,法家关于法律与平等的思想作为思想本身,仍有其超越其时代的政治斗争的意义和价值。

就法的平等适用来说,法家文献中有不少精辟的论述。《商君书·赏刑》说:"所谓壹刑者,刑无等级,自卿相、将军以至大夫、庶人,有不从王令、犯国禁、乱上制者,罪死不赦。有功于

---

[22]《商君书·修权》。参见张国华,前引注12,页139。
[23] 转引自张国华,前引注12,页145-146。
[24] 见于张国华,前引注12,页148。
[25] 见本文"引言"部分。
[26] 参见马汉宝:《法律与中国社会之变迁》,台北翰芦图书,1999年,第13篇(思想、法律与社会变迁:历史观点下的中国经验)。

前,有败于后,不为损刑;有善于前,有过于后,不为亏法。忠臣孝子有过,必以其数断。"这里谈的是刑罚的平等适用,甚至不考虑个人的特殊情况,从人道的立场来看,显然是过于极端的。

《韩非子·备内》则指出,法的不平等适用令人产生不满:"上古之传言,《春秋》所记,犯法为逆以成大奸者,未尝不从尊贵之臣也。而法令之所以备,刑罚之所以诛,常于卑贱。是以其民绝望,无所告诉。"《韩非子·有度》主张"法不阿贵,绳不挠曲。法之所加,智者弗能辞,勇者弗敢争。刑过不避大臣,赏善不遗匹夫。故矫上之失,诘下之邪,治乱决缪,绌羡齐非,一民之轨,莫如法。"

(七) 法的权威性和拘束力

法家思想的其中一个关键性的特征,是它大力提倡法的权威性和拘束力,强调人民、官员、甚至国君都应该守法和依法办事。代表法家先驱人物管仲和齐国法家的思想的《管子·任法》说:"有生法、有守法、有法于法。夫生法者君也,守法者臣也,法于法者民也。君臣上下贵贱皆从法,此之谓大治。"《管子》讨论到君主与法的关系:"为人上者释法而行私,则为人臣者援私以为公";"凡私之所起,必生于主"(《君臣下篇》);"天不为一物枉其时,明君圣人亦不为一物枉其法"(《白心篇》);"明君置法以自治,立仪以自正也;……禁胜于身,则令行于民"(《法法篇》)。《管子·法法》甚至提到"不为君欲变其令,令尊于君",梁启超评论道:"就此点论,可谓与近代所谓君主立宪政体者精神一致"。[27]

《商君书》也认为君主应受到法的制约:"故明主慎法制。言

---

[27] 梁启超,前引注8,页147。

不中法者，不听也；行不中法者，不高也；事不中法者，不为也"（《君臣篇》）；"故人君者，不可不慎己也"（《壹言篇》）；"世之为治者，多释法而任私议，此国之所以乱也"（《修权篇》）；"是故明王任法去私，而国无隙蠹矣。"（《修权篇》）《韩非子》在这方面也有类似的见解，反对"释法行私"，[28]又说："释法术而任心治，尧舜不能正一国；去规矩而妄意度，奚仲不能成一轮；废尺寸而差短长，王尔不能半中。"《用人篇》

"法治"是与"人治"以至法家所谓的"心治"或"身治"相对的。法家在推崇法治的同时，对人治思想提出了批判，指出按照统治者个人的意志或裁量权来统治是不妥当的，而贤明的统治者是可遇而不可求的。例如《慎子·君子》说："君人者舍法而以身治，则诛赏夺予从君心出矣。然则受赏者虽当，望多无穷；受罚者虽当，望轻无已。君舍法而以心裁轻重，则是同功而殊赏，同罪而殊罚也。怨之所由生也。"《商君书·修权》则指出："夫释权衡而断轻重，废尺寸而意长短，虽察，商贾不用，为其不必也。……不以法论知能、贤不肖者惟尧，而世不尽为尧。是故先王知自议誉私之不可任也，故立法明分：中程者赏之，毁公者诛之。"

《韩非子》也指出，像尧舜这样的圣王是罕有的，而"以法治国"却是中等才能的统治者成功治国之道："且夫尧舜桀纣，千世而一出。……中者上不及尧舜，而下亦不为桀纣，抱法处势，则治，背法去势，则乱。今废势背法而待尧舜，尧舜至乃治，是千世乱而一治也。抱法处势而待桀纣，桀纣至乃乱，是千世治而一乱也"（《难势篇》）；"道法万全，智能多失。夫悬衡而知平，设规而知圆，万全之道也。明主使民饰于道之故，故夫而

---

[28] 参见张国华，前引注12，页168。

有功。释规而任巧，释法而任智，惑乱之道也"（《饰邪篇》）；"使中主守法术，拙匠执规矩尺寸，则万不失矣"（《用人篇》）；"故以法治国，举措而已矣。"（《有度篇》）

关于人治和法治问题，战国末年法家人物尹文也有精辟的分析：

> 田子读书，曰："尧时太平。"宋子曰："圣人之治以致此乎。"彭蒙在侧，越次而答曰："圣法之治以致此，非圣人之治也。"宋子曰："圣人与圣法所以异？"彭蒙曰："子之乱名甚矣。圣人者，自己出也。圣法者，自理出也。理出于己，己非理也。己能出理，理非己也。故圣人之治，独治者也；圣法之治，则无不治矣。"（《尹文子·大道下》）

在批判"人治"的同时，法家又指出"仁政"的不可恃，并认为忠孝仁爱等伦理观念不适用于统治者与人民的关系。《商君书·画策》说："仁者能仁于人，而不能使人仁；义者能爱于人，而不能使人爱。是以知仁义之不足以治天下也"；"治主无忠臣，慈父无孝子。欲无善言，皆以法相司也。"《韩非子·六反》里以下一段话更是令人不寒而栗的：

> 今上下之接，无父子之泽。……且父母之于子也，产男则相贺，产女则杀之。此俱出于父母之怀，然男子受贺，女子杀之者，虑其后便，计之长利也。故父母之于子也，犹用计算之心以相待也，而况无父子之泽乎？

因此，《韩非子·六反》认为："今学者之说人主也，皆去求利之心，出相爱之道，是求人主之过于父母之亲也"；"明主之治国也，使民以法禁而不以廉止"；"故法之为道，前苦而后乐；仁之为道，偷乐而后穷。圣人权其轻重，出其大利，故用法之相忍，而弃仁之相怜也。"

(八) 法应公布、清晰、易明

法家的核心主张之一是法应成文化和公诸于世，务求家喻户晓，这在当时的历史环境中是有重大进步意义的。春秋时代，刑律掌握在贵族手中，供他们任意运用，故有所谓"刑不可知则威不可测"的秘密法传统。[29]胡适指出："须知中国古代的成文的公布的法令，是经过了许多反对，方才渐渐发生的。"[30]台湾学者张伟仁指出，春秋时郑国的子产把刑书铸在铜鼎上并把它公开展示的意义，在于向人民保证法律定将贯彻执行，其运作将有高度的可预见性，再不会被官员恣意运用。[31]当时晋国的叔向却写信给子产说："先王议事以制，不为刑辟，惧民之有争心也。……民知有辟则不忌于上，并有争心以征于书"。[32]后来晋国的范宣子也把刑书铸在鼎上，孔子评论说："今弃是度也而为刑鼎，民在鼎矣！何以尊贵？贵何业之守？贵贱无序，何以为国？"[33]由此可见成文法的公布在当时的争议性。

法家认为，法的目的在于调控国人的行为，如要实现这个目的，就必须使国人清楚明白法律对他们的要求，所以法律不单要公布，而且要写得清晰和易于明白，并要设立把法律知识普及化

---

[29] 张国华，前引注12，页122。
[30] 原文来自《中国哲学史大纲》上卷，现转引自李海生，前引注6，页101。
[31] 张伟仁："《商君书》内的法理思想"，载《台湾大学法学论丛》，第24卷第2期（1995年6月），页47、52。以下两则引文均来自此文页53－54。
[32] 《左传·鲁昭公六年》。
[33] 《左传·鲁昭公二十九年》。

的机制。[34]《商君书·定分》说:"故圣人为法,必使之明白易知,名正,愚知遍能知之";"故圣人立,天下而无死刑者,非不刑杀也,行法令明白易知,为置法官,吏为之师,以道之知,万民皆知所避就,避祸就福,而皆以自治也。"

关于法律知识的普及化,《商君书·定分》描述出这样的一种制度:"诸官吏及民有问'法令之所谓也'于主法令之吏,皆各以其'故所欲问之法令'明告之";"故天下之吏民,无不知法者。吏明知民知法令也,故吏不敢以非法遇民,民不敢犯法以干法官也。"从这里可以看到,商鞅认为当人民掌握法律知识后,不但人民会懂得守法,连官员也会受到制约,不敢对人民作出违法的行为;这确是法家对法律的公开性的意义的一点睿见。

《韩非子》对于法的公开性则有以下的经典论述:"法者,编着之图籍,设之于官府,而布之于百姓也。……故法莫如显。……是以明主言法,则境内卑贱,莫不闻知也,不独满于堂"《难三篇》;"官不敢枉法,吏不敢为私"(《定法篇》)。

(九) 法的可遵守性

如上所述,法律的功能在于调控、导引人们的行为,但如果法律要求人们做的事是他们根本没有可能做到的、属他们能力范围以外的,那么这条法律便是注定失败的了。法家对此有一定的认识。《管子》指出立法时须"量民力","毋强不能"[35]:"令于人之所能为则令行,使于人之所能为则事成"(《法法篇》);"令于人之所不能为,故其令废;使于人之所不能为,故其事败"(《形势解篇》)。因此,统治者不能贪得无厌:"求多者其得寡,

---

[34] 参见张伟仁,前引注31,页71。
[35] 参见张国华,前引注12,页121及157。

禁多者其止寡，令多者其行寡"[36]；统治者应"取于民有度，用之有止"(《权修篇》)。《韩非子·用人》也有类似见解："明主立可为之赏，设可避之罚。"

(十) 法的统一性和稳定性

法律既然是向人们传递关于行为规范的讯息的媒介，如果不同的法律条文的要求是互相矛盾的，或是朝令夕改的，人们便会无所适从，法律的目标便不能实现。法家对此有充分的认识，故提倡法的统一性和稳定性。关于后者，《管子·法法》说："号令已出又易之，礼义已行又止之，度量已制又迁之，刑法已措又移之，如是庆赏虽重，民不劝也；杀戮虽繁，民不畏也。"《韩非子》则指出：[37]"法莫如一而固，使民知之"(《五蠹篇》)；"治大国而数变法，则民苦之"(《解老篇》)；"法禁变易，号令数下者，可亡也"(《亡征篇》)。韩非又把法律比喻为镜子或度量衡："故镜执清而无事，美恶从而比焉。衡执正而无事，轻重从而载焉。夫摇镜则不得为明，摇衡则不得为正，法之谓也。"(《饰邪篇》)法不应随便和频频变更，并不表示法应一成不变，毋顾社会的变化，所以《韩非子·心度》同时指出"法与时转则治，治与世宜则有功"；"时移而治不易者乱"。

关于法令的统一性，韩非批评申不害在韩国制定新法时，没有废除原来的"故法"，造成"故新相反，前后相悖"的问题，证明申不害"不擅其法，不一其宪令"。[38]

(十一) 法的不溯既往

如果法的主要功能在于引导人们作出应作的行为和阻吓人们

---

[36] 转引自张国华，前引注 12，页 157。
[37] 以下引文乃转引自张伟仁："《韩非子》内的法理思想"(上)，载《台湾大学法学论丛》，第 25 卷第 2 期 (1996 年 1 月)，页 79。
[38] 见于张国华，前引注 12，页 122。

作出不应作的行为,那么赋予法律溯及力便是值得质疑的;法家对此有所认识。《管子·法法》说:"令未布而民或为之,而赏从之,则是上妄予也";"令未布而罪及之,则是上妄诛也"。[39]

(十二)法的操作的可预见性

法家的其中一项核心主张是"信赏必罚",亦即是说,必须保证如有人作出了法律规定应予奖赏的行为,他一定真的得到规定的奖赏;如有人作出了法律规定应予惩罚的行为,他一定真的得到规定的惩罚。这样便能取信于民,法律指导人民行为的功能才能发挥。用现代的话语来说,这便是要求法律的操作和执行有高度的可预见性,人们可以清楚预见到他们或别人的行为的(由法制的运作而产生的)实际后果。

《管子》提倡信赏必罚:[40]"见必然之政,立必胜之罚"《七臣七主篇》,使"民知所必就而知所必去";如果"言是而不能立,言非而不能废,有功而不能赏,有罪而不能诛,若是而能治民者,未之有也"(《七法篇》)。《商君书·修权》指出:"民信其赏,则事功成;信其罚,则奸无端。"

《韩非子·内储说上七术》里有两个故事,说明使人民相信犯法者必受惩罚是多么重要。[41]"董阏于为赵上地守。行石邑山中,见深涧,峭如墙,深百仞。因问其旁乡左右曰:'人尝有入此者乎?'对曰:'无有。'曰:'婴儿盲聋狂悖之人,尝有入此者乎?'对曰:'无有。''牛马犬彘,尝有入此者乎?'对曰:'无有。'董阏于喟然太息曰:'吾能治矣。使吾法之无赦,犹入之必死也,则人莫之敢犯也,何为不治?'"

---

[39] 参见张国华,前引注12,页158。
[40] 以下引文乃转引自张国华,前引注12,页157—158。
[41] 参见张伟仁,前引注37,页98。

在第二个故事里，卫嗣君愿意以一城（名为左氏）交换逃到魏国的一名犯人，他说："法不立而诛不必，虽有十左氏，无益也。法立而诛必，虽失十左氏，无害也。"

三、古代法家思想传统的负面

（一）重刑政策

法家主张使用重刑，不单是对重罪下重刑，而且"轻罪重罚"以收阻吓作用，杀一儆百。《商君书·说民》说："故行刑重其轻者，轻者不生，则重者无从至矣，此谓治之于其治也。行刑重其重者，轻其轻者，轻者不止，则重者无从止矣，此谓治之于其乱也。"《韩非子·六反》对此问题有进一步的分析：

> 今不知治者，皆曰重刑伤民，轻刑可以止奸，何必重哉？此不察于治者也。夫以重止者未必以轻止也，以轻止者必以重止矣。……所谓重刑者，奸之所利者细，而上之所加焉者大也。民不以小利蒙大罪，故奸必止者也。所谓轻刑者，奸之所利者大，上之所加焉者小也，民慕其利而傲其罪，故奸不止也。

从被处罚者的角度看，轻罪重罚，意味着他受到的处罚是与其犯罪严重程度不相称的、超过其罪有应得的，因此是不公平的。即使旁观者也会对这样的被处罚者寄予同情。法家的重刑政策是为统治者的方便和所谓国家整体利益服务的，不惜牺牲个人的权益，这是与现代人权思想背道而驰的。

（二）愚民政策

为了有效统治、富国强兵的需要，法家不惜实行愚民政策，否定人民的个性、创造力和自由思想。《商君书》说:[42]"民愚则易治也"(《定分篇》);"圣人之治也,多禁以止能,任力以穷诈"(《算地篇》);"民弱国强,国强民弱。故有道之国,务在弱民"(《弱民篇》);"民辱则贵爵,弱则尊官,贫则重赏"(《弱民篇》);"昔之能制天下者,必先制其民者也;能胜强敌者,必先胜其民者也。故胜民之本在制民,若冶于金,陶于土也。"(《画策篇》)《韩非子·显学》说:"民智之不可用也,犹婴儿之心也。"

正如梁启超所指出,这样的思维,等于把人民(相对于统治者而言)视为劣等人种:

> 谓治者具有高等人格,被治者具有劣等人格。殊不知良政治之实现,乃在全人类各个人格之交感共动互发而骈进。故治者同时即被治者,被治者同时即治者。而慈母婴儿,实非确喻也。此中消息,惟儒家能窥见,而法家则失之远矣。[43]

(三) 压制议论

为了把法的权威绝对化和为法的实施提供最大的保证,法家主张压制民间关于法律的议论,这便是所谓"法而不议"。[44]《管子·重令》说:"令虽出自上而论可与不可者在下,是威下系于民者也";对法令"作议者尽诛"。[45]《商君书·定分》说:"人主为法于上,下民议之于下,是法令不定,以下为上也,此所谓名分之不定也。……此令奸恶大起,人主夺威势,亡国灭社稷之道也。"

---

[42] 以下引文转引自张伟仁,前引注31,页76。
[43] 梁启超,前引注8,页151。
[44] 此词来自《荀子·王制篇》,参见梁启超,前引注8,页150。
[45] 参见张国华,前引注12,页123。

由此可见，法家的"以法治国"完全是由上而下的，统治者一声令下，人民便须绝对服从，像机械人一般，连议论的空间也不准存在。

（四）文化专政

法家主张"以法为教、以吏为师"、"赏誉同轨、非诛俱行"，基本上是实行政教合一的文化专制政策，不容许与国家的法律规范有抵触的道德、思想、文化、价值和观念的存在，用现代的话语来说，这是一种极权主义（totalitarianism）。慎到说："士不得背法而有名。"[46]《商君书·靳令》说："法已定矣，而好用六虱者亡。……六虱曰礼乐、曰诗书、曰修善、曰孝弟、曰诚信、曰贞廉、曰仁义、曰非兵、曰羞战。"《韩非子》指出："明主之国，令者言最贵者也；法者事最适者也。言不二贵，法不两适。故言行不轨于法令者必禁"（《问辩篇》）；"赏者有诽焉不足以劝，罚者有誉焉不足以禁。明主之道，赏必出乎公利，名必在乎为上。赏誉同轨，非诛俱行。然则民无荣于赏之内。有重罚者必有恶名，故民畏。"《八经类柄篇》[47]《韩非子·五蠹》还提倡"明主之国，无书简之文，以法为教；无先王之语，以吏为师。……是境内之民，其言谈者必轨于法，动作者归之于功，为勇者尽之于军。是故无事则国富，有事则兵强。"

历史证明，法家这种以国法为唯一是非标准的、否定人类社会的道德、思想、知识和文化的价值的态度是十分危险的，对于后来秦始皇焚书坑儒的暴行，法家思想实在难辞其咎。

（五）狭隘的社会目标

法家是在战国乱世中为君主出谋献策、找出富国强兵之道的

---

[46]《慎子》佚文，《守山阁丛书·子部》，转引自张国华，前引注12，页124。
[47] 参见张国华，前引注12，页170。

思想家，国君的利益在于增加生产、加强兵力、扩张领土以至征服天下，这和人民对安居乐业的要求是有矛盾的。法家的法制设计的目标在于鼓励农业和军事活动，而非人民的整体物质和精神文明的发展，因此，法家为社会所追求的目标可说是狭隘和被扭曲的。

《商君书·农战》说："国之所以兴者，农战也。……国待农战而安，主待农战而尊。"《韩非子·五蠹》主张以富贵奖励努力从事农业生产和勇于战斗的人，从而富国强兵："夫耕之用力也劳，而民为之者，曰可以得富也。战之为事也危，而民为之者，曰可得贵也。"

（六）专制王权

正如西汉司马谈在《论六家要旨》中指出，法家思想的其中一个特征是"尊主卑臣，明分职不得相逾越"。[48] 虽然尊君思想不是法家的专利，在中国古代其他思想流派中也存在，但是，法家思想中没有像儒家"贵民"的概念，在君与民的平衡上，法家是向君的那方一面倒的。当然，这也是与法家所身处的时代有密切的关系，正如欧洲从中世纪过渡至近代的阶段，主权论随君主专制国家一同兴起，在战国时期，君权的强化及其理论上的证成有其时代意义。

《管子·明法解》说："明主在上位，有必治之势，则群臣不敢为非。是故群臣之不敢欺主，非爱主也，以畏主之威势也。百姓之争用，非以爱主也，以畏主之法令也。故明主操必胜之数，以治必用之民，处必等之势，以制必服之臣。故令行禁止，主尊而臣卑。"《商君书》指出"君尊则令行"，而君尊令行的条件是

---

[48] 参见张国华，前引注12，页115。

"权者,君之所独制也";"权制断于君则威"。[49] 慎到说:"民一于君,事断于法,是国之大道也";"多贤不可以多君,无贤不可以无君";"君立则贤者不尊";"立君而尊贤是贤与君争,其乱甚于无君"。[50]

《韩非子》则指出,君主无论好坏,都必须服从,正如帽子无论好坏,都要戴于头上,不可与鞋子易位:[51]"臣事君,子事父,妻事夫,三者顺则天下治,三者逆则天下乱。此天下之常道也,明王贤臣而弗易也,则人主虽不肖,臣不敢侵也"(《忠孝篇》);"冠虽穿弊,必戴于头;履虽五采,必践之于地。"(《外储说左下篇》)

此外,法家思想中同时包涵着重"法"(以商鞅为代表)、重"势"(以慎到为代表)和重"术"(以申不害为代表)的看法,直至韩非主张"法"、"势"、"术"的结合使用。"势"是权势,"术"是权术,都是用以强化君主个人的权力的技术,因此有人把中国古代法家思想与西方近代的马基雅弗利(Niccolo Machiavelli)(主要著作包括《霸术》(The Prince)一书)相提并论。[52]《韩非子》提出"抱法处势则治,背法去势则乱"的观点(《难势篇》),而"术者,藏之于胸中,以偶众端,而潜御群臣者也"(《难三篇》)。这类为了权力而不择手段的态度,在人类历史中的为害是有目共睹的。

(七) 片面的法律观

从比较法学和现代法治的视野出发,法家的法律观是有严重

---

[49]《君臣篇》、《修权篇》。参见张国华,前引注12,页140。
[50]《慎子》佚文,《艺文类聚》卷五十四,转引自张国华,前引注12,页144。
[51] 参见张伟仁:"《韩非子》内的法理思想"(下),载《台湾大学法学论丛》,第25卷第3期(1996年4月),页15–16。
[52] 参见邹文海:《西洋政治思想史稿》,台北三民书局,1989年,页253。

的局限性和不足的。

首先，在法家的构想中，立法、废法、司法和行政等所有国家权力都是集中在君主一身的，至于法律怎能对君主的专横构成制约、法律怎能反映人民的利益和意愿，法家不但没有建设性的具体思考，而且由于它否定法律以外的道德伦理，所以把对君权的道义性制约也一扫而空。

其次，法家的法律观完全是以国家政权为中心的，即法律的唯一渊源便是君权的行使；虽然在一定程度上这与西方近代的实证主义法学相通，但它毕竟是片面性的，否定了民间习惯法等多元法律渊源的应有位置。法家的法最终来说只是君主的统治工具，而不一定是在社会中被普遍接受和遵守的、被人民视为有约束力的行为规范。

再次，正如不少论者所指出，法家的法几乎全是刑法（当然还有规定奖赏的法），他们对于民法的概念缺乏认识。和刑法不同，民法调整的是私人之间的关系，保证当私人的权益受到其他私人侵犯时，受害者可得到补救。法家则漠视这类私人权益，只重视政权或国家整体的利益。

最后，法家对于程序法也缺乏认识，在强调重刑的同时，他们未有考虑怎样设立公正和合理的程序性安排，以保证不会滥杀无辜。他们只知从统治者的角度去看严刑峻法为统治者带来的好处，郤从来没有尝试站在正被控告的人民的位置，去了解严刑峻法所可能带来的苦难。

(八) 偏颇的人性论

法家强调人的趋利避害的心理，这是无可厚非的，即使是现代功利主义哲学家也有类似的看法。但是，和现代功利主义不同的是，法家并不是为人类社会追求最大多数人的最大快乐，而是要利用人们趋利避害的心理，去设计相应的赏罚制度，从而使人们的行为受到统治者的操纵，例如统治者希望富国强兵——发展农业和增强兵力，便以法制导引人们全力投入农和战的活动，放弃其他追求。

但是，人性中除了避免受到统治者的惩罚和得到统治者的赏赐的动力外，就没有其他东西吗？在历史长河中，人类文明所衍生的道德伦理、价值观念、思想文化、宗教哲学、风俗习惯，就能这样被一小撮统治者所任意订下的法律一笔勾销吗？人类是否甘心像蚂蚁、蜜蜂或机械人般生活？人是否能被强迫放弃其理性、良知和对于真善美的追求？这些问题所反映的，便是法家的肤浅之处。

四、结　论

20世纪美国著名法学家富勒（Lon L. Fuller）在《法律的道德》（The Morality of Law）一书中指出，[53] 法的事业是以规则来调控人们的行为，而如果法要达到这个目标，它必须在一定程度上满足以下八项要求（他称之为法的内在道德原则）：①法须是有普遍适用性的规则；②法须公布；③法不应有溯及力；④法须能为人明白；⑤法不应有内在矛盾；⑥法不应要求人们作其能力范围以外的事；⑦法不应朝令夕改；⑧法必须贯彻实施。这个由一位20世纪西方法学顶尖人物提出来的理论，与我国二千多年前法家人物对于法的认识，有惊人地不谋而合之处：我们可以看到，富勒所提到的八点的每一点，都可以在本文第二部分所简介的法家学说中找到。

其实本文第二部分的绝大部分内容，基本上都是与我们现代对于法的认识相通的。虽然有关的概念和原则是用二千多年前的

---

[53] Lon L. Fuller, *The Morality of Law* (New Haven: Yale University Press, revised edition 1969).

古文表述出来，但在今天看来并不感到陌生。在今日世界，除了中国以外还有哪国的国民可以看到和看懂自己的祖先在二千多年前写下的、在当代仍有价值和意义的关于法的理念的文字？为此，我们作为中华民族的成员是应该感到振奋和自豪的。

那么，中国古代法家思想是否与现代法治精神相通，或至少是建设中国现代法治社会的宝贵传统文化资源？让我们先看一位当代的中国法律思想史学者的看法。在《中国法律思想史纲》一书中，马作武说："后世论者大都认为法家主张'法治'，这实在是一个天大的误会。'法治'作为一个完整的概念，乃是西方近代文明的产物。……法家所谓的'法治'尚未得法治真谛的皮毛。"[54] 在另一篇文章中，马作武补充说："所谓法家的'法治'充其量不过是一整套构建君主个人集权专制的制度与手段，是最大最典型、也是最极端的人治。……中国古代的所谓'法治主义'其实是专制主义的别称，其'法治'理论构成了中国传统专制理论的基石。"[55]

在本文上面第三部分的基础上，我们不得不承认，法家的"法治"理论与君主专制有密不可分的联系。但是，专制和法治是不是真的互不相容？专制的对立面是民主，法治的对立面是人治。没有民主是不是就没有可能有法治？马作武说"法家所谓的'法治'尚未得法治真谛的皮毛"，那么上面提到的富勒教授关于法的内在道德要求的理论，是否同样未能掌握法治真谛的皮毛？

我认为要解决这些问题，便必须澄清"法治"观念的含义，

---

[54] 马作武：《中国法律思想史纲》，中山大学出版社，1998年，页74。
[55] 马作武："中国古代'法治'质论·兼驳法治的本土资源说"，《法学评论》，1999年第1期，页47–55，转载于《复印报刊资料·法理学、法史学》，1999年第3期，页71–79，引文见于页73–74。

尤须区分当代美国学者皮文睿（Randall Peerenboom）所谓的"实质的、深度的"法治概念和"形式的、浅度的"法治概念。[56] 前者是与经济体制、政治体制和人权概念相辅相成的，比如说没有民主宪政和人权保障便不可能有法治。如果采用这种"实质的、深度的"法治观，那么很明显的是，"法家所谓的'法治'尚未得法治真谛的皮毛"。

那么，什么是"形式的、浅度的"法治概念？皮文睿指出，在这种法治观下，统治者的权力不是任意运用的、而是依照法律规定行使的，因此，这样的法治概念的对立面是人治。客观法律的存在限制了政权的恣意行使和官员的裁量权，法律的操作有一定的可预见性，因此，人民可以预见其行为的法律后果，并在此预期的基础上计划其生活。皮氏讨论到符合这种法治观的法制的各种特征，其中大部分类似于上述富勒提出的八点。此外，皮氏指出这种法治观也要求公正的程序，以保障法律的合理适用。至于这种法治观是否要求三权分立、司法审查和司法独立等制度，皮氏则认为属灰色地带。

在本文上面第二部分的基础上，我们应该可以说，法家对于法的认识大致上是符合上述这种"形式的、浅度的"法治观的。春秋战国时代是中华法系萌芽的关键时期，当时法家对于法这种

---

[56] 参见 Randall Peerenboom, "Ruling the Country in Accordance with Law: Reflections on the Rule and Rôle of Law in Contemporary China", *Cultural Dynamics*, Vol. 11, No. 3 (1999), pp. 315–351; Randall Peerenboom, "Let One Hundred Flowers Bloom, One Hundred Schools Contend: Debating Rule of Law in China", *Michigan Journal of International Law*, Vol. 23, No. 2 (2002), pp. 471–544。梁治平教授也作出"形式性的法治概念"和"实质性的法治概念"的类似区分，见梁治平："法治：社会转型时期的制度建构·对中国法律现代化运动的一个内在观察"，《当代中国研究》，2000年第2期，页18–66，特别是页22–28。

社会现象进行了深入和多方面的思考，由此而产生的对法的性质、功能、特点和逻辑的认识，是有普遍意义的、经得起时代的考验的、甚至是值得后人骄傲的。今天，当我们在中国建设现代法治时，我们不应忘记先人在中国的法治道路上曾付出的努力和心血，并能从中得到精神上的鼓励。

另一方面，我们也能从中汲取教训。正如本文第三部分所指出，虽然法家思想有本文第二部分所介绍的积极的方面，但它同时具有严重的缺陷和局限性，其中部分固然来自当时的社会和政治环境，值得谅解，但其中也有思维上和价值取向上的偏差和谬误，足以遗害千古。回顾我国的历史以至现状，我们到处都能看到法家这些负面影响的踪影，并因此看不到民主、人权和自由。今天，法治事业在我国尚未成功，同志仍须努力。

调解、诉讼与公正：
对现代自由社会和儒家传统的反思[*]

"任何社会中，对因个人争端而引起的冲突存在着不同的解决途径。诉讼仅是由避免冲突到暴力等诸多可能性的其中一种选择。解决争端方法的多样性，以及任何文化中存在的对这些方法的社会性选择，宣示出有关社会中人们的理想、对自身的认识以及人际关系的特质。它们表明，人们是希望避免冲突、抑或鼓励冲突，是压制问题或友好解决问题。在解决争端的过程中，该社会中最基本的社会价值便体现出来。"（引自杰罗德·思·奥尔巴克（Jerold S. Auerbach）：《没有法律的公正？》（*Justice Without Law?*）（纽约：牛津大学出版社，1983年），页3-4）

一、引　言

每个社会都有为解决争端而建立的各项制度，其性质、结构和运作都是对该社会的文化、哲学、世界观以及社会模式和经济政治组织的一种反映。众所周知，在中国传统社会中，人们对一般的民事纠纷采取的解决途径更多的是调解而非诉讼，调解的原

---

* 本文原发表于2000年10月16至18日在南京举行的"第三届亚洲法哲学大会"（主办单位为国际法律哲学与社会哲学协会中国分会、中国法学会法理学研究会及南京师范大学）。本文原文为英文，由南京师范大学外语学院的胡牧先生翻译成中文，作者谨此向胡先生表示最大的谢意。本文中文文本定稿前已经作者校对。

理及实践深受儒家思想的影响,调解制度迎合了传统社会的需要。这种社会以小农经济、以宗法家族为基础的社会结构、松散的中央皇权统治模式以及强调社会稳定而经济发展为特征。[1]

现代带来了市场、资本主义、个人主义、物质主义、消费主义、民主、自由、人权以及法治。为满足现代性的需要,中国以至其他国家的传统社会的法制经历了快速的现代化和西化。[2]在20世纪的最后10年里,中国正式接受了市场机制,[3]并在1999年的宪法修正案中,阐明了建立社会主义法治国家的意愿。[4]中国正致力于加强司法建设和培养更多高素质的法官与律师。愈来愈多的人利用诉讼作为解决纠纷的途径。随着现代化的进展,调解的传统实践与思想是否正逐渐变得过时?在现代和后现代的条件下,儒家的传统智慧是否正逐步失去其现实意义?这些问题值得我们深思。

有趣的是,当代西方社会在对解决纠纷途径的研究中,对调解与诉讼作为解决途径的相对优劣都有许多探讨。过去20年中,

---

[1] 参见刘敏:"论传统解制度及其创造性转化:一种法文化学分析",《社会科学研究》,1999年第3期,页53。

[2] 关于发展中的中国法制可参见拙作 Albert H. Y. Chen, *An Introduction to the Legal System of the People's Republic of China* (Singapore: Butterworths Asia, rev. ed. 1998)。关于现代与以权利为基础的法律的关系,可参见拙作"权利的兴起:对几种文明的比较研究",载于拙作《法治、启蒙与现代的精神》(北京:中国政法大学出版社,1998年),页118。

[3] 关于法律与市场经济的关系,可参见拙作 Albert H. Y. Chen, "The Developing Theory of Law and Market Economy in Contemporary China," in Wang Guiguo and Wei Zhenying (eds), *Legal Development in China: Market Economy and Law* (Hong Kong: Sweet and Maxwell, 1996),页3。

[4] 参见拙作 Albert H. Y. Chen, "Toward a Legal Enlightenment: Discussions in Contemporary China on the Rule of Law," *UCLA Pacific Basic Law Journal*, Vol. 17 (1999),页125。

西方的一些主要法律体系，尤其是美国、加拿大、澳大利亚、英国等，已把调解视为"解决纠纷的另类选择"（alternative dispute resolution，简称"ADR"）之一。[5]与诉讼相比，作为解决纠纷途径之一的调解更为省钱、省时，它还能保持当事人之间的关系，甚至达致双方的和解。

然而，调解在西方也受到不少批评，指出它不能实现当事人的权利，或在调解的过程中导致这些权利的不公平地被妥协。有人认为，与诉讼相比，调解是实现公正的较逊色的途径，与法治目标、权利保护原则以及为建立更好的社会而需要的法制建设是相矛盾的。

本文旨在对这些问题展开探讨。首先，我们对中国传统的解决纠纷方法，尤其是儒家方法进行阐述（本文第二部分）。然后，我们在现代自由主义法律思想与实践的睿见和成就的基础上，对中国调解传统加以批判分析（第三部分）。最后指出，我们考虑现代自由主义法治观的不足之处以及调解传统的持久力（第四部分），并尝试将儒家思想的最合理成分与现代思想作有机的结合（第四、五部分）。我希望说明，正如有些学者呼吁在中国现代化过程中，中国传统文化需要"创造性转化"一样，作为一种解决纠纷的传统制度，儒家式调解能够也应该经历一种创造性转化。[6]这样，它不仅能适应和生存于现代和后现代世界，而且能对现代性作出积极贡献，并能纠正其弊端。

---

[5] 参见 Michael Palmer and Simon Roberts, *Dispute Processes*: *ADR and the Primary Forms of Decision Making* (London: Butterworths, 1998)。
[6] 这方面的主要学者有林毓生与余英时，见林毓生：《思想与人物》（台北：联经，1983）；林毓生：《政治秩序与多元社会》（台北：联经，1989），页387–394，余英时："从价值系统看中国文化的现代意义"（台北：时报，1983）。

二、调解的儒家传统

《论语》中，子曰："听讼，吾犹人也。必也使无讼乎。"(Ⅻ.13（颜渊篇）)[7]这是孔子自己的清晰、确切的陈述，奠定了儒家关于诉讼的思想。类似观点在《周易》"讼卦第六"中可以看出："讼：有孚窒惕，中吉，终凶。"[8]

诉讼被视为一种消极的社会现象，因为它偏离、扰乱了和谐的社会关系。而建构和谐的社会秩序则是儒家思想的最高目标之一，也即"人同"："人道之行也，天下为公，选贤与能，讲信修睦，故人不独亲其亲，不独子其子……是故谋闭而不兴，盗窃乱贼而不作，故外户而不闭，是谓大同。"[9]

在儒家看来，和谐是一种至上的理想，而"礼"则提供了实现这一理想的途径。据《论语》：有子曰："礼之用，和为贵。先王之道，斯为美；小大由之。有所不行，知和而和，不以礼节之，亦不可行也。"(Ⅰ.12（学而篇）)

和谐指宇宙之中的和谐、人与自然之间人的和谐以及人与人之间的和谐，其实儒家、道家、法家都有这一共同目标，尽管他们对实现这一目标的方法有着不同的主张。[10]追求和谐是中国传统哲学观的特质之一，这在中国山水画中也有所反映。关于解决社会纠纷的中国传统看法与这种和谐观有着千丝万缕的联系。

---

[7] 参见《论语》（香港：香港中文大学出版社，第二版，1992）（汉英对照，D. C. Lau 译）。

[8] 《周易》（长沙：湖南出版社，1993年）（汉英对照中国古典名著丛书）（理雅各布译）。

[9] 《礼记.礼运》。

[10] 参见张中秋：《中西法律文化比较研究》（南京：南京大学出版社，1991年），第8章；梁治平：《寻求自然秩序中的和谐》（北京：中国政法大学出版社，1997年），第8章。

除了追求和谐的哲学观之外，在中国传统社会，诉讼被鄙视的另一个原因则是，进行民事诉讼是一种追求个人的物质利益的行为，这与儒家提倡的追求道德的自律、个人修养和人格的成长是互相矛盾的。正如其他伟大的宗教传统一样，儒教把克己、内心世界和美德放在首位，自然欲望与自私自利都置于更高的道德要求之下。子曰："克己复礼为仁。"（《论语》XII. 1（颜渊篇））"仁"是最大的美德，要实现它，人们应该"克己"。这就有必要区别"义"与"利"。子曰："君子喻于义，小人喻于利。"（《论语》IV. 16（里仁篇））在纠纷与诉讼中，当事人的动机基于"利"或物质利益（通常是金钱、土地或其他财产利益）、而非"义"。在儒家看来，道德伦理要求人们与周围的人和睦共处。在与他人发生冲突时，正确的态度是自省（看看自己有什么过失、自己应负什么责任）、自我批评、谦让或向他人让步、迁就或妥协，而不应坚持自身利益、主张自身的"权利"，将对方诉诸法庭。因此，打官司可被视为一种极端的行为，与孔子提倡的"中庸"背道而驰。[11] 子曰："中庸之为德也，其至矣乎！民鲜久矣。"（《论语》VI. 29（雍也篇））因此，儒家士大夫的责任就是教导人们美德与道德规范，从而使其懂得什么是值得效仿以及什么是羞耻的行为。子曰："道之以政，齐之以刑，民免而无耻；道之以德，齐之以礼，有耻且格。"（《论语》II. 3（为政篇））

---

[11] 儒家反对诉讼的程度仍需商榷，例如，上述注 7 中的引文可理解为，在其他解决纠纷的方法都失败后，将诉讼作为最后采用的途径是合理的。参见 Joseph Chan, "A Confucian Perspective on Human Rights for Contemporary China," in Joanne R. Bauer and Daniel A. Bell (eds), *The East Asian Challenge for Human Rights* (Cambridge: Cambridge University Press, 1999), 页 212, 特别是页 226－227。在这里，作者陈祖为引用到《论语·宪问篇》的以下一段：或曰："'以德报怨'，何如？"子曰："何以报德？'以直报怨，以德报德。'"

在中国历史上,诉讼的增加通常被视为道德衰败的标志。而诉讼率低则是良好的政绩的佐证,反映出官员("父母官")(在教导人们遵"礼"方面取得了成功。如果在地方官员的司法管辖区内出现少诉讼甚至无讼的情况,他们就会得到上司的赞赏,因为这表明那里的人们和睦相处。反之,高的诉讼率则反映出有关地方官员在礼教工作上的失败,他们就应主动自责,为什么自己没能保证庶民遵守儒家提倡的"克己"与"礼让"等规范呢?[12]

因此,儒家的理想就是实现"无讼"的社会。[13]然而,实践中,大多数人并不都是圣人,因此纠纷仍然不断,问题在于如何解决纠纷。一种可能性就是组建法庭,在那里争端可以诉讼并由法官给予裁决。在英国普通法传统中,这便是主要途径。事实上,在11世纪诺曼征服之后,就有一个司法权逐步中央集权化的历史进程,国王促使自己建立的法庭成了受民众欢迎的主持正义的渠道,因此,原由地方当局处理的案件逐步被皇家法院吸收。[14]

中国传统上对如何解决纠纷却有不同的方法。占主导地位的儒家思想要求官员们不要轻易就纠纷进行审判并颁布对当事人具

---

[12] 参见张晋藩:《中国法律的传统与近代转型》(北京:法律出版社,1997年),页 277–302;范忠信、郑定、詹学农:《情理法与中国人》(北京:中国人民大学出版社,1992年),页 180–182。

[13] 参见张晋藩(同上注12),页 277–283;范忠信(同上注12),页 157–167;张中秋(同上注10),页 322–339;梁治平(同上注10),第8章。有关儒家是否承认诉讼在理想社会中仍将存在,是一个值得进一步研究的问题。例如,孟子便曾对齐宣王说:"今王发政施仁,使天下仕者皆欲立于王之朝,耕者皆欲耕于王之野,商贾皆欲藏于王之市,行旅皆欲出于王之涂,天下之欲疾其君者皆欲赴诉于王。"(《孟子 梁惠王章句上》,第七章)。

[14] 参见 Derek Roebuck, *The Background of the Common Law* (Hong Kong: Oxford University Press, 1988), 第5章。

有约束力的判决，而须就纠纷进行调解，以寻求双方当事人都乐意自愿接受的解决方案。这就是说，用劝说、教育的方法使当事人对自己原来的主张予以反思，以帮助他们在庭外和解，并因此放弃诉讼。这种方法就是中国人说的"劝讼"与"息讼"，其最终目的是使当事人相互和解，因而个间的和睦以及社会的团结得以恢复至冲突发生以前的情况。

耶稣说："缔造和平的人是有福的。"（《马太福音》5：9）中国史书中不断赞扬那些替纠纷的当事人做"和事佬"的官员，这包括华夏文明初期的神话人物以至清朝的士大夫：[15]

（1）舜是古代圣王之一。在登基之前，他是一名官员。历山地区的农民经常为田地边界争吵，雷泽地区的渔民又有纷争。舜就去这两地与那里的人共同生活，与他们谈心，教育、开导他们。一年后，情况完全不同了，这两地的居民都彼此友好，乐于忍让。当时居王位的尧很欣赏舜的这些政绩，最后决定把王位禅让给舜。[16]

（2）周文王是周朝的贤君。他的治理非常出色，使老姓能就田地边界相互忍让，人们彼此尊重，敬老爱幼，有争端的诸侯都到文王那里寻求公断。一次，争端双方到达周国境内之后，被当地百姓间的和睦相让所感动，遂感到羞愧不已，明白到周人会把他们因小事而起纷争视为一种耻辱。因此，他们决定立刻离开，

---

[15] 除前两例可能是神话外，其他的可能是真实的事迹。这些故事多数由历史学家记载，当然也不能否认其说教作用。
[16] 原载于《史记·五帝本纪》；参见张晋藩（同上注12），页277-8；范忠信等（同上注12），页163-4；瞿同祖：《中国法律与中国社会》（香港：龙门书店，1967年），页230。

并且彼此和好起来。[17]

(3) 孔子在鲁国当大司寇时就善于劝讼，使人们彼此相让。[18] 一次，一位父亲状告他的儿子（也许告他不孝）。孔子让人把他们拘留在一起，三个月后，做父亲的要求撤诉。父子互相拥抱而大哭，发誓再不兴讼。显然，拘留的目的是使双方就此事冷静下来并进行反省。孔子自己也对自己没能教育好人们而导致这宗诉讼而进行反省。[19]

(4) 韩延寿，西汉时的官员，以德为治，使自己辖区内的诉讼案件大大减少。一次，他碰到兄弟俩为争田地而打官司。韩为此伤心不已，责备自己没能教育好人们，他便称病不办公，闭门思过。当地官员、士绅和诉讼当事人的宗族成员都深为感动，也纷纷责备自己。最后，兄弟俩都后悔自己的做法，他们自行和解，并决心再不争吵。韩氏这才从"病"中康复过来，并为兄弟俩设宴以祝其和解。[20]

(5) 鲁恭是东汉的官员，他以道德而非刑罚来管治。在一个他前几任官员都没能解决的土地案件中，鲁与双方当事人交谈，向他们解释有关问题的是非曲直。之后，双方撤诉，承认自己的错误，彼此让步。另一案中，一个人借了人家的牛而不愿归还。

---

[17] 原载于《史记·周本纪》：参见范忠信等（同上注12），页164；张晋藩（同上注12），页278。

[18] 原载于《孔子家语·相鲁》：参见范忠信等（同上注12），页181。

[19] 原载于《荀子·宥坐》：参见范忠信等（同上注12），页186；瞿同祖（同上注16），页230—1。

[20] 原载于《汉书·韩延寿传》：参见范忠信等（同上注12），页181、187；梁治平（同上注10），页208；张晋藩（同上注12），页279；马作武："古代息讼之术探讨"，《武汉大学学报：哲社版》，1998年第2期，页47，重载于《法理学、法史学》（中国人民大学书报资料中心），1998年第5期，页46、49；瞿同祖（同上注16），页231—2。

主人上告，鲁令其归还，但这人仍不从令。鲁叹息道："是教化不行也。"并准备辞职。人们哭着挽留他，借牛的人懊悔不已，将牛还给原主。[21]

（6）吴佑是东汉的地方官，无论何时，只要有人打官司，他总是先闭门思过，反省自己在教育人民方面的失误之处。然后，他用通俗易懂的方式就有关的道德准则来教育双方（"以道譬之"），或亲自登门劝说双方和解。在他的治理下，诉讼减少，因为官民互爱，不欺不诈。[22]

（7）仇览是东汉时的乡间小官。有一个叫陈元的人和母亲一起生活，母亲告陈元不孝，仇氏很伤心，认为主要问题在于双方没有受到足够的教化。他向这位母亲指出，作为一名寡妇，把孩子养大成人很不容易，为什么在盛怒之下告儿子这样严重的罪行呢？这位母亲深受感动，哭着离开了。其后仇氏到他们家中与母子同饮，教育他们家庭伦理道德，儿子后悔不已，后来成了一名大孝子。[23]

（8）韦景骏是唐代的县官，也曾处理过一宗母子诉讼案件。韦氏告诉他们，"吾少孤，每见人养亲，自恨终无天分。汝幸在温情之地，何得如此？"他又责备自己，认为这一案件表明自己作为县官的失败。双方当事人感动地哭了，韦氏送他们一本《孝

---

[21] 原载于《后汉书·鲁恭传》：参见梁治平（同上注10），页208－9；张晋藩（同上注12），页279；范忠信等（同上注12），页181，页187－8；马作武（同上注20），页49；瞿同祖（同上注16），页232。

[22] 原载于《后汉书·吴佑传》：参见范忠信等（同上注12）页181、187；张晋藩（同上注12），页279；倪正茂等：《中华法苑四千年》（北京：群众出版社，1987年），页414－5；瞿同祖（同上注16），页231。

[23] 原载于《后汉书·仇览传》：参见范忠信等（同上注12），页186－7；马作武（同上注20），页48－9；瞿同祖（同上注16），页231。

调解、诉讼与公正：对现代自由社会和儒家传统的反思　*187*

经》回家研读。母子两人心中懊悔，终于成了慈母孝子。[24]

(9) 无独有偶，唐代县官况逵曾经处理一件兄弟争田案，他送给他们《诗经》中的"伐木"诗，并亲为他们朗诵和讲解了这首诗的教育意义。兄弟俩为之哭泣，双方和好如初，并意识到这种争执是耻辱的事。[25]

(10) 宋代名儒陆九渊做官时，总是鼓励诉讼双方和解，涉及家庭成员之间的纠纷时，就用儒家道理教育他们。许多案件中，当事人都感动地撕掉状纸，相互谅解。[26]

(11) 陆陇是清代的知县。一次，两兄弟为争夺财产，告到他那里，他没有裁定财产权谁属，"但令兄弟互呼"弟弟必须喊哥哥，哥哥必须喊弟弟。不到五十遍时，兄弟两人便哭着请求撤诉了。在判词中，陆写道："夫同气同声，莫如兄弟，而乃竟以身外之财产，伤骨肉之至情，其愚真不可及也。"他命令所财产由兄长掌管，弟弟应协助兄长。[27]

(12) 蒯子范，清时知州，碰到这样一宗官司，一人状告他的婶母在他拒绝借钱给她后打他。他身上的伤很轻，蒯子范对控诉者说："你穷，但你婶母仍跟你借钱，这说明她更穷。如果你打官司，不仅她会受损失，而且你也得呆在城里，打官司需要各种费用，你的田地又会荒芜。为发怒气而影响两家人的生计，何苦呢？"然后他把自己的一些钱给了这个人，控诉者感动地哭了，

---

[24] 原载于《旧唐书·韦景骏传》；参见梁治平（同上注 10），页 207；瞿同祖（同上注 16），页 231。

[25] 参见梁治平（同上注 10），页 207；范忠信等（同上注 12），页 187。

[26] 原载于《宋史·陆九渊传》；参见范忠信等（同上注 12），页 194；倪正茂等（同上注 22），页 415。

[27] 原载于《陆稼书判牍》；参见张晋藩（同上注 12），页 280－281；范忠信等（同上注 12），页 188、190。

撤了诉讼。[28]

上述故事因其教育意义以及有关官员的言行值得赞扬和效仿而被载入史册。从这些故事中，我们可以看到儒家的理想。同样，在儒家学者的著作中，也可看出他们追求的理想：他们劝说人们互相迁就，和睦相处，避免官司。例如，朱熹就曾撰文劝人们彼此友好，如果有小的委屈，应进行深刻反思，尽量达成妥协和解，而不应轻易诉讼。他说，尽管你是正确的，但诉讼费用很高而且要消耗你的精力，而一旦你输掉官司，就可能受到惩罚。[29]朱还指出，尽管许多官司仅涉及财产、土地的小争端，但会导致人们之间的怨恨，扰乱道德秩序。[30]

宋代著名诗人陆游曾为其子孙留下告诫："纷然争讼，实为门户之羞。"[31]明代大哲王守仁主张在居民中订立乡约，他编纂了"十家牌法"。其中一项内容是，"每日各家照牌互相劝谕，务令讲信修睦，息讼罢争，日渐开导，如此则小民益知争斗之非，而词讼亦可简矣"。王氏教导人们，"心要平恕，毋得轻意忿争；事要含忍，毋得辄兴词讼；见善互相劝勉，有恶互相惩戒；务兴礼让之风，以成敦厚之俗。"他建议，"十家之内有争讼等事，同

---

[28] 原载于蒯德模编：《吴中判牍》：参见范忠信等（同上注12），页194；倪正茂等（同上注22），页415-6。
[29] 原载于《朱文公文集》卷一百：参见梁治平（同上注10），页205。
[30] 参见梁治平（同上注10），页208。
[31] 原载于《陆游诸训》：参见范忠信等（同上注12），页172；李文海、越晓华："'压讼'心理的历史根源"，《光明日报》，1998年3月6日第7版，重载于《法理学·法史学》，1998年第4期，页45。

甲（之人）实时劝解和释"，只有调解无效时方可诉诸官府。[32]

海瑞，明代清官，以其忠诚、正直与秉公执法而著称。然而，他也赞成儒家视诉讼为不良社会现象的观点。他写道："淳安县词讼繁多，大抵皆因风俗日薄，人心不古，惟已是利，见利则竞。以行诈得利者为豪雄，而不知欺心之害；以健讼得胜者为壮士，而不顾终讼之凶。而又伦理不惇，弟不逊兄，侄不逊叔，小有蒂芥，不相能事，则执为终身之憾，而媒孽评告不止。不知讲信修睦，不能推己及人，此讼之所以日繁而莫可止也。"对于这种情况，他叹息说："今时风俗健讼，若圣贤当于其间，当必有止讼之方，而不徒听讼之为尚也。"[33]

海瑞一方面是一名成功的法官，另一方面却对诉讼持保守观点，这可以证明黄宗智教授所说的儒家官员奉行"实用道德主义"：

> 之所以谓之"道德主义"，是因为它强调了崇高道德理想的至高无上地位。但它又是"实用"的，因为在处理州县实际问题时，又采取了实用主义的做法，……在儒家县官的文化中，德化的外观与实际的考量，两者是矛盾而又合一的。……尽管在州县道德文化中，细事官司根本不应该存在，州县实用文化却承认这类讼案的存在现实，并要求依照法律作

---

[32] 原载于《阳明全书》，卷十六及十七；参见梁治平（同上注10），页205-6；范忠信等（同上注12），页182。关于这类乡约，可参见 Wm. Theodore de Bary, *Asian Values and Human Rights: A Confucian Communitarian Perspective* (Cambridge, Mass.: Harvard University Press, 1998)，第5章。

[33] 原载于《海瑞集》；参见梁治平（同上注10），页203；马作武（同上注20），页46；张中秋（同上注10），页337-8。

出明确判决。[34]

儒家地方官员普遍赞成，有关民间纠纷（即清代法律中的"户婚田土细事"）[35]应尽量通过调解来处理：最好先由邻居、亲属、长辈或士绅进行社区层次的调解，如果这种调解失败，可由地方官员亲自调解。只有在这两种调解都未能劝说当事人和解并放弃诉讼的情况下，才由地方官员依法判决。关于调解和判决的区别，清代名幕汪辉祖写道：

> 勤于听断，善已。然有不必过分皂白，可归和睦者，则莫如亲友之调处。盖听断以法，而调处以情。法则泾渭不可不分，情则是非不妨稍措。理直者既通亲友之情，义曲者可免公庭法。……调人之所以设于周官也。[36]

关于清代的民间调解制度的研究已经不少。[37]在以下条件下，这种制度可算是对解决争端的相当有效的办法：诉讼对当事

---

[34] 黄宗智：《民事审判与民间调解：清代的表达与实践》（北京：中国社会科学出版社，1998年），页196、199。至于清代地方官员是否"依法判决"还是按每件案件的特殊情况酌情处理，日本学者滋贺秀三与黄宗智持截然不同的观点：参见梁治平：《清代习惯法：社会与国家》（北京：中国政法大学出版社，1996年），页18。

[35] 可与"重案"（主要是危及国家的刑事案件）相对照：见黄宗智（同上注34），页1、6；张晋藩（同上注12），页286。

[36] 原载于汪辉祖：《学治臆说》：参见黄宗智（同上注34），页196；张晋藩（同上注12），页286；范忠信等（同上注12），页195。

[37] 参见黄宗智（同上注34）；S. van der Sprenkel, *Legal Institutions in Manchu China* (London: Athlone Press, 1977); J. A. Cohen, "Chinese Mediation on the Eve of Modernization," *California Law Review*, Vol. 54 (1996), 页1201。

人来说诸多不便;[38]民间文化和政府均不鼓励人们打官司;更务实的考虑是,由于传统社会是一种"熟人社会",[39]人们有需要与亲戚和邻居保持融洽关系。以调解解决争端可为双方当事人"挽回面子",即使对有错的一方也如此。[40]事实上,事后有过错的一方可能需要设宴款待调解人及其他有关人士,或者花钱为全村人提供某种娱乐活动:这样大家共同参与娱乐活动便象征着和解已经达成,当事人重回社会之中。[41]但是,在许多情况下,调解协议提供的是折衷的解决办法而不是表明谁是谁非。[42]对全村人而言,调解是一种"学习经验",[43]最终使他们重新肯定其共有的道德价值,并增强了社区成员的集体凝聚力。[44]

下面的案件提供了清代民间调解的作用的例子。一名寡妇状告故夫的堂兄,说他霸占了她的土地。为了阻止诉讼发展,避免家族名声受损,六位亲友参与调解纠纷。他们邀请当事人双方见面(因被告人年事已高,遂由儿子代表出席)并查看地契,结果发现尽管寡妇的故夫曾经拥有这块土地,但后来他把地典给了被告人,在死前仍未能赎回。寡妇明白到自己没有法律依据,但调解人出于对她和她的孩子的同情,就劝被告人的儿子帮助她,他

---

[38] 学者们指出,诉诸法庭的人一般都遇到很多不愉快的经验和肉体上的、心理上的以至经济上的风险:见 Cohen(同上注37),页1212-15;范忠信等(同上注12),页177;李文海等(同上注31),第46页。黄宗智则认为,"清代的法庭对于民事纠纷事实上相当开放,人们因此频繁地求助于它来解决争端":见黄宗智(同上注34),页14。
[39] 参见费孝通:《乡土中国》(香港:三联书店,1991年),页5-11。
[40] 黄宗智(同上注34),页65-6。
[41] Sprenkel(同上注37),页100、115;Cohen(同上注37),页1219。
[42] 黄宗智(同上注34),页13、68、71;Sprenkel(同上注37),页114。
[43] 费孝通(同上注39),页61。
[44] Cohen(同上注37),页1224。

终于同意将土地无偿让与寡妇。有关契据在亲友们面前签字，双方和解。于是调解人一起向知县申请终止诉讼，知县应允。[45]

三、对儒家调解的自由主义批判

在近代西方逐步形成的自由主义民主社会，崇尚自由、个人自治、平等人权与法治。传统遭受了猛烈的批判，传统中很多构成部分被视为压迫性的、剥削性的、桎梏个性的，或用以维持不合理的、充满特权和宰制性的社会等级制度。从现代自由主义的角度去看，儒家调解的理论与实践很可能属于这种令人置疑的传统，因而是现代文明所应摒弃的。下面是这种批判观点的综述。

（1）首先，应当指出的是，由于争执者在权力、财富、地位、知识与影响力等方面的不平等，所以调解常常会造成不公正的结果。关于这一点，对中国调解传统进行客观研究的学者已经有所论述。例如，黄宗智指出，调解"是在一个权力关系中运作的"：[46]

> 当纠纷双方的权力地位大致相当时，调解妥协最为有效；但是对于恃强凌弱，它就显得无能为力。在这种情况下强调妥协事实上可能就是为邪恶势力开脱。[47]

他以婆媳之间最易产生冲突的关系为例，说明媳妇根本就没有通

---

[45] 此案件记载于清代顺天府宝坻县刑房档案中，现存于中国第一历史档案馆；参见倪正茂等（同上注22），页414；范忠信等（同上注12），页192－3；张晋藩（同上注12），页290。

[46] 黄宗智（同上注34），页70；参见郑秦：《清代司法审判制度研究》（长沙：湖南教育出版社，1988年），页224。

[47] 黄宗智（同上注34），页68。

过调解向婆婆争取权益的机会,事实上这种矛盾总是被压制的。[48]

为什么调解总被权力关系破坏?这有几方面的原因。首先,和解协议是调解过程的产物,而象一般谈判过程的最终结果一样,和解协议的内容往往取决于讨价还价双方的权力的大小,弱方可能环境所迫而同意对方提出的解决办法(调解中的"强制"问题将在下文探讨)。其次,与现代诉讼不同,传统调解中缺乏公正程序的保障,并不存在制度性的制约,防止调解者对社会地位低下的一方或弱方怀有偏见。再者,传统调解制度的基础是礼,而礼的规范就不同的社会地位和关系作出了区别性的规定,这与现代自由主义的"法律面前人人平等"的概念是相矛盾的。

因此,自由主义者会认为现代法治比传统的儒家式的调解能更有效地实施公义。任何其权利受到非法侵害的人都可以诉诸法庭,由法官运用维护人权与社会公正的法律作出不偏不倚、忠实可信的判决。社会中的有权势者也要服从于法律,如果违法,司法独立能保证法院给其法律制裁。而无论他们喜欢与否,他们将受法院判决的拘束。

(2)有关调解的另一个相关的批判是,在实践中调解常采用强制方式,这违背了当事人应自愿达成协定的理想。官员掌有国家权力,享有较高的权威、名望,当他们主持调解、提出争议的解决办法时,当事人很难拒绝接受。在家族和社区层次的民间调解中,同样如此。调解者通常是受人尊敬的长辈,他们的观点总会得到社区民意的支持。因此,当事人是在某种压力下接受调解者提出的解决办法的。[49] 在 der Sprenkel 关于清代法制的著作

---

[48] 黄宗智(同上注34),页72–5。
[49] 费孝通(同上注39),页61–2。

中,她指出,调解与裁决的界线是不甚清晰的,在某些情况下,调解者的权威与民意和社会压力相结合,他们实际上扮演着公共裁决者的角色:

> 调解者的干预方式有多种,一个极端是纯粹的私人调解,另一个极端是公共裁决,而当民意更为有力地牵涉进去时,一种方式就在不易察觉中融入到另一种之中。……从理论上讲,一旦私人间的讨价还价让位于对群体的正式权威的接受,那么我们面对的就是法律了……但是,由于这个进展所反映的是一个连续体,在连续体中的位置取决于支持那个处理纠纷的权威人士的民意力量有多大,因而很难划出明显的界线,说明法律在哪点开始产生作用。[50]

(3) 如上所述,儒家对社会中纠纷的看法是:纠纷现象不是一件好事,它是士大夫对人们的教化工作的失败的标志,纠纷的当事人应被教育和劝说以重修旧好。这就预先假定了一个家长式统治的国家概念,因而可受到自由主义的角度的批判。从这个角度看,官员的道德地位不比普通人民更高,国家的政府不应宣扬什么是美善的生活,其事务应限于维持社会治安和在中立的法治基础之上进行司法工作。因此,官员无权告诉人民与他人争吵或彼此怨恨是不对的。法官的作用在于运用人民自己选举的立法机关所制订的法律于纠纷所涉及的事实之中,从而作出裁决,判定谁是谁非,而不是教育人们保持和睦关系,互敬互爱。

(4) 在中国传统中,当官员或长老主持调解时,他们所扮演的角色是作为社会认可的价值观念的代言人,意在唤醒当事人在

---

[50] Sprenkel(同上注37),页117-8。

这种价值观念影响下的良知。因此，调解便是一种说教过程，也正因如此，人类学家认为，在原始的、部落的、乡村的或其他小型群体内，调解有助于维持社会的凝聚力与稳定性。[51]由于调解预设着大家深为认同的统一适用规范和紧密整合的社区的存在，它似乎与现代社会开放、多元的性质相矛盾，因为在这样的现代社会中，个人比社群更为重要。

（5）对调解的常见的、基于常识而非自由主义哲学的批评是，调解往往不外是对纠纷的"和稀泥"的处理，[52]使当事人为和睦而妥协，不考虑事情的对错以及公义何在。这样便是牺牲公正去换得和谐，真正受委屈的一方在调解后所得的比其应得的要少，其正当的和合法的权益为社会秩序与稳定而牺牲，个人利益与集体利益之间的平衡错误地倾斜于后者。从这个角度看，法庭在诉讼程序中依法审判是实现公义的更佳途径，可使每个人得到其应有权益。

（6）也许有人会更进一步问道，传统的中国人（尤其是儒家）把和谐与秩序看得这样重要，这是否正确呢？另外，他们瞧

---

[51] 参见 Richard L. Abel, "A comparative theory of dispute institutions in society," *Law and Society Review*, winter 1973, 页 217–347; Hilary Astor and Christine M. Chinkin, *Dispute Resolution in Australia* (Sydney: Butterworths, 1992), 页 20–21; Richard L. Abel (ed.), *The Politics of Informed Justice*, Vol. 2 (*Comparative Studies*) (New York: Academic Press, 1982).

[52] Stanley B. Lubman, "Dispute resolution in China after Deng Xiaoping: 'Mao and mediation' revisited," *Columbia Journal of Asian Law*, Vol. 11, No. 2 (fall 1997), 页 229–391, 页 291、337。并参见 Michael Palmer, "The revival of mediation in the People's Republic of China: (1) Extra–judicial mediation," 载于 W. E. Butler (ed), *Yearbook on Socialist Legal Systems* 1987 (Dobbs Ferry, N. Y.: Transnational Publishers, 1988), 页 219–277, 页 238: "为了平息纠纷，有时可能要牺牲一些重要的原则。"

不起诉讼,认为诉讼是缺少道德教养、无耻地追求自私的物质利益的表现,这又是否正确呢?这种理解可与古代希腊和罗马的诉讼、公正与法律观相比较。[53] 在这个古典西方文明的时代,通过诉讼来维护个人利益,在道德与法律上都被承认是正当的。当个人权益受到非法剥夺时,主张自己的权益是无可厚非的。法庭的任务就是依法主持正义,公平地解决纠纷;法律的任务则是对一个人可以主张的正当权益给予界定,从而确保这些权益受到适当的保护。因此,罗马的民法便发展到高的水平,并为现代法治的理论与实践开辟了道路。西方传统对人类共处过程中不可避免地出现的利益冲突的认识较传统中国的认识要现实得多,中国的传统的看法可因其泛道德主义而受到批判。

(7)传统中国社会中,调解的话语与实践的主导地位,一定程度阻碍了中国法律尤其是中国民法的发展,在立法与判例法方面都是如此。[54] 众所周知,中国历代王朝的法典中,提供的主要是刑法及行政法性质的规范,与西方法律传统相比,诸如关于财产权与合同关系的民法规范则欠发达。这又意味着传统中国法律体系未有为经济活动者提供足够的预见性与"可计算性",也就是马克斯·韦伯认为的现代"理性型"法制应该具备的特征以及资本主义经济发展的必要的条件。[55]

(8)最后一点是,传统的调解制度受到了我国一些著名法制史学家们的批判,认为它是一种保守力量,为了维持原有的社

---

[53] 参见张中秋(同上注10),第8章。
[54] 参见张中秋(同上注10),页344;Cohen(同上注37),页1224。
[55] 参见拙作"理性法、经济发展与中国之实例",载于《法治、启蒙与现代法的精神》(同上注2),页193。

秩序而牺牲了自由、探索和进步。[56]另一方面，现代自由主义者认为，诉讼可以对社会改革作出贡献。通过诉讼，一些现存的不公正的或压制性的社会制度将受到挑战，而法官有权力和责任将法律或宪法的诺言或理想转化为现实。[57]基于事实与理性思辨的法庭判决是人类理性发挥作用的最佳例子之一。[58]法庭判决不仅仅是对案件中的纠纷的解决，它们还体现出应予维护的社会公共价值，同时为人民的行为提供指引。[59]

四、现代社会中的调解

尽管有诸如上节中对调解的批判，但作为解决纠纷的一种方法，调解的理论与实践事实上并没有被现代社会所摒弃。相反，它还获得了新的生命力。在中国，清朝灭亡之后至中华人民共和国建立之前，国民党政府与共产党政府都曾在自己的辖区内建立

---

[56] 参见张晋藩（同上注12），页300；张中秋（同上注10），页339-341；郑秦（同上注46），页225。

[57] 参见 Owen M. Fiss, "Against settlement," *Yale Law Journal*, Vol. 93 (1984), 页1073; Owen M. Fiss, "Out of Eden," *Yale Law Journal*, Vol. 94 (1985), 页1669。

[58] 参见 Owen M. Fiss, "The social and political foundations of adjudication," *Law and Human Behaviour*, Vol. 6, No. 2 (1982), 页121; Lon L. Fuller, "The forms and limits of adjudication," *Harvard Law Review*, Vol. 92 (1978), 页353, 重载于 Lon L. Fuller, *The Principles of Social Order* (Durham: Duke University Press, 1981), 页86。

[59] 参见 Edward Brunet, "Questioning the quality of alternate dispute resolution," *Tulane Law Review*, Vol. 62, No. 1 (1987), 页1、16; Marc Galanter, "The day after the litigation explosion," *Maryland Law Review*, Vol. 46 (1986), 页3、页32-7。

了调解制度。[60] 现在的大陆与台湾，调解依然健在，[61] 虽然其理论和实践与传统的已有所不同。其实调解作为中国传统的一部分，在现代社会中已成功地经历了一次"创造性转化"。

在西方，尤其是英美法系国家，在 20 世纪 70 年代到 80 年代，掀起了一场提倡"解决纠纷的另类选择"（Alternative Dispute Resolution，简称 ADR）的运动，其影响力持续至今。[62] 调解被公认和推广为 ADR 的最重要的途径之一，也有不少西方学者对调解进行了跨文化的研究，包括对中国的调解制度的专门性研究。[63] 许多律师已把业务扩展到调解的领域，此外，提供专业性或自愿性的调解服务的机构如雨后春笋。

根据上节的讨论，尤其是在启蒙时代之后，诉讼和依法裁决与调解相比，诉讼和依法裁决似乎是实现公义的更佳途径。那么，诉讼和依裁决有什么局限性呢？是什么力量使得调解不仅能经得起中国现代化的考验，而且能够在西方社会中占有愈加重要的地位呢？在这方面，有关调解的儒家思想及其实践仍有价值吗？

---

[60] 参见 Palmer（同上注 52）；Stanley Lubman, "Mao and mediation: Politics and dispute resolution in Communist China," *California Law Review*, Vol. 55 (1967), 页 1284。

[61] 关于中国大陆的情况，见 Palmer（同上注 52）；Lubman（同上注 52）。关于台湾地区的情况，见林端："华人的法律意识：以台湾'调解制度'的现代意义为例"，第四届华人心理与行为科际学术研讨会论文（台湾大学心理学系及研究院民族学研究所筹办，1997 年 5 月 29－31 日）；郑正忠：《海峡两岸诉讼法制之理论与实务》（台北：台湾商务印书馆，2000 年），第 10 章（对中国大陆与台湾地区的调解制度进行比较）。在香港地区，调解作为法制的有机组成部分没有像大陆与台湾那样发达（例如，在社区里基本上没有解决纠纷的调解委员会），但在某些特殊领域调解已被使用或获法律认可（如家庭纠纷、雇佣纠纷以及性别歧视的投诉）。

[62] 参见 Palmer and Roberts（同注上 5）。

[63] 参见 Abel（同上注 51）以及注 61 引用的文献。

让我们先看美国 ADR 首倡者的两段重要论述。1982 年，在其关于美国司法机关现状的报告中，首席大法官 Warren Burger 呼吁法律界实现其"作为人冲突的治疗者的历史上的、传统的责任"，并力促美国律师协会把 ADR 予以推广。[64] 1983 年，哈佛大学校长 Derek Bok 教授批评美国法学院训练学生应付的是"冲突而非和解、包容等较温驯的技巧"，他继续写道："我预计，到了下一代，社会给我们的机会将在于利用人的合作和折衷的意愿，而不是煽动角逐和对抗。如果律师们不能领导人们进行合作，并设计出有助于合作的机制的话，他们就不会居于我们时代的最富创造性的社会实验的中心位置。"[65]

上述引言表明了诉讼与调解作为解决纠纷方式的重要区别。诉讼是对抗性的，经常使冲突恶化。而调解主要是以一种合作性的事业，帮助当事人治疗冲突的创伤，重修旧好。从儒家重视人际关系与社会和谐的角度考虑，与诉讼相比，调解显然更符合儒家思想。因此，诉讼和调解之间的区别与儒家思想和现代西方自由主义法律思想（我称之为"自由法律主义"）的区别是相对应的；正如马克思主义法哲学家 E. B. Pashukanis 所说，自由法律主义是建基于现代资产阶级社会成员的私人的、自我中心的利益

---

[64] 引自 D. Paul Emond, "Alternative dispute resolution: A conceptual overview," 载于 D. Paul Emond (ed.), *Commercial Dispute Resolution: Alternatives to Litigation* (Aurora, Ontario: Canada Law Book, 1989), 页 5。

[65] Derek Bok, "A flawed system of law and practice training," *Journal of Legal Education* 33 (1983), 页 570、582-3，重载于 Palmer and Roberts（同上注 5），页 28；并可参见 Emond（同上注 64），页 5。

的。[66]

  为什么诉讼与调解作为解决争端的途径对冲突有不同的作用呢？答案在于这两种活动的本质。诉讼导致法庭对当事人作出具拘束力的判决，判决不以当事人的意志为转移。通常当事人一方赢，另一方输掉官司。判决之前，每方当事人及其律师都要尽力说服法庭自己是对的、对方是错的。相反，调解的特征则是，它是调解者促进当事人双方达成一个双方都自愿接受的协议的过程，而尝试达到一个能满足当事人双方的需要和利益的协议，这本身就是一个合作性的事业。协议本质上是双方意志的汇合，这种意志的统一本身便有助于恢复当事人之间的关系，因为它预设了双方一定程度的互相沟通、理解与信任。诉讼缺少的是当事人间的真正沟通，因为诉讼的结构仅强调每一方与法庭的沟通。因此一位学者用哈贝马斯的理性交往理论为调解辩护，并就"法律对抗主义对社会生活的殖民化"提出警告。[67] 调解的好处是，争议双方可能参与于一种真正的、非强制性的对话之中，从而达致一种基于其共有价值观念和共同利益的共识。

  有些学者则引用犹太教和基督教的传统，来主张调解是比诉

---

[66] E. B. Pashukanis, "The general theory of law and Marxism," 载于 H. W. Babb and John N. Hazard (eds), *Soviet Legal Philosophy* (Cambridge, Mass.: Harvard University Press, 1951), 页 155 – 6。有关的讨论见于 Larry May, "Legal advocacy, cooperation, and dispute resolution," 载于 Stephen M. Griffin and Robert C. L. Moffat (eds), *Radical Critiques of the Law* (Lawrence, Kansas: University Press of Kansas, 1997), 页 83、84 – 6。尽管 Pashukanis 的理论中有些睿见，但不能无条件地接受，因为现代法治不仅保护个人私利，而且追求公正，正如一些有关公共利益以及人权方面的诉讼所证明。

[67] May（同上注 66），页 92。

讼更好的选择。[68] 他们援引《马太福音》：

> 倘若你的弟兄得罪你，你就去，趁着只有他和你在一处的时候，指出他的错来。他若听你，你便得了你的弟兄。他若不听，你就另外带一两个人同去，要凭两三个人的口作见证，句句都可定准。若是不听他们，就告诉教会；若是不听教会，就把他当外邦人和税吏一样看待。[69]

下文是这些学者自己的意见，在这里值得详细引述，因为由此可以看出儒家思想与犹太教思想的共通之处：

> 因此，这个〔调解〕程序重视的是关系的恢复。希伯来神学重视人际关系，对人际关系的优先考虑是政治、本体论、伦理以及法律方面的。因此，最特别的是，这个宗教传统寻求的不是解纷争……而是和解兄弟、姐妹、姐弟、父母与子女、邻里与邻里、买主与卖主、原告与被告以及法官与这两者之间的关系。……我们的见解与 ADR 的要旨中最深刻和最正确的部分一样：公义通常不是人们从政府那里得到的东西。法庭……不是给予公义的唯一的或最重要的场所……。公义是我们所发现的——你和我，正如苏格拉底说过——当我们一起走时，一起听时，甚至相爱时，……公义是虔诚的产物，更确切地说，又不仅是虔诚；它是学习的产物，理性

---

[68] Andrew W. McThenia and Thomas L. Shaffer, "For reconciliation," *Yale Law Journal*, Vol. 94 (1985), 页 1660.
[69] 《马太福音》第 18 章第 15-17 节。

的产物,向智者学习如何从善的产物。[70]

一些女权主义思想家也起来支持调解和 ADR 运动。[71]她们指出,男性富有竞争性、侵略性和对抗性(像诉讼中一样),而女性则偏爱折衷和保持良好人际关系(像调解中那样)。男性倾向于考虑抽象权利与普遍规则(这些都是在诉讼中受重视的),而女性则对事情的来龙去脉及特殊环境更为敏感(这些是在调解中较重要的)。调解中要注重人际关系、沟通了解及同情,这些尤其与女性的性情因素一致。讽刺的是,尽管一般人把儒家思想与父权社会相联,但这些女性主义价值观念显然与儒家价值观相通。

关于调解的另一种有趣的当代西方观点则强调调解对人的"转化性",以及它在提高公民素质和改善社区生活方面的作用。[72]调解鼓励当事人互相接受和尊重,并对他人的处境和困难产生同情与关注。调解还能恢复当事人对自身价值、潜能及力量的信心,尤其是解决问题和处理人际关系的能力。因此,调解不仅对人际关系有复和的作用,而且能朝积极方向改变当事人,

---

[70] McThenia and Shaffer(同上注68),页 1664-6。

[71] C. Menkel-Meadow, "Portia in a different voice: Speculations on a women's lawyering process," *Berkeley Women's Law Journal*, Vol. 1 (1985),页 39; Janet Rifkin, "Mediation from a feminist perspective: Promise and problems," *Law and Inequality*, Vol. 2 (1984),页 21,引于 Astor and Chinkin(同上注51),页 22。

[72] 参见 Robert A. Baruch Bush and Joseph P. Folger, *The Promise of Mediation: Responding to Conflict Through Empowerment and Recognition* (1994),转载于 John S. Murray et al., *Mediation and Other Non-Binding ADR Processes* (Westbury, NY: Foundation Press, 1996),页 133-8;并可参见 Edward W. Schwerin, *Mediation, Citizen Empowerment, and Transformational Politics* (Westport, Conn.: Praeger, 1995)。

有助于当事人更好地做人,有助于其个人和道德的成长。西方学者们更进一步指出,调解不仅有助于纠纷当事人自身,而且有利于调解者,尤其是那些把调解作为一种社区服务而自愿做调解人的人。反过来说,与调解的上述积极意义不同,诉讼对当事人来说有其消极性,因为它受到律师与法官的支配,而在调解中,当事人自己可以控制其冲突的处理。

这就使我们回到儒家与现代法学家所理解的调解的本质。上述儒家式调解的事例中,其典型模式是,随着当事人对自己的所作所为感到后悔、决心改过、与对方和解并开始迈向新的、更美好的未来,原来的冲突就此告终。换句话说,调解者劝说的结果是使这个人的内心发生了变化。而在诉讼过程中,这种情况不会出现,只有胜诉者感到快慰和自以为是,以及败诉者感到失望、失败和屈辱。因此,调解和诉讼所涉及的心理活动和情感是很不同的。

美国法学家朗·富勒(Lon Fuller)对调解的描述精妙地掌握了调解带给人的转化:

> 调解的核心特征,是能使当事人双方彼此调整其取向,不是通过法规迫使他们这样做,而是帮助他们对彼此的关系产生新的、共同的认识,致使他们改变彼此间的态度与取向。……调解者的恰当功能,不是引导当事人接受一些正式规范去支配他们将来的关系,而是帮助他们去接受一种相互尊重、信任和理解的关系……。这反映了调解过程与法律的一般程序之间的某种对立,因为法律概念的要旨就是规范的概

念。[73]

上述当代西方的各种思想，肯定调解作为除了通过诉讼解决纠纷之外的途径的价值，它们与儒家的调解观有相通之处，这说明儒家对人性及人类基本状况的某些洞见是历久犹新的。尽管儒家以至中国其他传统哲学流派都追求社会和宇宙的和谐，但他们也认识到在现实世界中冲突是不可避免的。问题是人类应该如何处理冲突。儒家的教诲是，最好是由冲突双方就争端的解决达成共识，如果必要，可由调解人予以协助。这种解决办法，与法官利用国家强制力加诸当事人的决定相比，更符合人性的尊严和社会的福祉。即使问题未能通过民间的调解来解决，而诉诸法院，法官最好还是劝说当事人双方同意接受某解决方案，而不是运用法律的强制力对当事人作出具有拘束力的判决。

由此可见，儒家提倡的用伦理说教进行统治和用权力与强制进行统治的区别，[74] 前者对人的尊严及理性的极大尊重是不言而喻的。儒家对冲突和调解的看法反映出它对蕴藏在每个人心中的美善和良知采取乐观主义态度，没有性善和良知，在教育与劝说过程中实现人的转变是不可能的。儒家的调解理论预设的是，人有理性和道德的能力去对自己的作为进行反省，并在听取他人的（包括调解者的）观点后改变对自己和他人的看法。人的欲望是可以改变和净化的，可使其服从于理性和道德的约束，因此，人在道德上的成长是可能的。从这个角度看，古代和现代的成功

---

[73] Lon L. Fuller, "Mediation – Its forms and functions," 载于 *The Principles of Social Order* (同上注 58)，页 125、144–6。

[74] 参见拙作 "Confucian legal culture and its modern fate," 载于 Raymond Wacks (ed.), *The New Legal Order in Hong Kong* (Hong Kong: Hong Kong University Press, 1999)，页 505–533。

调解的事例都可视为个人成长的佐证。

儒家的以下睿见仍有益于现代自由主义社会：调解并非"次等"的公义（例如是对那些付不起诉讼费的人来说），即使是在享有人们信赖的能干和独立的法院的法治社会中，调解也并非如此。在很多情况下，与诉讼和审判相比，调解甚至能提供更高素质的公义，因为就道德意义而言，它是更为理想的解决争端的方法，更能满足人类的需要和利益。儒家哲学可以为调解提供一种至少和其他当代西方的调解理论同样有力的辩护，而我国关于调解的理论与实践的悠久传统，可以用来丰富对调解的现代认识与经验。

然而，这并不是说从现代自由主义视角出发的对传统调解的批判就失去其效力。相反，这些批判大有裨益，因为它们有助于促进传统调解制度的创造性转化，既能改善它并弥补其不足，又能使其适应于现代社会的新情况。传统调解的现代化就是本文最后一节要探讨的课题。

五、调解的"创造性转化"

虽然如上所述，儒家调解的理论与实践对现代来说是一种宝贵的资源，但儒家及中国传统中对诉讼所持的态度却是值得商榷的。在现代自由主义社会中，诉讼不仅就解决纠纷而言是一种正当的活动，而且有以下其他的正面作用：保护个人的合法和正当的权益，阐明和宣传民主国家所创制和认可的宪法性和法律性规范的含义，产生原则和规范以指导社会行为，并作为社会改革和进步的渠道等。当事人及其律师都有权根据诉讼法所保证的公正程序，在法庭的公开审讯中提供证据和展开辩论。法官有义务依据法律和民主宪政国家的宪法所宣示的理想进行判决，并在判词中提供充分的法律理由以证成自己的判决。在传统中国从未有过这种法治，但在今天的中国，国人已公认这是现代化过程中需要建设的东西。

调解的"创造性转化"是指需要在对法治的现代理解的基础上,对关于调解的传统认识及实践作出修正。应当认识到,在人类历史中进步是可能的,而且真的发生了:例如,厉行法治的现代民主宪政国家,就是一种比中国传统的封建官僚体制国家要进步得多的政治和法律组织形态。现代中国需要某些其传统以外的东西,但这并不是说其传统的东西就没有价值或不重要。我们应该珍惜自己的文化遗产,并从中大量汲取其精华,但我们也需要在现代人权、现代民主和现代法治基础上的正义。

在建设中的中国现代社会,正如在西方现代和后现代社会一样,调解仍有其积极的、有益的作用,但已不是解决纠纷的最主要的或官方最提倡的模式。正如"解决纠纷的另类选择"这个概念所包含的那样,调解应视为用以解决纠纷的除诉讼以外的可供选择途径之一。也就是说,尽管儒家就调解的观点中有其具洞见的、历久犹新的道理,但儒家对诉讼的看法应被视为大多已过时的、且与对法治的现代理解互相矛盾的。对生活在现代条件下的人们而言,现代自由主义的权利观、诉讼观、审判观和正义观要比儒家对诉讼的观点更有说服力。

这就是说,本文前面对中国传统调解的自由主义批判基本上是能够成立的、值得认真对待的,尽管它并不足以证明现代自由主义社会应完全摒弃调解。在现代,传统的调解应进行创造性的转化,一方面是为了保存其有价值的、永恒的成分,另一方面是为了响应自由主义的合理批评,从而自我完善。

例如,必须确保调解是非强制性的,并且不减损当事人到法庭诉讼的权利。也就是说,要确保当事人在调解过程中不会受到任何社会或其他制度性的压力。调解所产生的协议必须是双方所自愿接受的,达成协议的整个过程中必须保证当事人没有受到任何强制。如果找不到当事人双方都能同意的解决办法,当事人保留诉诸法庭的权利。这便要求法院系统应方便当事人使用,法律知识应广泛传播,并应为穷人提供法律援助,从而保证诉讼相对于调解而言是真正可供选择的途径。

在调解过程中不应有任何强制性,这是不言而喻的。然而,在当事人到法院启动诉讼程序之前,是否应当要求(或至少在某些类型的案件中要求)他们先参与调解,对这一点则存在不同意见。热衷调解的人认为,本来拒绝将争端诉诸调解的人一旦亲身经历了调解所发挥的作用,便会明白它的种种益处;因此,规定当事人在行使诉讼权利之前必须诉诸调解,是完全合理的。另一方面,有人会认为,法治原则要求人民有权直接诉诸法院,由法院依法实施公义;因此,强加先行调解的条件是对公民行使诉讼权的过分限制;而无论如何,如果至少一方当事人心里根本不愿意接受调解的话,那么强迫当事人双方经历调解过程将纯属一种时间和资源的浪费。

关于这个问题,似乎很难就所有案件一概而论。问题的答案主要决定于实证的而非哲学的观点:"被迫"(因调解被设定为诉讼的先决条件)接受调解的一方在经历调解的过程中放弃其对调解的抗拒、并在调解过程结束时自愿达成和解协定的可能性有多大?如果有事实证明,在某种类型的争端中,这种可能性是足够大的话,那么把调解设定为诉讼的先决条件便可能是合理的。然而,什么才是"足够"大的可能性,则视乎我们赋予(不受调解条件限制的)诉讼的权利和自由多大的价值。

此外,调解中的"权力不平衡"问题也应郑重提出。[75] 如

---

[75] 参见 Astor and Chinkin (同上注51),页 105–109; Jack Effron, "Alternatives to litigation," *Modern Law Review* 52 (1989),页 480、493–5。

果当事人要达成真正的意志的汇合，那么他们必须在相互平等的基础上谈判。他们应有相对平等的讨价还价的能力；经济资源、社会力量、信息获得方面的差异通常意味着谈判不可能是真正不受强制的。因此，在双方权力严重失衡的情况下，很可能不宜进行调解，在这种情况下，公共政策应倾向于帮助当事人使用诉讼途径。

还有其他一些不应鼓励调解和私人和解的情况。[76] 有学者指出，涉及宪法和其他公法部门的问题或公共政策上的重大问题，更适合司法解决而非调解，因为法官是社会的受托人，享有在公开审讯中（包括透过向大众公开地说明判决理由的判词）制订和实施公共行为准则的权力和责任，相反来说，调解则不受公众的监察和欠缺公共问责性。公法问题涉及社会整体的利益，这些问题的影响延伸到当事人之间的纠纷以外。

那么，调解特别适合于什么类型的情况呢？富勒举出以下的例子：首先，双方当事人的利益是交叉重迭的，所以他们有在调解中互相合作和包容对方的动机；另一种情况的特点是，它不适宜由一些对事（即针对有关行为的）而不是对人的规则予以调节（富勒指出，调解是针对人的，法律规则是针对行为的）或以正式的权利或过错的概念予以分析；第三种况则涉及在自发的、非正式的合作的基础上建立的共同体。[77] 因此，离婚案件便是适宜以调解处理的情况的最佳例证。然而，在当代西方，调解还广泛应用于家庭关系之外的许多场合，例如，小额索赔、交通事

---

[76] 参见 Harry T. Edwards, "Alternative dispute resolution: Panacea or anathema?" *Harvard Law Review* 99 (1986)，页 668；Emond（同上注64），页 1–25；Hiram E. Chodosh, "Judicial mediation and legal culture," *Issues of Democracy*, Vol. 4, No. 3 (1999)，页 6 (electronic journal http://www.usia.gov/journals/journals.htm)。

[77] Fuller（同上注73），页 147–9。

故、消费者的投诉、轻微犯罪、劳动关系、少数民族关系、教育、住房、环境、知识产权与建筑等。[78]

关于调解在哪些类型的案件中最可能奏效的问题,是与在什么情况下可合理地规定双方当事人在将争端诉诸法庭之前必须先采用调解的问题关系密切的。既然离婚案件是特别适合调解而非诉讼的典型情况,所以规定当事人在采用婚姻诉讼程序之前须出具双方已试图通过调解来解决问题的证明,这是合情合理的。[79]也有事实表明,在中国大陆,在解决因农业生产及住宅问题而引起的纠纷时,调解被广泛使用且行之有效,[80]在台湾地区,则体现在交通事故索赔及住宅纠纷方面。[81]因此,这些纠纷可能适合(在诉讼前的)"强制性"调解。

最后,在传统调解的创造性转化中,也需要摒弃调解者的家长式角色以及调解的泛道德化的成分。现代调解者扮演着当事人

---

[78] 参见 Chodosh(同上注76);Nancy T. Gardner, "Book review on *Mediation: A Comprehensive Guide to Rewolving Conflicts without Litigation*," *Michigan Law Review* 84 (1986), 页1036; Richard Delgado et al., "Fairness and formality: Minimizing the risk of prejudice in alternative dispute resolution," *Wisconsin Law Review* 1985, 页1359。

[79] 在香港,律师在为当事人提起婚姻诉讼时,须说明他是否已向当事人提供关于婚姻方面的调解服务的材料:见 Athena N. C. Liu, *Family Law for the Hong Kong SAR* (Hong Kong: Hong Kong University Press, 1999), 第127、139页。在婚姻诉讼程序开始前,香港法律并不要求当事人双方证明已尽力调解过,但在性别歧视方面,香港法律却有进一步的规定。根据《性别歧视条例》(1995年制定),请求平等机会委员会在法庭诉讼中给予帮助的投诉人,必须已经过由该委员安排的调解(但这调解未有奏效):见《条例》的第84、85条。

[80] Palmer(同上注52),第253页。

[81] 林端:"台湾调解制度的社会学分析调查报告"(台湾大学社会学系,1999年;尚未出版)。

之间交流的促进者的角色，他们要帮助当事人而不是训诫当事人，[82]他们不能再直接用儒家关于自律和道德礼教的教诲来促使当事人放弃其权益。但如上所述，在某些情况下，调解过程中个人的转变和道德的进步仍然是可能的，而且仍能构成一个高尚的目标：通过对话、反思，人能学会变得更好、更智慧。和解并非不可能实现的梦想。

当代中国大陆和台湾地区有关调解的理论与法律其实已经说明了上述的调解的创造性转化。[83]例如，在大陆，经常强调现代调解制度的三个基本原则：调解结果须符合法律和国家政策；接受调解应完全出于自愿，而且在调解的任何阶段都不得施压力给当事人；当事人有在未经调解的情况下直接提起诉讼的权利。[84]尽管在实践过程中，对这些原则的坚持尚未完善，但这些原则的确反映了使调解与法治兼容的意愿。[85]在通往法治的

---

[82] Emond（同上注64），页19－20；Gardner（同上注78），页1037；Robert A Goodin, "Mediation: An overview of alternative dispute resolution," *Issues of Democracy*, Vol. 4, No. 3 (1999)，页13（见上注76）。

[83] 参见注61所引的文献。

[84] 这些原则可见于《人民调解委员会组织条例》第6条（1989年）。可参见Palmer（同上注52），页259；Lubman（同上注52）页277－9；Lubman（同上注60），页1318。

[85] 主要问题在于，由于调解过程中往往存在着某些压力，所以当事人双方经常不能自由地拒绝调解人提出的解决方案。被迫接受解决方案的压力的来源有多种。例如，中国的人民调解委员会是在当地政府的司法行政机关和法院的领导下的，委员会主任通常是村民委员会或居民委员会的负责人。其次，国有企业或农村社会中的人际关系，有时也可能产生接受调解方案的压力。另外，由于经济、地理或制度性的原因，法律服务（律师的服务）可能不易获得，所以很多情况下诉讼并不是真正可供选择的途径。即使在法院而非人民调解委员会进行调解的情况下，压力仍有可能存在：一些法官强迫诉讼当事人接受调解方案，从而避免作出司法判决，因为司法判决要求法官对事实调查更为充分，对法律运用更为严格，这就更耗时而且要求更高的专业水平。参见刘广安与李存捧："民间调解与权利保护"，载于夏勇主编：《走向权利的时代：中国公民权利发展研究》（北京：中国政法大学出版社，1995年），页288、307－326。

道路上，中国仍有长路要走。在前进过程中，我们应把"调解"作为中国文化遗产的要素之一加以发展不是以它的传统形式，而是以一种经创造性转化后的形式。

由中国传统法律文化的创造性转化而产生的调解制度是否与西方的调解具有共同的特征，还是会出现一种具有中国特色或儒家色彩的调解制度？长远来说，这个问题并不容易回答。就目前这个历史时刻而言，中国的调解、诉讼与公正的面貌与西方仍有明显差异。因为中国的法律体制还远远落后于西方的发展水平，因为绝大多数中国人口仍住在农村，因为人民调解委员会制度得到国家的支持，也因为诉讼开始后法官仍可依法进行调解，[86]中国与西方相比，在解决纠纷方面调解起着更重要的作用：每年通过调解解决的纠纷的数目都高于诉讼案件的数目，虽然随着法律体制的发展，前者数量超过后者的比率在近年来已呈下降趋势。[87]但在后者案件中，大多数仍是在没有进行正式判决前由法官通过调解予以解决的。[88]正如两位我国学者在就当代中国的调解进行深入研究后指出：

> 民间调解作为中国基层社会的一种权利保护机制，与国家行政机制和司法机制相比，它在解决民间纠纷保护公民权利方

---

[86]《民事诉讼法》第 8 章对于法院所进行的调解作出规定。关于这种"司法调解"，可参见 Lubman（同上注 52），页 334 – 343；Michael Palmer, "The revival of mediation in the People's Republic of China: (2) Judicial mediation,"载于 W. E. Butler (ed)., *Yearbook on Socialist Legal Systems* 1988 (Dobbs Ferry, N. Y.: Transnational Publishers, 1989), 页 145。

[87] 刘广安等（同上注 85），页 293、307 – 308；Lubman（同上注 52），页 282 – 3、298。

[88] 刘广安等（同上注 85），页 317；Lubman（同上注 52），页 335。

面,具有一些突出的优点。……民间调解广泛存在于中国民众生活之中,有悠久的历史传统,有深厚的群众基础,具有普遍性的优点。……正是由于民间调解具有简易性、灵活性、普遍性和自治性等优点,所以它仍将是中国社会解决民间纠纷、保护公民权利的重要方式。[89]

---

[89] 刘广安等(同上注85),页326;关于对中国的调解制度的较为悲观的观点,见 Fu Hualing, "Understanding people's mediation in post-Mao China," *Journal of Chinese Law*, Vol. 6 (1992),第211页。

中国法制现代化的历史哲学反思[*]

一

司马迁作《史记》,"欲以究天人之际,通古今之变"。究竟历史的意义何在?除了是个别人物和事件的记载外,历史还是什么?历史是否不外是无数历史现象的偶然的、杂乱无章的结合?还是历史背后有其规律、逻辑或隐藏着的目的?历史中充满苦难,也有光明,然而,我们过去的历史,是否可以作为我们对未来的希望的凭借?人类在其历史中有没有进步?这些都是历史哲学的中心课题。

上述的问题,不但可就一般的历史而提出,也可就法制史提出。法制史与历史的其他方面有共通性,也有其特殊性。例如就"历史中是否有进步"这个问题来说,如果我们把焦点放在人类的物质和科技文明方面,答案是十分明显的:综观过去数千年的物质和科技文明史,人类的确取得了巨大的进步,尤其是17世

---

[*] 本文原发表于2000年4月4至6日在北京举行的"20世纪中国法制回顾与前瞻"学术研讨会(主办单位:中国政法大学科研处、法律系及中国法律史研究所)。

纪科学革命以来，科技的发展更是一日千里。但是，如果我们关注的是法制史，并提出同类型的问题：在法制史中我们是否可以看到进步？这便带出了在法制史中如何量度"进步"的标准问题。在物质和科技文明的范畴，"进步"的标准是较为容易确立的，例如我们可注意人类通过科技去实现自己的意愿的能力的提升：以前人类不能飞上天空，现在不但飞翔于天空，更能飞上月球。那么，在法制史的范畴，"进步"的标准是怎样的呢？

"法制现代化"的问题也是与法制史中的"进步"问题息息相关的。当我们谈到中国法制的现代化，通常我们已经假定法制现代化是一件好事、是应该争取实现的一个目标或理想。这样，我们其实已经预设这样的一个命题：从尚未完全现代化的法制过渡到一个现代化的法制，这是一种进步，亦即是说，追求法制现代化便是追求法制的进步。于是，我们回到上面的问题：法制史中的进步是可能的吗？进步的标准何在？

二

在近现代思想界大师之中，对于人类历史中的"进步"以至法制史中的"进步"思考比较深刻和对今天的我们仍有启发性的，便是康德。[1] 康德认为，在充满苦难、斗争、牺牲和罪恶的人类历史的背后，其实可以发现一个由大自然或天意所设定的

---

[1] 关于康德的历史哲学，可参见康德著、何兆武译：《历史理性批判文集》，北京：商务印书馆，1991年；何兆武：《历史理性批判散论》，长沙：湖南教育出版社，1994年，页41-104；何兆武：《历史与历史学》，香港：牛津大学出版社，1995年，页17-36；李泽厚：《批判哲学的批判—康德述评》，台北：三民书局，1996年，页361-376。

目的。对康德来说,这个历史的自然目的论并不是从史实中可以论证的(况且人类至今的历史还短,未足以验证此目的论),而是一个先验的、规范性的观念,我们可透过这个观念去理解历史(就如近视的人要戴眼镜才能看东西一样),而没有这样的观念,便难于理解历史。

康德的这个观念的基本前提是,"一个被创造物的全部自然秉赋都注定了终究是要充分地并且合目的地发展出来的",[2]因为"大自然决不做徒劳而无功的事,并且决不会浪费自己的手段以达到自己的日的"。[3]把这个观点应用到人类和人类历史时,推论便是人类历史是人类的天赋秉性逐步得以充分发挥和实现的历程。

康德说:"人类的历史大体上可以看作是大自然的一项隐蔽的计划的实现。"[4]这个"隐蔽的计划",便是演化一种政治和法律制度,在这种制度里,人的天赋秉性能得以最大程度的发挥和实现。对于康德来说,人的天赋秉性的最重要特点,便是人的自由意志、理性和道德实践的能力:大自然"把理性和以理性为基础的意志自由赋给了人类",[5]这便是人的最可贵的天赋秉性。而最能促进人性的实现的政治和法律制度,便是法治的、保障公民权利的立宪共和政体。这只是就每个国家的国内而言;至于国与国的关系来说,康德则主张维持世界和平的国际秩序:

要奠定一种对内的、并且为此目的同时也就是对外的完美的

---

[2] 康德:《历史理性批判文集》,同上注,页3。
[3] 同上注,页5。
[4] 同上注,页15。
[5] 同上注,页5。

> 国家宪法,作为大自然得以在人类的身上充分发展其全部秉赋的唯一状态。[6]
>
> 从理性范围之内来看,建立普遍的和持久的和平,是构成权利科学的整个的(不仅仅是一部分)最终的意图和目的。[7]由一个民族全部合法的立法所必须依据的原始契约的观念而得出的唯一体制就是共和制。这首先是根据一个社会的成员(作为人)的自由原则,其次是根据所有的人(作为臣民)对于唯一共同的立法的依赖原则,第三是根据他们(作为国家公民)的平等法则而奠定的。因此它本身就权利而论便是构成各种公民宪法的原始基础的体制。[8]

由此可见,康德心目中的共和制,便是一个尊重和保障社会各成员的自由和平等的法治国。在康德的理论里,共和制和专制是对立的,他反对任何形式的专制,包括柏拉图提倡的"哲人王"[9]和任何以统治者的仁慈为基础的家长式统治,因为它们都和公民的自由互不兼容。康德认为,共和制在各国的建立,不但能造福其本国的人民,使他们的理性得以充分发展,而且能促进一个能维持世界和平的国际秩序的最终实现,因为理性的充分发展就是人类永久和平的最佳保证。

康德的历史哲学、政治哲学和他的道德哲学是一脉相连、相辅相成的。在他的道德哲学里,他指出合乎道德(即"实践理性")的行为,是可普遍化为一普遍法则的行为(类似孔子说的

---

[6] 同上注,页15。
[7] 康德著,沈叔平译:《法的形而上学原理——权利的科学》,北京:商务印书馆,1991年,页192。
[8] 康德,同注2,页105–106。
[9] 同上注,页129。

"己所不欲，勿施于人"，或耶稣说的"向他人作出你希望他人向你作出的行为"），每个人都有平等的尊严、价值和自主性，每个人均应被视为"目的"，而不应被利用作为达致他人追求其目的的"工具"或"手段"。在康德那里，共和政体便是最能在社会政治制度的层次体现这个道德原则的政体。这种政体的建立，便是历史和法制史中的进步，而促进这种进步，则为人的道德上的责任：

> 人类的天职在整体上就是永久不中止的进步；[10]
> [人类历史的]"过程并不是由善开始而走向恶，而是从坏逐步地发展到好；对于这一进步，每个人都受到大自然本身的召唤来尽自己最大的努力做出自己的一份贡献。"[11]

由此可见，康德不但相信人类历史中的进步是可能的，更相信进步会真正发生。可是，他没有忽视，在历史中进步的道路是崎岖的、迂回曲折的、充满困难险阻的，在这条漫漫长路中，有时为了向前走一步，便要付出沉重的代价。这条道路上，人的劣根性（康德称为"非社会的本性"或"非社会的社会性"）[12]将表露无遗，包括他们的自私、贪欲、损人利己的行为、对财富、权力和名位的追逐，也包括无情的竞争、恶性的斗争以至残酷的战争。康德说："大自然的历史是由善而开始的，因为它是上帝的创作；自由的历史则是由恶而开始的，因为它是人的创

---

[10] 同上注，页58。
[11] 同上注，页78。
[12] 同上注，页6。

作。"[13]

然而，吊诡的是，人类的性恶，却是推动历史向前迈进、促进社会体制进步的动力，这便是康德看到的"理性的狡猾"。[14]这样，人便不自觉地体现了天意，参与了历史的进步工程（这有点类似亚当·斯密说的"无形之手"：在市场体制里，不同个别人士追逐私利的行为的总效果是公众利益的促进）：

> 个别的人，甚至于整个的民族，很少想得到：当每一个人都根据自己的心意并且往往是彼此互相冲突地在追求着自己的目标时，他们却不知不觉地是朝着他们自己所不认识的自然目标作为一个引导而在前进着，是为了推进它而在努力着；而且这个自然的目标即使是为他们所认识，也对他们会是无足轻重的。[15]

这个目标的其中一个重要部分，便是法治制度和公民社会的建立。康德说："大自然迫使人类去加以解决的最大问题，就是建立起一个普遍法治的公民社会"，[16]这是人类社会共同体的理性要求。康德指出，法治国的建立并不假定其成员为好人或天使，"即使是一群魔鬼，只要是有'保存自己'的理性，必然也会'在一起要求普遍的法律'，建立起一个普遍法制的社会。天使和魔鬼在理性面前是等值的；……大自然给予人类的最高任务就是在法律之下的自由与不可抗拒的权力这两者能够最大限度地

---

[13] 同上注，页68。
[14] 参见何兆武：《历史与历史学》，同注1，页30。
[15] 康德，同注2，页2。
[16] 同上注，页8。

结合在一起，那也就是一个完全正义的公民宪法（体制）。"[17]

历史既然有这样的崇高目标，人类既然有这样的伟大使命，所以人类历史并非一场荒谬的闹剧，尽管每个个人的一生仍然可能是悲惨的：

> 历史学却能使人希望：当它考察人类意志自由的作用的整体时，它可以揭示出它们有一种合乎规律的进程，并且就以这种方式而把从个别主体上看来显得是杂乱无章的东西，在全体的物种上却能够认为是人类原始的禀赋之不断前进的、虽则是漫长的发展。[18]

康德是18世纪欧洲启蒙运动的健将，他的历史哲学与后来的黑格尔和马克思有相似之处，也有截然不同的地方。在21世纪的今天，康德的历史哲学能对我们有什么启发？

首先，必须承认，康德关于"自然"和"天意"的论述，包括自然为人类历史所预设的目的、历史是天意设定的隐蔽的计划的展现等说法，在今天是难以获得普遍接受的。对于很多人来说，像"上帝"一样，"自然"和"天意"是过于形而上的概念，难以捉摸。在后现代思潮的影响下，关于历史的大型论述或以英文大写起头的"历史"（History）概念，其可信性已大打折扣。

但是，第二点应当指出的是，放弃了历史中存在着由大自然所预定的目的这个信念，并不一定导致历史变成毫无意义的荒谬剧。即使正如存在主义所说的，人是被投掷到这个世界的，人仍

---

[17] 引自何兆武：《历史与历史学》，同注1，页27；此引文中的引文来自康德，同注2，页125。
[18] 康德，同注2，页1。

可以运用他的自由,去积极生活和创造。从这个角度看,历史的意义是由人所赋予的,人可以选择怎样理解他自己的历史,人可以从中发掘其意义。人无需停留于担当历史故事中的受害者的角色,人还可以成为创造历史故事的主人。于是康德的历史目的论便可从一个由大自然设定目的的目的论,转换为一个由人类自己设定目的的目的论,如果人类愿意认同康德所说的自然目的的话。

这便带我们进入第三点。康德提出历史的自然方向是趋向进步,而人有道德上的责任去为求这种进步而努力。我们是否认同"进步"的概念?我们是否接受我们有责任参与推动进步?对于这两个问题,我们直觉上都会给予正面的回复。明天可以更美好,我们应该为美好的明天而奋斗。相信对于绝大多数人来说,这是不证自明的。

第四,什么才是"进步"?"进步"的标准在那里?我们在这里谈的当然不只是科技的进步,而主要是文明整体的进步,尤其是社会、道德、政治和法律的进步。在这方面,康德给我们的启示是,衡量进步的标准在于人类的天赋秉性——尤其是人的理性——是否得以更充分地发挥和实现出来。人有异于禽兽,乃在于人有理性,正因为人有理性,所以人便会运用他的自由意志,去追求真、善、美。其实康德对于人性的这个理解,与中国传统思想——尤其是儒家思想——是不谋而合的,反映着一个历古常新的真理。

第五,康德指出,就政治和法律制度的历史演化来说,实行法治、保障公民权利、崇尚自由和平等的立宪共和政体,和国与国之间的永久和平,是最能体现人的理性的制度性安排。在康德的政治和法律哲学里,他为这些观点提供了详细的论证。他的历史哲学则指出,这种制度性的安排在人类历史中出现,是人类进步的标志。相信人类在经历了20世纪史的各大浩劫后,在今天对康德在200多年前提出的这个观点是能心领神会的。

最后,康德提醒我们,历史中的进步绝非是轻而易举、一蹴而就的,人必须在困境中进行反思,从苦难中吸取教训,并为进步付出昂贵的代价。正如屈原所说:"路曼曼其修远兮,吾将上下而求索。"在这个过程中,善与恶是并存的,恶的存在和活动甚至是善的发扬光大的必要条件,正如学者何兆武在评述康德的历史哲学时指出:

> 人类历史并不能简单地划分为好和坏、精华与糟粕两个截然对立的方面;双方对于历史都是不可或缺的。有利就有弊,有弊就有利;好坏、利弊总是结合在一起的。[19]

三

以上介绍的一些历史哲学的观点,希望能有助于中国法制现代化这个历史课题的研究。现在,让我们更直接地思考中国法制现代化的历史现象。它究竟是怎样的一回事?它是否代表着中国法制史中的进步?

自从19世纪90年代的维新变法运动,直至20世纪90年代的发展与社会主义市场经济相适应的法制、依法治国、建设社会主法治国家的努力,我国法制现代化的尝试,已经有超过一世纪的历史。张晋藩教授指出:

---

[19] 何兆武:《历史理性批判散论》,同注1,页77。

从19世纪下半叶开始,中国的志士仁人便为法制的近代化而呕心沥血,不畏牺牲,奔走呼号。[20]……从表面上看中华法系的解体,是沈家本主持下的10年修律之功。然而事实上中华法系的解体与转型不是10年时间而是半个多世纪之久;不是沈家本一人之功,而是从林则徐到孙中山几代人的努力;不是简单地法律条文上的移殖,而是先进的中国人不断思考、探索以至流血斗争的结果。正是他们在掌握了西方法文化之后,才绘制了中国未来法制的蓝图,并且组织力量加以实施。[21]

遗憾的是,这些中国未来法制的伟大蓝图,始终都未能付诸实践,中国法制现代化的尝试,一波三折。19世纪90年代的维新运动以戊戌变法的失败而告终;清末的修律和立宪运动因辛亥革命而胎死腹中。民国成立后,立宪共和政体始终未能建立,先有袁世凯的专制,后有军阀的割据。南京国民党政府成立后,虽然根据欧陆法制模式制定了《六法全书》,但这些法典未能在全国范围内和乡镇的基层实施,加上日本的侵略、国共两党的对抗,中国法制的现代化更是步履维艰。中华人民共和国成立后,虽然在50年代仿效苏联模式建立了社会主义法制的雏型,但是1957年"反右"运动以后,尤其是"文革"十年浩劫中,这个幼嫩的法制受到了严重的破坏。1978年实行改革开放政策以来,我国法制现代化的事业才再现生机。

---

[20] 张晋藩:"法观念的更新与晚清法制的近代化",载于张晋藩编:《20世纪中国法治回眸》,北京:法律出版社,1998年,页1-22,21-22。
[21] 同上注,页21。

从历史中可以清楚看到,中国法制现代化的历程与外来的影响是密不可分的。19世纪以来,中华文明与西方文明的接触和碰撞,使国人逐渐了解到如要挽救中华民族亡国的厄运,就必须让中华文明脱胎换骨地重生。中华文明要向西方学习,不只是因为西方的船坚炮利,也是因为与西方的政治、经济和法律体制相比较,中国传统的体制相形见绌。在法制的范畴,中国法制现代化注定为西化,大幅度"移殖"西方的法律概念、原则和规范,不只是因国人渴望丧权辱国的领事裁判权得以早日废除,更是因为西方现代法制的相对优越性和进步性。

主持晚清修律的沈家本对这点有明确的认识。沈家本是中国传统法律和法文化的继承者,对于西方法制又有一定的认识。在对比两个法传统之后,他意识到中国法制的缺陷。因此,他主张对待"西人之学",应"弃其糟粕,而撷其精华","取人之长,以补吾之短";"彼法之善者,当取之,当取而不取是之为愚"。[22]

这样的话,在今天看来似是老生常谈,但其实蕴含着发人深省的历史哲学的内容。孔子说:"三人行,必有我师焉。择其善者而从之,其不善者而改之。"[23] 这个原则的应用,可从个人之间的道德修养范畴,扩展至不同文化、制度和传统之间的优劣或"进步性"的比较范畴。对自己的言行进行反省,取他人之长以补自己之短,这是理性在个人层面的功能。同样地,当一个文化传统认识到另一个文化传统时,前者进行自我检讨、反思和批评,了解到自己的不足之处,明白到自己在什么方面需要向那外

---

[22] 原文见于沈家本,《寄簃文存六·监狱访问录序》,现转引自张晋藩,同上注,页2。
[23] 《论语·述而篇第七》。

面的文化传统学习、借鉴和吸收、这便是理性在社会文化层面的一种体现。

人类具有理性，所以我们对自己的经验进行反思，在反思的过程中，我们会修正一些原有的观点，从而取得进步。因此，一个文化传统不会是一成不变的，通过理性的运用，它可以不断自我成长、推陈出新。即使没有外来的冲击，一个文化传统凭借其内在的理性资源也有可能创新、更新和进步。但从历史中我们可以看到，不同文化传统之间的互动和交流，往往是推动自我反思和带来进步的重要动力。从这个角度看，中华民族在过去两个世纪因外来文明的入侵而受尽屈辱和苦难，这对于中国的现代化、包括中国法制的现代化，毕竟是有积极作用的。

上面已经提到，中国法制现代化的具体表现主要是西化，即全面引进西方的法律和政治理念、制度、程序、法律部门、立法框架以至实体法的规范，不惜与二千年的中华法系传统断裂。为什么是这样？是否应该是这样？这样的法制现代化是不是法制的一种进步？让我们在这里对这些问题稍作思考。

19世纪90年代，康有为在《公车上书》中建议制订商法、市则和舶则。他指出西方国家

> 其民法、民律、商法、市则、舶则、讼律、军律、国际公法，西方皆极详明，既不能闭关绝市，则通商交际，势不能不概予通行。然既无律法，吏民无所率从，必致更滋百弊。且各种新法，皆我所夙无，而事势所宜，可补我所未备。故宜有专司，采定各律以定率从。[24]

---

[24] 原文见于康有为：《上清帝第六书》，《戊戌变法》第二册，现转引自张晋藩，同注20，页11。

康有为这段话给我们的启示是，法制现代化的其中一个目的，便是要制定能配合现代社会的运作的实际需要的法律规范。中国以农立国，但现代社会是以科技发展为动力的工商业社会，新的社会型态产生了对新内容的法律的需求。20世纪90年代，我国法学界盛行"市场经济即法制经济"的观点，这也是从经济体制运作上的需要的角度，去论证法制现代化的要求。

西方社会学大师韦伯关于"理性法"的理论，可以理解为上述观点的更深入的论证。韦伯指出，"理性法"的存在是现代市场经济的崛起的必要条件。在现代市场经济中，经营者和投资者的积极参与的前提是，他们的权益必须得到有效的保障：财产权得到法律的保护、合同得到法院的执行，而整个法律和司法制度的运作是有高度的"可预测性"和"可计算性"的。"理性法"正是能满足这种需要的法制类型，在韦伯的理论里，理性法是精心设计、条理井然的法律规范体系，这些规范有普遍的适用性，并且由专业的法律工作者负责操作，不受法律体系以外的政治或其他社会力量的干预。[25]

无可置疑，建设一个与现代经济和社会型态相适应的法制，确是中国法制现代化的不可或缺的内容。但是，这就是法制现代化的全部内容吗？让我们再次回到法制史里思考。

沈家本主持晚清修律，其中有两项有重大历史意义的内容，在当时却没有遇到明显的争议和阻力。一是酷刑的废除，二是对奴婢的买卖和畜养的否定。他直接批评《大清律例》"以奴婢与财物同论，不以人类视之"，并指出："奴亦人也，岂容任意残

---

[25] 见拙作："理性法、经济发展与中国之实例"，于拙作：《法治、启蒙与现代法的精神》，北京：中国政法大学出版社，1998年，页193-214。

害。生命固亦重,人格尤宜尊,正未可因仍故习,等人类于畜产也。"[26]

沈家本在修律时废除酷刑和奴婢制给我们的启示是,法制现代化不单是因应世界在现代的经济和社会转变而作出相应的法律调整,法制现代化更是人类对其传统制度和实践进行理性反省的过程、是人类通过法制改革谋求其道德进步的事业。酷刑在中外文明古而有之,奴隶制度在人类历史中和世界范围内也曾长期存在,今天,在国际间却取得了共识:酷刑的使用和奴隶制度是绝对不道德的和违反国际人权法的。对于这种道德上的进步,康德的历史哲学提供了有力的论证:人类历史中道德上的进步就是人类理性的更充分的体现,进步就是更多人的价值、尊严和权利得到法制的保障,进步就是更多人有机会发挥和实现人之所以为人的天赋秉性。

康德的历史哲学又指出,人类经历的每一场灾难,都可被理解为人类为了进步所必需付出的代价。中国的"文革",便是一场这样的灾难。在"文革"中,所有现代法制的基本的、具有进步意义的原则都受到无情的批判、无理的否定,例如法治、法律之下人人平等、法院独立行使审判权、罪刑法定、刑事案件的被告人的辩护权和得到律师的协助的权利等(其实这些原则在50年代"反右"时已经受到批判)。在那个无法无天的年代,中国人民所蒙受的苦难是笔墨所难以形容的。

20世纪70年代末期是邓小平时代的开始,新的领导层痛定思痛,决心重建社会主义法制。1979年,彭真在人大通过一系列重要立法时指出:"'人心思法',全国人民都迫切要求有健全

---

[26] 原文见于沈家本的《禁革买卖人口变通旧例议》和《删除奴婢律例议》,现转引自张晋藩,同注20,页15。

的法制。"[27] 1982年，人大制定新宪法，重新肯定了现代法制的基本原则，当时，《人民日报》社论回顾了"文革"的惨痛经验，指出"我们上了一堂应该说是终身难忘的法制课，……不讲法制，有法不依，无法无天，……不利于人民。这个沉痛的教训，是我们要永远记取的。"[28]

进步在人类历史中之所以有可能，乃因为人有理性反省的能力，人可以从历史中吸取教训，在苦难中接受磨练，从而成长起来。二次大战后，国际人权运动的兴起和在世界范围内广泛发扬光大，便是就二次大战中惨绝人寰的暴行的反省而获得的进步。"文革"之后，中国法制现代化事业的中兴，也是建基于对历史经验的反省的。1982宪法肯定了现代法制的若干基本原则，无疑是一种进步。同样地，在90年代，人权原则得到确认，依法治国、建设社会主义法治国家的原则写进宪法，也是我国法制进步和现代化的里程碑。正如张晋藩教授指出：

> 回顾百年中国法制，使我们深感中国人在正反两方面的教育下，法律意识的空前觉醒。虽然中国法制的现代化问题还没有最终解决，但是航标已经确立，基础已经奠定，这个跨世纪的任务，必定能够实现。[29]

历史告诉我们，进步是来得不易的，是通过大量的牺牲才辛苦换取的。然而，退步却是随时可能的，轻而易举的，文明与野蛮只是一线之隔，人性中的恶，使文明随时可以倒退至野蛮。但

---

[27] 彭真于1979年6月26日在五届人大二次会议上的发言。
[28] 《人民日报》，1982年12月5日。
[29] 张晋藩："绪言"，于张晋藩编，同注20，页1-2。

是，人也是万物之灵，人有理性，人有自由，人的内心中存在着真、善、美的呼唤。因此，我们必须珍惜人类文明的宝贵的共同遗产，我们必须相信进步，我们必须认清进步的标准和途径。我们必须为创造更美好的明天而奋斗：这不单是我们的情意所趋，更是我们神圣的道德责任。

市民社会的理念与中国的未来[*]

一、前言

在西方思想史上，市民社会（civil society）的概念曾经历了多个阶段的历史演变。在近代政治思想诞生的时代，市民社会即文明社会、有政府体制的社会而非原始、野蛮社会或人类的自然状态。到了黑格尔，市民社会与国家的区分开始确立，但马克思却批评市民社会为自私自利的资产阶级社会的现象，市民社会与资本主义国家同样受到否定的评价。基于对20世纪全能主义（极权主义）的实践经验的反省，西方思想家重新发现了市民社会的重要性和宝贵性，并予以歌颂。

市民社会的概念和理论，也引起了当代台湾、香港和中国大陆学者的兴趣。市民社会理论有助于阐释和说明台湾以至香港的民主化进程，也可用以指导中国大陆的经济、社会以至其未来的政治改革。一些研究中国历史的学者，更尝试采用市民社会理论所提供的思考架构去研究中国近代史上的问题。

本文将透过对西方近现代和当代思想家关于市民社会的论著的评述，就市民社会理论予以梳理，并寻求其中的洞见。此外，本文也将简介当代学者把市民社会概念用来研究中国历史和中国当前的社会变迁的尝试，从而探讨市民社会的理论对中国未来的政治思想的意义。

---

[*] 原发表于台湾中山人文社会科学研究所于2001年11月主办的"公民与国家"研讨会。笔者取得该所同意在此刊载，谨此致谢。

二、西方近现代的市民社会理论

西方市民社会理论的历史，其实便是西方政治思想史的缩影。中文"市民社会"这个词语翻译自英文的"civil society"或德文的"bürgerliche Gesellschaft"，后者的使用在历史时间上稍后于前者，并被认为是前者的翻译。至于前者 — 即英文的"civil society"，则来自拉丁文的"societas civilis"。[1]中文"市民社会"这个用语是德文"bürgerliche Gesellschaft"的贴切的翻译，英文"civil society"则也可翻译为"公民社会"。[2]在西方政治思想史上，虽然"civil society"（或其在其他欧洲语文中的相应词语）的

---

[1] 关于各种西方语文中与市民社会概念有关的词语的沿革，可参见 John Keane, "Despotism and Democracy," in John Keane (ed.), *Civil Society and the State* (London: Verso, 1988), pp. 35 – 71, at pp. 35 – 36; Norberto Bobbio, *Which Socialism?* (Cambridge: Polity Press, 1986), pp. 144 – 146; 邓正来：《邓正来自选集》（桂林：广西师范大学出版社，2000年），页 4。

[2] 林毓生和梁治平两位学者均指出，"civil society"的中译包括"公民社会"、"市民社会"和"民间社会"。林毓生教授（见《从公民社会谈起》，台北：联经出版事业，2002年，页 3）认为，"自古希腊城邦时代以来，civil society 在西方有三种不同的指谓（denotations），所以在中文之中不可能由一个译名来完全涵盖。"他以"公民社会"形容雅典等古希腊城邦，"市民社会"形容黑格尔所指的个人自由得到保障的社会，"现代的民间社会"形容独立于国家（或他所谓的"邦国"）之外的、具有民主性格和公共性格的、参与公共事务和促进民主政治的民间组织。他又指出（见于同书的页 6），"'民间社会'这个现象本是中国传统所固有。但传统中的民间社会，用英文来翻译，大概应作 private society（私性社会）。那是以家长式结构所组成的，'私'的性格很强的民间组织，如行会、帮会、寺庙等，不能与现代的民间社会相提并论。"因此，他提出上述"现代的民间社会"的概念，以区别于中国传统的民间社会。梁治平教授（见"'民间'、'民间社会'和 CIVIL SOCIETY"，《当代中国研究》，2001年总第72期，页 63 – 89，于页 65 – 66）则指出，"公民社会"、"市民社会"和"民间社会"这三个译名分别指明和强调了作为一种特定社会现实的'Civil Society'的不同侧面，……'市民'一词强调历史上资产阶级市民与 Civil Society 之间的密切联系，以及 Civil Society 中'私'的一面。'公民'的概念则突出了 Civil Society 中公众所扮演的角色：在法律保护之下自由地交换看法从而形成'公共意见'。最后，'民间'一词包含了一种与国家并存而且至少不是在国家直接控制之下的社会的观念。"本文由始至终使用"市民社会"这个词语来翻译英文的"civil society"，并非因为笔者认为这样的翻译在所有语境中都是最贴切的，而是鉴于本文的主要目的在于探讨在西方思想传统中"civil society"这个概念的演变和意义，因而需要给予这个概念一个贯彻始终的称谓，即使这个称谓的选择是有一定的随意性的。

含义经历过蜕变的过程，但始终和"公民"、"政治"、"国家"等概念唇齿相依，相辅相成。

在西方古典文明的时代以至近代的十七八世纪，"societas civilis"或"civil society"这些词语均被用来谈及有政治组织存在的社会，亦即有统治者的社会，而非无政府状态的社会。[3] 因此，"civil society"的原本含义，相当于我们今天所理解的国家（State）。但是，我们今天所理解的"市民社会"的概念，却是和"国家"相对的："市民社会"是当代社会中不受国家或政府控制的民间的自我组织的、自主的领域。这便是"市民社会"概念在思想史上的吊诡之处。不少论者认为，[4] 我们现在赋予"市民社会"的含义，是黑格尔首创的。那么，黑格尔以前的市民社会思想与我们今天的市民社会理论是否有任何的延续性？要理解当代的市民社会理论，是否仍有需要回到黑格尔以前的西方政治思想？

我认为这两个问题的答案都是肯定的。无论黑格尔以前或以后的西方市民社会思想，它们都有一些共同的关注点。正是这些共同关注，可以把它们连系起来，构成一个延绵不断的思想传统。这些共同关注包括像以下的课题：政治权力的正当性的来源在那里？社会作为人类合作性的群体生活的基础在那里？社会在历史上、概念上或逻辑上是否先于或外在于国家的存在？国家的权力的界限何在？国家和社会的关系应该是怎样？个人和社会、公和私的关系又应该是怎样？不同的市民社会概念和理论对于这些问题所提供的答案，不尽相同。

〔3〕 参见 Bobbio，同注 1，页 144；Keane，同注 1，页 35。
〔4〕 例如 Bobbio，同注 1，页 145；邓正来，同注 1，页 10。但是，Keane 却对这观点提出质疑：Keane，同注 1，页 62。

为了叙述和分析的方便起见，本文此部分将大胆地把西方近现代的市民社会思想分为五大主流：

（1）强调个人权利保障的市民社会理论（以洛克、潘恩（Tom Paine）和康德为代表）；

（2）强调人类道德情操的市民社会理论（以福格森（Adam Ferguson）和亚当·斯密（Adam Smith）为代表）；

（3）重视社会民间团体的市民社会理论（以孟德斯鸠和托克维尔为代表）；

（4）重视集体公共生活的市民社会理论（以鲁索、黑格尔为代表）；

（5）强调阶级对立的市民社会理论（以马克思、葛兰西（Antonio Gramsci）为代表）。

（一）强调个人权利保障的市民社会理论

洛克是西方自由主义的鼻祖，不少论者认为，他对市民社会理论也起了奠基性的作用。[5] 在洛克的《文明政府论》中，"市民社会"（或译作"公民社会"（civil society））和"政治社会"（political society）是互换地应用的，它们的意思是相对于"自然状态"（the state of Nature）的，即是指有政府负责管治的社会。洛克对于"市民社会"的理解，是建基于他对于"自然状态"的理解的。"自然状态"的概念在西方近代政治思想鼻祖霍布斯的理论中已占关键位置，但洛克对自然状态的理解与霍布斯大相径庭。

霍布斯认为自然状态是社会秩序的反面——一个恐怖的无政府状态、所有人对所有人的战争状态，洛克却认为在自然状态

---

[5] 参见 Adam B. Seligman, *The Idea of Civil Society* (New York: The Free Press, 1992), pp. 21–22。

中，人们已能安居乐业和大体上遵守他们凭其理性所认识的自然法，从而享有生命、自由和财产的自然权利。但是，由于自然状态欠缺一个权威性的司法机关，所以对于自然权利的保障是不足够的。人们达成社会契约成立市民社会（即我们今天所指的国家）的目的，便是对这些权利的保障予以完善化，政府受托于人民的任务便是如此。因此，如果政府不但不能完善个人权利的保障，反而侵害这些权利，人民便可行使反抗的权利。

从当代市民社会理论的角度来看，洛克的重要性在于强调社会相对于国家的优先性，[6]即社会是先于国家而存在的，社会能在没有国家的情况下生存和发挥其生命力，国家的建构不外是为社会提供一些服务，如立法、司法、行政、维持治安、国防等。但即使没有国家的立法，个人的自由和权利仍是存在的，这些自由和权利不是国家的恩赐，而是人所与生俱来的。

但是，为什么人在自然状态中是自由和平等的呢？与其说自然状态是人类历史上实证地存在的一种情况，不如说它是近代政治思想家所想象和建构的"应然"的社会状态。一言以蔽之，洛克的主张是，人应该是自由和平等的，应该享有自然权利。但是，为怎么应该是这样？历史告诉我们，在人类历史中绝大部分时间和地点中生活过的人，都会接受人的不自由和不平等是理所当然的。

正如 Dunn[7] 和 Seligman[8] 等学者所指出，洛克的自然状态

---

[6] 关于这点，可参见邓正来，同注1，页 6-7, 14-17。

[7] John Dunn, *The Political Theory of John Locke* (Cambridge: Harvard University Press, 1969)。

[8] Adam B. Seligman, "The Fragile Ethical Vision of Civil Society", in Bryan S. Turner (ed.), *Citizenship and Social Theory* (London: Sage Publications, 1993), pp. 139-161。

理论最终来说乃基于一个神学性的前提，即每个人都是上帝所创造的，当他们生活在一起时，他们之间并没有任何理所当然的隶属关系；只有上帝是有权威的，所有人在上帝面前平等，直接向上帝负责，任何人都没有支配他人的权威，除非是当事人自己同意、订立契约去设立此权威。这便是个人主义、自然权利论和社会契约论的宗教基础。

如果说洛克是自然权利思想的始创人，那么潘恩可说是它的最积极的使徒。[9] 潘恩所主张的自由主义是靠近于无政府主义的，他歌颂自然社会自我组织和运作的能力，认为国家最多只是一必要之恶。潘恩形容现代世界为不文明的，因为它被各国的专制的政权所掌控着，在专制主义下，人民没有独立思考、没有声音，这是对人性的桎梏。他认为专制统治是绝对不能证成的，因为人有与生俱来的合群性，能自发地通过互动建立社会网络，进行商业等各种有益的活动。社会稳定与和谐是与人们的共同利益一致的，并不难实现。因此，政府根本毋须享有这么大的权力。

在康德那里，[10] 洛克的自由主义市民社会观得到最严谨的哲学论证。自由、平等、理性和人权是康德的政治、社会和道德哲学的主题，和洛克一样，康德认为人类群体合作性的生活在自然状态中已经存在，但这仍非市民社会（bürgerliche Gesellschaft）。从人类历史演进的角度来看，市民社会的出现有重大的进步意义，实现了大自然为人类预设的目的。

康德所说的市民社会和洛克一样，是指有政治组织的社会，亦即国家。在康德的市民社会里，个人的权利受到法律的保障，

---

[9] 关于潘恩的市民社会思想的讨论，可参见 Keane，同注 1，页 44 – 50；John Keane, *Democracy and Civil Society* (London: Verso, 1988), pp. 42 – 46。
[10] 康德著，沈叔平译：《法的形而上学原理》（北京：商务印书馆，1991 年）。

而在制定法律时,在保证个人的自由能与他人的自由共存的前提下,尽量给予人最大的自由。根据康德主张的道德律,任何人都不应以他人为实现自己的目的的手段,而应视他人为目的,这对于市民社会的建构原则有深远的意义。康德的市民社会是一个奉行宪政和法治的国家,法律的正当性取决于一个民主的标准,即理性的公民在讨论后会否同意此立法。从当代市民社会理论的角度来看,康德的学说中对于公共和私人领域的区分是值得留意的。公共的领域是法权的领域,在那里的首要原则是,公民在法律面前人人平等。至于个人的道德,则属于私人的领域,道德是私人内在生活的范畴,不在公共权力管辖的范围之内。

(二) 强调人类道德情操的市民会理论

正如上面指出,洛克的市民社会理论有浓厚的基督教(主要是新教)背景,他的市民社会是"一个由个人化的道德主体组成的共同体,遵从'上帝的旨意'并谋求社会的福祉"。[11] 没有对于上帝和自然法的信仰,洛克式的市民社会理论的根基便会动摇。随着西欧宗教环境的改变,市民社会理论便需要作出适应。我们可以从这个角度去理解苏格兰启蒙运动的市民社会思想。这一思想流派的另一个背景因素,则是资本主义市场经济的发展。在市场活动中,人们是唯利是图的。那么,社会成员之间的纽带是如何维持的呢?

苏格兰启蒙运动思想家的主要论点是,人不只是自利的,也有利他的心理倾向。他们对人性有颇为乐观的看法(在这方面有点像儒家的性善论),认为人有自然的道德情操(moral sentiments),人有合群性和社会性,愿意与他人合作,不但关心自己和家人,也对其他人有同情心;人不单追求自己在物质上的生

---

[11] Seligman,同注8,页142。

活,也希望得到其他人以至社会的尊重、承认和欣赏。因此,作为市场经济的基础的自利主义,与作为社群团结的基础的利他主义之间,并没有必然的矛盾。于是,苏格兰启蒙思想家眼中的人的天性和道德情操,便代替了洛克的神学性预设而成为市民社会的基础。[12]

苏格兰启蒙思想家的另一建树,是提出一种新的"商业人文主义"(commercial humanism)(相对于西方古典共和主义传统的"公民人文主义"(civic humanism)),以适应市场经济时代的需要,并对于"德性"(virtue)予以重新定义。[13]在古典共和传统中,公民的德性彰显于公共生活,与政治以至军事活动密不可分。苏格兰启蒙思想家却把德性建立在私人的内在的道德领域,并把社会秩序建基于个人的良知。

福格森是苏格兰启蒙运动的健将,他是首位以"市民社会"(civil society)为题著书立说的主要思想家,他的《论市民社会的历史》在1767年出版。[14]他所指的市民社会是一个文明的社会,在他那里,市民社会的相反词不是自然状态,而是野蛮的、未发展的社会。他说明了以商业交换为基础的现代市民社会里,社会秩序是倚靠什么来维持的,人的德性是应怎样理解的,和如何认识和对治市场经济对人性和社会可能有的负面影响。

---

〔12〕关于苏格兰启蒙运动的市民社会观的讨论,可参见 Seligman,同注 8,页 143 – 147; Seligman,同注 5,页 25 – 41。

〔13〕参见 John Varty, "Civic or Commercial? Adam Ferguson's Concept of Civil Society", in Robert Fine and Shirin Rai (eds), *Civil Society: Democratic Perspectives* (London: Frank Cass, 1999)。

〔14〕本书的英文原名为 *An Essay on the History of Civil Society*。关于此书的讨论,可参见 Keane,同注 1,页 39 – 44; Varty,同注 13; Ernest Gellner, *Conditions of Liberty: Civil Society and its Rivals* (London: Penguin Books, 1996), pp. 61 – 80。

正如亚当·斯密和休谟一样，福格森对"情欲"（passions）和"利益"（interests）作出区分。前者对社会秩序可能有破坏性，后者却是有助于维系社会秩序的。人能对其利益有理性的认识，能就其利益作出反思和前瞻。当人们考虑到其利益时，他们便不会胡作胡为，因此，利益是对情欲或欲望的节制。至于德性，福格森认为商贸活动产生其独特的德性要求，如守时的习惯、创业精神、自由精神等。

虽然福格森就工商业对文明社会的贡献有正面的评价，但他同时注意到物质生活的富裕对人和社会可能有的腐蚀作用。例如，他指出劳动分工可能导致人的文化素质的下降，只顾致富的人会失去对公共事务的关心和参与。他特别指出，如要保障个人的自由和避免专制主义，单是法治制度是不足够的，还要视乎市民的素质是怎样，他们是否珍惜和勇于捍卫他们的自由和权利。

苏格兰启蒙思想家亚当·斯密不但是现代经济学的鼻祖，也对市民社会的理论基础做出贡献。虽然斯密在其经济理论中指出，在市场中，当每个人作出自利性的行为时，社会整体的利益也同时得到促进，就像有一"无形之手"在带领各个人去造福社会，但斯密在其《道德情操论》[15]中对人性有深入的分析，绝非把人化约为自私的"经济人"。这个有深度的人性论便是市民社会的理论基础。

斯密研究了人类的道德情操，包括同情心、友爱心、和人对得到别人承认和肯定的需要。他特别强调人是有良知（conscience）的，良知有如一个内在于人的客观公正的旁观者（"impartial spectator"），这个旁观者是人对自己和他人的是非对错的评判者。在《道德情操论》早期的版本里，这个旁观者代表的是社

---

[15] 本书的英文原名为 *The Theory of Moral Sentiments*。

会大众一般的道德标准，但在 1790 年的第六版里，他似乎已演变为内在于个人的、个人化的良心。[16] 在斯密那里，解释社会经济秩序的经济学和解释社会道德秩序的伦理学不是分割的，而是相通的。总括来说，苏格兰启蒙运动的市民社会理论的主要关注是伦理性的。

（三）重视社会民间团体的市民社会理论

西方市民社会思想传统所处理的问题一方面是理论性的，例如如何从理论上说明市民社会存在的基础、理由或来源，另一方面是务实性的，即在现实的层面怎样巩固市民社会的结构、怎样增强它的生命力、怎样防止它赖以生存的自由和权利受到剥夺。在这方面，法国思想家孟德斯鸠和托克维尔做出了重要的贡献，他们的洞见是历久犹新的。

孟德斯鸠是 18 世纪法国启蒙运动健将，他批评专制主义政体，指出政治权力的膨胀和绝对化对于个人自由的威胁，因此他提出政府权力分立（三权分立）、各权互相制衡的政制设计原则。他对市民社会理论的重要贡献，在于除了政制设计上的内部分权制衡之外，他还强调"中间团体"（"corps intermédiares"）在社会和政治上的角色。他心目中的中间团体，包括欧洲中世纪以来已存在的议会，和贵族、教士、市民等各阶层，没有他们对王权的制衡作用，只倚靠法律是不足以限制专制权力的。[17]

孟德斯鸠所提倡的政治社会或市民社会是一个权力多元地分

---

[16] 关于这点的分析，参见 Seligman, "Animadversions upon Civil Society and Civic Virtue in the Last Decade of the Twentieth Century", in John A. Hall (ed.), *Civil Society: Theory, History, Comparison* (Cambridge: Polity Press, 1995), pp. 200 - 223, at 207 - 210。

[17] 参见 Charles Taylor, *Philosophical Arguments* (Cambridge: Harvard University Press, 1997), p. 214。

布的、自由主义式的君主政体。在这里,君主的权力与社会中各团体和机构的力量形成均衡状态。这些团体和机构有其自主性,它们不一定为了政治的目的而成立,但它们促进了权力的多元化和均衡化。

在19世纪,孟德斯鸠关于中间团体的概念,在托克维尔的民主思想里得到进一步的发展。[18] 托克维尔基于其对民主共和制在美国的实践经验的研究,指出民主社会中追求社会平等(包括社会较下层要求与社会较上层在地位、财富等方面的平等)的动力很强,而传统道德和宗教的约束逐渐褪色,这样有可能导致政治权力的膨胀以至"大多数人的暴政",个人自由因而受威胁。托克维尔继承和发扬孟德斯鸠的思想,就这种民选的专制政权的危险提出对治的方案。一方面,他赞成强而有力的政府,但其权力须有内部的制衡;另一方面,他提倡多元的、自我组织的、独立于政府的民间团体的重要性,它们是"社会的独立的眼睛",[19] 是抵抗专制政权的堡垒。他说:"在民主国家,关于结社的科学才是一切科学之母。"[20]

托克维尔心目中的民间团体是各式各样的,包括宗教、教育、学术、出版以至工商业的组织和机构,也包括家庭和地方性、社区性的团体。他特别指出,当人民投入这些团体的生活时,他们会逐渐培养出公民的性格,他们会学习到怎样超越一己的利益,去关心他人和社群,并与他人一起为共同的目标而合作,他们也会认识到权利和义务的概念。虽然这些民间团体所做

---

[18] 托克维尔著,秦修明等译:《民主在美国》(台北:猫头鹰出版社,2000年)。
[19] 转引自 Keane, *Democracy and Civil Society*, 同注9, 页51。
[20] 转引自泰勒著,冯青虎译:"市民社会的模式",收录于邓正来、亚历山大编:《国家与市民社会》(北京:中央编译出版社,1998年),页3-31,于页28。

的是比较小的事情（相对于国家层次的事情而言），但这样从小处做起，对于形成国家公民关心公益和珍惜其自由的禀性是有帮助的。托克维尔关于民间团体在民主社会中的重要地位和作用的构想，现已被吸纳为当代市民社会理论的核心内容。

（四）重视集体公共生活的市民社会理论

近代自由主义和资本主义的兴起，形成了"公"和"私"或公共事务和私人事务的区分、政治和社会（尤其是经济）的区分、以至国家和社会的区分，这些区分很大程度上否定了西方古典文明（以古希腊的城邦生活为典范）的政治理想，即公民通过其对国家公共生活的全心全意的投入和无私的奉献，实现其生命的意义。鲁索和黑格尔的政治思想，尤其是鲁索提出的"公意"概念和黑格尔重新定义的"市民社会"概念，都可理解为在现代语境中对古典理想的追求。他们均尝试超越社会与国家的区分，向往社会与国家的溶为一体。

鲁索被称为"德性"（virtue）的使徒，[21] 他所代表的颂扬共和国公民德性（republican civic virtue）的思想传统，与洛克以至苏格兰启蒙运动的市民社会（civil society）理论（在本节中简称"市民社会思想"）是分庭抗礼的。正如 Seligman 所指出，[22] 两者的分歧主要表现于它们对德性和对道德的基础的不同认识。公民德性思想认为，德性是在公共生活和政治参与中彰显的，市民社会思想则认为，德性在私人生活以至商业活动中已能实现。公民德性思想认为道德的基础是社会性、公共性、群体性的，市民

---

[21] 参见 John A. Hall, "In Search of Civil Society", in John A. Hall (ed.), *Civil Society: Theory, History, Comparison* (Cambridge: Polity Press, 1995), pp. 1 – 31, at 11。

[22] Seligman，同注 16，页 203。

社会思想则认为道德的泉源在于上帝、自然法或人的内心。因此，市民社会思想尊重个人的自主性和自决，公民德性思想则高扬社群的集体自决和公共权威的至高无上性。

鲁索的"公意"概念在公民德性思想传统中占有关键性的地位。公意是公民凭爱国心（而非自私心）参与民主的政治决策的过程中形成的，代表社会整体的利益和意愿，所以公意具有无上的权威。个人通过社会契约建立政治社会（即国家）时，已把其所有权利转让给政治社会，他必须通过投入和献身于社会的共同事业和服从公意，从而实现自己的身份和生命价值。自由的真义不是为所欲为，而是根据公意而完成自己的职责。因此便有鲁索的一句名言：人们可以被强迫去实现其自由（forced to be free）。

黑格尔把鲁索的集体主义倾向发挥得淋漓尽致，并确立了"市民社会"与"国家"的区分，从而实现了市民社会理论的现代转向。黑格尔的哲学体系是庞大、复杂和抽象的，他在政治哲学方面的经典著作是1821年出版的《法哲学原理》。[23]黑格尔采用辩证法的思维，把相关概念的关系分为"正"、"反"、"合"三个环节，"合"是对"正"和"反"的超越和在更高层次的统合。黑格尔哲学的核心概念是"精神"（或译作"理念"，德文是"Idee"），分为主观精神（正）、客观精神（反）和绝对精神（合）。《法哲学原理》所处理的只是客观精神的领域。[24]

所谓客观精神是指社会中的事物，黑格尔认为它包括三方面：抽象法权（正）、道德（德文为"Moralität"）（反）和社会伦

---

[23] G. W. F. Hegel, *The Philosophy of Right*, translated by T. M. Knox (London: Oxford University Press, 1952).

[24] 可参见拙作《法治、启蒙与现代法的精神》（北京：中国政法大学出版社，1998年），页98–106。

理生活（德文"Sittlichkeit"）（合）。道德基于个人的良心，社会伦理生活则基于群体的价值观念。黑格尔认为，社会伦理生活又可根据辩证法分为家庭（正）、市民社会（bürgerliche Gesellschaft）（反）和国家（合）。于是，市民社会和国家便有所区分。但值得留意的是，这种区分并非一种对立，而是根据黑格尔的独特的辩证法，把家庭（正）和市民社会（反）涵摄、综合、超越和转化，创造出新的、存在于更高层次的统合体——国家。

作为正反两面，家庭和市民社会的组织原则是相反的。家庭的基础是亲情和互爱，市民社会则建立在人与人之间互相利用的原则之上。黑格尔心目中的市民社会主要是指由市场交换、商品经济所构成的社会关系。市民社会首先是一个"需要的体系"，人们为了满足自己的需要而与他人交易，在这里，人是自利的，人与人之间又是互相依赖的，这便构成了市民社会的"形式的普遍性"："普遍性"来自人们的互动性关系，"形式"是指在这些关系中人是以他人为满足自己的欲望的工具的，人与人之间并未建立"实质"的、内在的联系。[25]

在市民社会里，个人的人身、财产等权利受到保障，个人的主体性和特殊性得到承认，个人追求自己的利益的行为获得了正当性，黑格尔认为这是历史上的进步。但是，他又认为市民社会不是自足的，它是特殊利益互相竞逐的场所，它未能实现真正的、完满的普遍性。最终来说，市民社会的不足之处，在于它无力支持最丰富的社会伦理生活。

除了包括"需要的体系"外，黑格尔的市民社会概念还涵盖"社团"（即他所构思的同业工会）、"司法制度"和"公共机关"

---

[25] 关于这点的讨论，可参见石元康：《从中国文化到现代性：典范转移？》（台北：东大图书，1998年），页180-181、201-204。

（黑格尔把后两者称为"外在国家"）。黑格尔指出"社团"在训练人们关心和参与公共事务方面的功能，这与托克维尔不谋而合。黑格尔的外在国家（external state）已相当于一般自由主义思想家心目中的国家，但黑格尔却认为外在国家并非国家的全貌，因为外在国家不外是保障市民社会中私人的权益的工具，未能实现社会伦理生活的理想。

因此，黑格尔便创造了一个新的"国家"概念，这个国家超越了市民社会的各种特殊利益而实现了普遍利益，它是一个有机的共同体，是"理念"或"精神"在社会伦理生活领域的最高体现，甚至是"上帝在地上的走动"。通过投入和参与国家作为一个伦理共同体的生命，人便能安身立命、实现其自我和自由。但黑格尔又认为国家不是个人自我实现的工具，国家的存在和发展本身便是一个目的。国家是民族的历史、文化、传统和精神的载体，而国家的成长和繁荣便是历史进程的目标。

（五）强调阶级对立的市民社会理论

马克思基本上继承了黑格尔的市民社会概念，尤其是市民社会作为市场经济或黑格尔所谓的"需要的体系"的理念。马克思对市民社会理论的主要贡献在于他说明了市民社会的阴暗面，大力批判了市民社会中的剥削和不公，并指出市民社会所提供的权利保障对于受压迫的阶级来说是虚假的。马克思对市民社会的无情批判似乎是有效的，因为在马克思以后，直至20世纪70年代，市民社会的讨论在西方思想界几乎销声匿迹。

马克思把市民社会理解为由资本主义经济制度所塑造的生产关系，属社会的基础部分（相对于作为社会的"上层建筑"的国家和意识形态领域而言）。市民社会是由自私自利的个人组成的，市民社会保障他们的私有产权。正是在市民社会中，资产阶级进行对无产阶级的剥削和压迫。市民社会里的所谓人权所反映的只是资产阶级的利益，而非所有人的利益。

和黑格尔不一样，马克思不认为国家能解决市民社会中的矛盾，克服特殊利益而实现普遍利益。他认为在资本主义社会中，国家不外是"一个管理整个资产阶级的事务的委员会",[26]是资产阶级对整个社会实行暴力统治的工具。国家是从属于市民社会的，它不是黑格尔所以为的伦理精神的载体，而是"社会的集中的和有组织的暴力"。[27]市民社会是资产阶级社会，而国家便是为资产阶级服务的。

黑格尔追求的是国家作为伦理理想的实现，马克思则预言国家的消亡。无产阶级革命之后，共产主义将逐步实现。在共产主义社会里，人们将不再分为阶级，没有了阶级之间的矛盾和斗争，国家作为统治阶级进行暴力统治的工具便毋须继续存在。共产主义社会是一个和谐团结的有机统合体，它只需要行政管理方面的安排，在人类历史中与阶级社会共为终始的国家将成为历史陈迹。

葛兰西是20世纪的重要的马克思主义思想家，他的市民社会理论对当代市民社会思想有重大的影响。[28]和马克思一样，他相信阶级斗争，相信国家是资产阶级的工具，也相信国家在共产主义社会里是注定消亡的。但对于市民社会，葛兰西的看法与马克思有所不同。葛兰西的创见是，市民社会是无产阶级与资产阶级进行角力的关键性的思想、意识、文化和社会空间。

马克思认为社会的上层建筑（包括政治、国家、文化、意识型态等）是由物质或经济基础（包括生产力、生产关系等）所决

---

[26] 转引自 Bobbio，同注1，页141。原文来自《共产党宣言》。
[27] 转引自 Bobbio，同注1，页141。原文来自《资本论》。
[28] 关于葛兰西的市民社会理论的讨论。可参见 Bobbio，同注1，页139–161。

定的，而市民社会属经济基础而非上层建筑。葛兰西则认为，市民社会应被理解为上层建筑的一部分，市民社会与国家便构成上层建筑的两大建筑物。

根据葛兰西的观点，国家所行使的是以暴力为基础的直接支配权，市民社会行使的则是以人们的同意和接受为基础的驭权（hegemony）。市民社会是各种民间的、非政府的、私人的团体、组织和机构的领域，也是人们的知识、精神、文化生活的范畴。资产阶级的统治不单倚赖其对国家机关的掌握，也十分倚赖它在市民社会中的驭权。但此驭权不应被接受为资产阶级的专利，无产阶级和社会的进步力量应该和可以在市民社会中争取驭权。

葛兰西在马克思主义传统中赋予思想、意识和文化新的意义和重要性，这对于当代市民社会理论是十分重要的。葛兰西甚至认为，革命如要成功，驭权的夺取应先于政权的夺取。因此，市民社会便成了历史发展的重要舞台、斗争中兵家必争之地。

三、西方当代的市民社会理论

当代西方市民社会的话语的复兴，源于20世纪80年代东欧和中欧的民主运动。在这个历史时刻，东欧和中欧的苏联"卫星国家"的政权遇到来自民间的力量的抗争，典型的例子便是波兰团结工会运动。民间分子希望组织起来形成独立的、不受国家操控的社会力量，这便是市民社会。这样的市民社会的概念是与全能主义（totalitarianism）针锋相对的，因为在全能主义的统治下，社会和个人生活的所有领域都受到国家的操控，人民没有自由思考、议论和活动的空间。市民社会的概念便代表着这样的一个空间，因此，市民社会便是和国家对立的、自主于国家的一个社会领域。

在20世纪80年代和90年代，市民社会的范式在世界范围内的政治思想界和社会科学界的影响力与日俱增。[29] 市民社会的概念从东欧和中欧散播到南美洲、亚洲、非洲等发展中国家，成为它们针对专制独裁的政权的民主运动的思想资源。即使在西方国家，市民社会概念也大派用场，右派的论者批评福利国家的"大政府"主义，主张市场化、私有化和恢复市民社会的活力；左派的论者则以市民社会理论来理解和指导新兴的社会运动，如黑人民权运动、女权运动、环保运动、反全球化运动等，市民社会俨然代替了无产阶级而成为人类解放的救星。

当代的市民社会理论是多采多姿的。由于篇幅所限，本文没有可能谈及所有的当代市民社会思想，以下介绍的是我认为是较大影响力的、较有代表性的或较有洞察力的当代市民社会理论。为了方便讨论起见，本节将正如上一节一样，大胆地把有关理论分类：

（1）历史社会学的市民社会理论（以 Ernest Gellner 为代表）；

（2）社群主义的市民社会理论（以 Charles Taylor 和 Michael Walzer 为代表）；

（3）民主主义的市民社会理论（以 John Keane 和 Benjamin Barber 为代表）；

（4）以"公共领域"为核心的市民社会理论（以哈贝马斯、Jean Cohen、Andrew Arato 和 Neera Chandhoke 为代表）；

（5）保守主义色彩的市民社会理论（以 Víctor Pérez-Díaz 和 Edward Shils 为代表）；

---

[29] 关于市民社会理论在世界范围内的较新发展，可参见 Neera Chandhoke, *State and Civil Society: Explorations in Political Theory* (New Delhi: Sage Publications, 1995); John Keane, *Civil Society: Old Images, New Visions* (Cambridge: Polity Press, 1998); Michael G. Schechter (ed.), *The Revival of Civil Society: Global and Comparative Perspectives* (London: Macmillan Press, 1999)。

(6) 文化社会学的市民社会理论（以 Jeffrey Alexander 为代表）；

(7) 全球性市民社会理论（以 Richard Falk 为代表）。

必须指出的是，这里所作的分类只是为了表达上的方便，去给予不同思想流派一些标签，而并非基于一套统一、严格和十分科学的标准。这里采用的标签有些是以论者的研究方法、取向和范式（paradigm）为依归的（如上述第（1）和第（6）类），有些是以论者的政治哲学的核心概念、整体取向和意识形态为依据的（如上述第（2）、（3）和（5）类），还有些是以论者的市民社会理论本身的核心概念和特色为基础的（如上述第（4）和（7）类）。

（一）历史社会学的市民社会理论

Gellner 是横跨社会学、人类学和哲学的大师，他去世前一年出版的《自由的条件：市民社会及其对手》[30]是关于市民社会概念的当代经典之作。在书中，Gellner 从宏观的比较史的角度，对市民社会进行反思，说明了它的特征、它在西方诞生的历史背景，以至市民社会和其他组织社会的模式的差别。他认为对于市民社会的思考，既能解释现代西方社会是怎样运作的，又能展示这种社会与人类其他社会组织形态的异同。

Gellner 首先指出，如果把市民社会定义为足以抗衡国家的非政府机构或社会组织，这便忽略了人类历史中的一个重要事实，就是对人的宰制和对人性的窒息，不一定来自中央集权的专制国家，也常常来自以血缘、宗族为基础的地区性社群对其成员的监控。市民社会的精髓，是个人有自由去决定自己的身份，去创造自己的人生，毋须在对专横的权力的恐惧中生活。市民社会是在

---

[30] Gellner，同注 14。

架构上和思想上多元的社会，没有人或团体能垄断真理，社会秩序并非是神圣不可侵犯的、而是工具性的，社会中的团体是人们可自由加入或退出的，政府是向人民负责的，其领导人是定期改选的。

Gellner指出，在历史上，人类长期由国王和教士（祭司）联合统治，生活在专制和迷信之中。人类脱离苦海，亦即市民社会的出现，完全是历史的偶然，也是历史的奇迹。Gellner认为决定性的历史时刻，是欧洲宗教改革运动引致的严重宗教和政治冲突，对立的各方没有任何一方能取得压倒性的胜利，于是大家被迫妥协，互相接受和宽容，这便是市民社会的由来。

Gellner认为在西方近代史中，市民社会两度击败了国家，首次是17世纪的英国内战，然后是18世纪的美国独立战争。至于启蒙时代对真理、共识和理性的社会秩序的追求，却迎来了法国大革命后的恐怖统治和拿破仑的独裁。Gellner提到马克思把现代国家贬称为资产阶级的管理委员会，Gellner却认为这正是人类历史上最伟大的成就，因为在以往的社会里，政治便是一切，政权掌握在操纵暴力工具的人手中，而在现代西方社会（市民社会），经济和政治互相独立、互不隶属于对方，政治权力被驯服，它不再是主人，反而成了社会的工具。Gellner批评有些人：

> 根据一个错误的对立来思考——个人主义与群体主义的对立。真正重要的对立是强制者（coercers）的统治和生产者（producers）的统治之间的对比。[31]

Gellner认为全能主义在实践中的失败引证了市民社会的优

---

[31] 同上注，页206。

势。全能主义是世俗化的宗教，在全能主义社会中，真理和权力双双被垄断，社会中剩下原子化（atomised）的个人，民间自我组织的能力被窒息。这正是市民社会的反面。

（二）社群主义的市民社会理论

Taylor 和 Walzer 都是当代西方政治哲学中社群主义（communitarianism）的代表人物，他们都有专文采讨市民社会的概念。Taylor[32] 认为市民社会是否存在的标准有三，既可同时应用或分开应用：首先是社会中存在着不受国家权力支配的、民间社团自由活动的空间，这是市民社会的最低要求；第二是整个社会可透过民间社团自我织组、自我协调；第三是民间社团能影响和参与决定国家的政策。Taylor 注意到市民社会概念的复兴的背景，主要是东欧的民主运动，市民社会的思想所表述的是一种自下而上的社会改革、争取自由的呼声。

Taylor 强调市民社会在西方出现的独特的历史背景，尤其是中世纪的社会特征。他指出，在其他文明中，社会的身份（identity）是由其政治结构决定的，但中世纪的欧洲却形成了一种在其他文明中罕有的社会观，根据此社会观，政治权力机构只是社会中众多的机构之一。第二，中世纪的教会是独立于政治机构的一个社会，这是社会与其政治机构的分化的表现，正如中世纪的"双剑论"展示出权力的双重中心（精神的和世俗的）。第三，封建制度下的契约关系和财产及特权等概念助长了主体性权利的发展。第四，欧洲各自治市的发展，加强了政治和社会权力的多元性。第五，中世纪时君主的统治很大程度上有赖于贵族、教士、市民等各阶层的支持，正如议会制所反映的情况。

Taylor 认为，市民社会和国家的区分在西方近现代思想中是

---

[32] Taylor，同注 17，页 204－224。本文的中译见于泰勒，同注 20。

重要的，它是反专制主义思潮的核心、维护自由的工具。他把市民社会思想的出发点理解为这样的一个看法：社会是外在于政治而存在的，人民具有一种外在于政治的、"前政治"或"非政治"的品格。他认为市民社会思想基本上可分为两个主流，一是以洛克为代表的，二是以孟德斯鸠和托克维尔为代表的。他不赞成把洛克派的市民社会思想极端化为一味高举自我调节的市场的功能、而把政治和政治参与的自由边缘化，但他也不采用鲁索的"公意"概念或人民集体自决的思想而把国家吞噬进社会之中。他认为托克维尔的自由主义思想揭示出第三条道路，即重视自治的民间社团的作用，这样的市民社会"在很大意义上并非一种外在于政治权力的领域；而毋宁是深深地穿透于这种权力的一种力量，使权力处于分立、分散的状态。"[33] Taylor 主张结合和平衡洛克学派和孟德斯鸠托克维尔学派的思想，作为西方市民社会理论的指引。

Walzer 对于市民社会的思考，[34] 则基于他对于四种关于什么是美好人生（good life）的社会环境的理论的批判。这四种理论的第一种是古希腊以至鲁索的政治思想，认为美好人生的实现，决定于人作为公民全心全意地投身社群（共和国）的公共生活，参与政治讨论和决策。第二是马克思的观点，认为在资本主义被推翻后，人在没有剥削的情况下作为生产者的劳动和创造力的发挥，便是美好人生的体现。第三是资本主义的理论，认为市场经济便是人类美好生活的最佳环境，在那里企业家可发挥其创

---

[33] 泰勒，同注20，页31。
[34] Michael Walzer, "The Civil Society Argument", in Gershon Shafir (ed.), *The Citizenship Debates* (Minneapolis: University of Minnesota Press, 1998), pp. 291–308.

业精神，消费者的各种需要得到满足，个人有高度的选择的自由。第四是民族主义的看法，即美好人生离不开个人在其所属的民族、文化、历史和传统中找到其身份认同和生命的意义，为其民族的解放和富强而奉献自己是最伟大的。

　　Walzer指出以上四种理论都有同样的弱点，就是它们忽略了社会的复杂性和人生价值的多元性，它们未有承认人可以和需要同时就不同对象有所承担，而这些承担很可能是在一定程度上互相冲突的。Walzer的"市民社会的论点"（the civil society argument）是，人需要有不同种类的社会环境，去实现不同内容的美好人生，而市民社会便是提供这些多元的社会环境的社会。在市民社会里有各式各样的社团、组织、企业和机构，人们为不同的目的自由组合起来，实现人天生的合群性，同时学习参与公共事务。这些团体应该是在国家之中但不属于国家的（in but not of the state），或是在市场之中而不属于市场的（in but not of the market）。[35]

　　Walzer承认"市民社会的论点"有一吊诡之处，就是虽然个人作为国家的成员（公民）的角色只是他作为多种团体的成员的众多角色之一，但是国家作为一个团体有与别不同之处，就是国家强制地要求公民关注其共同利益。此外，就市民社会所产生的一些不平等的权力关系来说，也只有国家才能予以挑战。因此，Walzer认为公民身份相对于人作为其他团体成员的身份有其优先性，市民社会有责任培养出关心整个国家的事情的公民。

　　Walzer提倡"批判性的结社主义"（critical associationalism），即鼓励人民参加自己选择的团体，无论是政治的、经济的、宗教的、文化的、社区的或其他性质的，并积极参与，高度投入。就

---

[35] 同上注，页302。

着市民社会的发展，Walzer 提出三项建议：首先是下放国家权力，让公民自己承担多一些管理社会事务的责任；第二是推动经济的社会化，即鼓励市场主体的多元化（如包括公共企业、合作社、非牟利机构等市场主体）；第三是把民族主义多元化和驯服化，以容纳不同方式的历史身份认同。

（三）民主主义的市民社会理论

John Keane 是英国有名的左翼学者，他在 80 年代末期编着的以市民社会为题的两部书，脍炙人口。[36] 他关于这个题目的最新著作是《市民社会：旧的影像、新的构想》，[37] 出版于 1998 年。他认为即使在黑格尔之前，关于市民社会与国家的区分的思考在西方政治思想传统中已经建立起来，他指出这些思考所针对的是一个永恒的课题：政治权力的正当性何在？它的界限应划在那里？怎样防止它被滥用？自由与强制性的秩序如何共存？

Keane 把当代关于市民社会的讨论分为三类。[38] 第一是以市民社会作为一个理念模型（ideal-type）来描述、分析和理解历史中的社会现象，如西方现代国家的形成，哈贝马斯所谓的"公共领域"（见下文）在现代西方的崛起，以至中国历史中民间社会和官方的互动（见下文）。第二是在讨论政治策略时使用市民社会的话语，例如在 18 世纪末、19 世纪初对国家权力的抵抗，在 19 世纪中期后针对资本主义斗争，以至 20 世纪末期针对苏联和东欧政权的民主运动。第三是关于市民社会的哲学性、规范性（normative）的研究，探讨国家和市民社会的关系的理想形态。

---

[36] Keane (ed.), *Civil Society and the State*, 同注 1; Keane, *Democracy and Civil Society*, 同注 9。

[37] Keane, 同注 29。

[38] Keane, 同注 36，页 13–29; Keane, 同注 29，页 37–57。

在这方面，Keane 提到市民社会和国家的区分有两个重要的规范性功能，一是警惕性的，即指出市民社会与国家的区分的消失会带来全能主义（totalitarianism）的危险，二是建构性的，即说明政治和社会权力分布的多元化是一件好事。

Keane 特别强调市民社会和民主的密切关系。他认为民主是一种独特的政治模式，在民主体制中，市民社会和国家机构同样是必须的，市民社会的存在是民主的必要条件。民主化既不意味着民主国家的权力无远弗界，可扩展至市民社会的领域，也不表示国家应被市民社会中人民自发组成的秩序取而代之。在民主社会中，国家的权力是受到市民社会的监察的，政治权力是被多元地分享的。

Keane 十分重视价值和生活方式的多元主义（pluralism）、平等的多样性（egalitarian diversity）和对于差异性的宽容（toleration of differences），认为这是市民社会的核心特征。他又强调市民社会的存在和发展，有赖于若干程序上、法制上的保障，例如保障结社自由和大众传播媒体的多样性和不受政府控制等。Keane 对于多元主义的坚持，使他倾向于罗逖（Richard Rorty）的实用主义式的对民主的论证，而反对基础主义式（foundationalist）的论证，如哈贝马斯的沟通理性论和德沃金（Ronald Dworkin）的得到平等关注和尊重的权利的理论。

Keane 又对于哈贝马斯及其追随者（见下文）的市民社会和公共领域理论提出若干批评。他对哈贝马斯把经济的领域从市民社会概念中摒弃出来不以为然，他不同意哈贝马斯把经济视为纯粹是金钱挂帅的天下。他认为如果没有财产资源，市民社会是无力抗衡权力的；此外，经济活动也是植根于市民社会的，因为经济交易是一种社会中的互动，建基于信任、诚实、互相承认、群体意识等市民社会中的现象。至于公共领域，和哈贝马斯一样，

Keane 把它理解为多元交叉的沟通网络（Keane 把它分类为微型、中型和巨型三种），在这里各种关于权力的争议可以进行，但他不同意社会中存在着或应该有任何统一的、以哈贝马斯所谓的理性讨论为取向的公共领域，Keane 心目的公共领域是多元的、分散、割裂的，但他以为这是好事而非坏事。

Barber 是美国有名的民主主义理论家，他在 1998 年出版了一本关于市民社会的专著，题为《我们的地方（A Place for Us）：如何使社会公民化（civil）和使民主强大》。[39] Barber 所谓的"我们的地方"便是市民社会。他倡议的是"强大的、民主的市民社会"，他把他的市民社会理论和他所谓的"libertarianism"（在这里暂译作"自由权利主义"）和社群主义的市民社会观予以区分。

Barber 眼中的自由权利主义把市民社会等同于市场的领域，又把整个社会构思为"公"域和"私"域的总和，享有强制力的国家属公域，市场的自由则构成私域。他认为这种市民社会观有多方面的缺点。它未有在个人和社团之间、经济组织和公民组织之间或市场领域与文化、道德、宗教等领域之间作出区分；它对自由的理解过于私人化（privatised）；它所支持的群体性（sociability）过于单薄；它把社会关系过于工具化（instrumental）；权利被视为私人在政治上的武器，而不包涵相应的义务。

至于社群主义，Barber 认为它把市民社会等同于社群（community），它重视社群中人与人的联系、交往和感性关系，但他指出，这类的社群里人的身份主要是给定（given 或 ascriptive）的（如基于族裔或宗教背景）而非自愿选择的，所涉及的社会关系

---

[39] Benjamin R. Barber, *A Place for Us: How to Make Society Civil and Democracy Strong* (New York: Hill and Wang, 1998).

很多时候是威权主义、家长式管治和不平等的。他还特别提到以血缘为基础的社群的危险性，例如对外人的憎恨，对内部成员的全权化（totalising）倾向，并举出伊斯兰原教旨主义和纳粹德国为例子。

根据 Barber 自己的市民社会构想，市民社会是介乎公域与私域之间、政府（国家）与市场之间、王子（prince）与商人之间的"第三领域"，这是一个人们互相承认和交往的空间，在这里，公民享受自由和民主的生活（"公民可以自由地呼吸和民主地行事"[40]——因此，Barber 把市民社会称为"我们的地方"（a place for us），也是在这里，公民把王子民主化，把商人驯服化（tame）和文明化（civilise）。

Barber 指出，市民社会的特点是，它既不隶属于国家（公域），也不隶属于市场（私域），但它享有此两者的部分特征。市民社会和公域所分享的特征是，它们都有公共性，是开放给大众的、公开的，是关心社会公益的。但与政府管辖的公域不同的是，市民社会没有强制性，人们有自由参加或不参加某团体。自愿参与的原则是市民社会和市场所分享的特征，但和市场主体不同，在市民社会中人们不是在营商，而是在追求其他社会性或公益性的目标。Barber 心目中的市民社会的构成单位，包括家庭、教会、民权组织、环保组织、各种志愿性社会服务团体等等。在 Barber 的市民社会里，社会人际关系比上述的自由权利主义的市场式市民社会更为浓厚，但又不至于像上述的社群主义的族裔式市民社会那么高度团结和妨碍个人自由。

（四）以公共领域为核心的市民社会理论

哈贝马斯是当代跨科际的思想家，他的早期著作《公共领域

---

[40] 同上注，页 10。

的结构变迁》（德文原著发表于 1961 年，英文译本发表于 1989 年）[41]对当代市民社会思想有很大的影响。他后来建立的沟通行为理论和商谈伦理被 Jean Cohen 和 Andrew Arato 采用为他们的市民社会理论的基础，Cohen 和 Arato 的七百多页巨著《市民社会与政治理论》（1992 年出版）是当代市民社会理论的经典之作。[42]哈贝马斯本人在 1992 年出版的政治和法律哲学巨著《在事实与规范之间》[43]对公共领域和市民社会又有进一步的论述。本节将简介这些著作的一些要点，并介绍当代印度学者 Chandhoke 对于市民社会和公共领域的整合性论述。[44]

哈贝马斯提出"公共领域"（public sphere，或译作"公共论域"[45]）的原意，是用以分析西欧 17 世纪至 20 世纪的一种政治、社会、思想和文化层面的变迁。《公共领域的结构变迁》一书论述的主要是"资产阶级公共领域"的兴衰史。公共领域在十七八世纪的英、法等国兴起，它是理性地、批判性地辩论公共和政治事务的舆论空间，有相对于国家（政权）的独立性，由诸如咖啡馆、沙龙、报章、杂志等场所和媒介所构成。新兴的公共领域的基础是新兴的市场经济和私人的自由，"资产阶级公共领域可被理解为这样的一个领域，就是私人走在一起成为公众（a public）"，它的特征是"人们公共地使用其理性"。[46]公共领域

---

[41] Jürgen Habermas, *The Structural Transformation of the Public Sphere*, translated by Thomas Burger (Cambridge: MIT Press, 1989).

[42] Jean L. Cohen and Andrew Arato, *Civil Society and Political Theory* (Cambridge: MIT Press, 1992).

[43] Jürgen Habermas, *Between Facts and Norms: Contributions to a Discourse Theory of Law and Democracy*, translated by William Rehg (Cambridge: MIT Press, 1996).

[44] Chandhoke, 同注 29。

[45] 参见曾庆豹：《哈伯玛斯》（台北：生智文化事业，1998 年）。

[46] Habermas, 同注 41, 页 27。

有别于私人领域,私人是在私人领域中形成的,然后才进入公共领域。在本书中,哈贝马斯把市民社会理解为私人自主的领域,与国家相对;私人领域是从公共权力中解放而形成的,它的基础是市场经济。

至于哈贝马斯所谈到的公共领域的结构变迁,其实就是指它的衰落。随着大众传播媒体的兴起,文化逐渐变成一种消费品,人民只知被动地吸收信息,公众舆论被少数人操纵,人们成了被游说接受既定立场的对象,积极的思考和理性的辩论一去不复返。

哈贝马斯在其后的大量著作中,发展了一套完备的沟通行为理论。这套理论说明了人类行为的不同类型,人类历史进化的总体趋向,现代化的性质,现代社会的结构以至社会进步的道路。一言以蔽之,哈贝马斯高举沟通理性的旗帜,希望人们可以通过在平等、自由和开放环境下的(符合"商谈伦理")的理性对话和辩论,形成共识,从而解决问题和指导社会的发展。

哈贝马斯把现代社会划分为社会系统和生活世界。社会系统包括政治(官僚)系统和资本主义经济(市场)系统;系统的运作有其自主的逻辑和规律,并有赖于其操媒介。政治系统的操控媒介是权力,经济系统的操控媒介是金钱。哈氏认为,现代世界的危机,是系统过分膨胀,对生活世界进行"殖民化",导致生活世界的萎缩、人的异化和人性被压迫。

那么什么是生活世界?哈贝马斯把它理解为人类日常生活经验的领域,人与人之间交往、沟通、互动的领域,尤其是人与人之间互相承认和理解的领域,生活世界是人生意义和价值的泉源。和系统不同,生活世界的运作媒介是语言(符号)沟通行为,生活世界中的事情和行为是透过语言沟通和互相理解来协调和整合的。生活世界中有自主于系统的私人领域和公共领域。公共领域的特点是，人们可以在不受权力宰制的情况下实现没有扭曲的沟通，理性地讨论公共事务，从而民主地形成公共意见和公共意志。

Cohen 和 Arato[47]在哈贝马斯哲学的基础上建立了他们的三分模式（three-part model），即把"市民社会"与"国家"和"经济"区分。但市民社会并非国家和经济以外的社会生活的全部，还有从市民社会分化出来的"政治社会"（包括政党、议会等）和"经济社会"（包括商行、公司等），它们在市民社会与国家之间和市民社会与经济之间发挥中介作用。Cohen 和 Arato 认为，公共领域是市民社会的核心架构；他们又追随哈贝马斯的学说，把公共领域和私人领域区分，并指出此两者均属生活世界的范畴。他们把家庭放在市民社会之内和公共领域之外，而市民社会则可被理解为"现代生活世界通过基本权利被稳定下来后形成的制度架构，这些权利的范围包括公共领域和私人领域"。[48]

（参见图一）

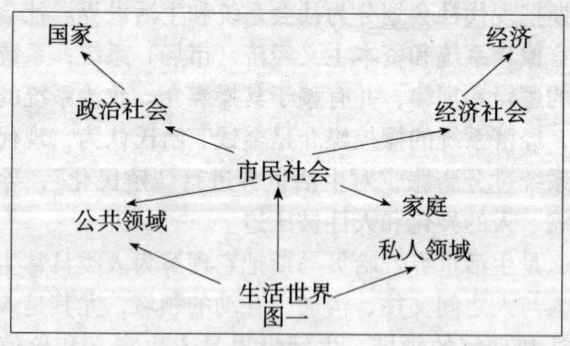

```
国家                      经济
  ↖                      ↗
  政治社会            经济社会
       ↖    ↗    ↖    ↗
          市民社会
       ↙     ↑     ↘
  公共领域         家庭
      ↖          私人领域
           生活世界
            图一
```

---

[47] 见注42。
[48] 同上注，页440。

Arato 和 Cohen 把市民社会定义为"在经济与国家之间的一个进行社会交往的领域，包括亲密关系的领域（the intimate sphere）（尤其是家庭）、社团的领域（尤其是志愿性社团（voluntary associations））、社会运动和各种公共沟通形式"。[49] 他们特别指出，市民社会是"通过法律——尤其是主观性权利（subjective rights）——而制度化和普遍化的"。[50]

Arato 和 Cohen 认为，构成市民社会的规范性原则有以下四个。第一是多元性原则（plurality），即市民社会中有多样化的生活方式、多元和自主的团体。第二是公共性原则（publicity），这体现在市民社会的文化和传播机构。第三是隐私原则（privacy），这适用于个人自我成长和道德选择的领域。第四是法治原则（legality），这是说市民社会的多元性、公共性和隐私是受到法律和基本权利所保障的。

根据 Cohen 和 Arato 的构思，市民社会的话语所肯定的价值是自由、基本权利、平等、民主、团结（solidarity），这都是现代所追求的社会理想。他们对市民社会中的政治（如社会运动、甚至公民抗命（civil disobedience））寄予厚望，认为它能补充传统民主国家建制（如政党、议会、选举、司法）的不足之处；虽然市民社会里的政治的目的，不是夺取国家权力或破除政治以至经济系统的自主的运作逻辑，但市民社会能对这些系统发挥良性的影响。他们指出市民社会的政治既有防御性的功能，也有进取性（offensive）的功能。防御性功能在于促进市民社会的民主化，抗拒政治系统和经济系统对市民社会的"殖民化"（见上文）；进取性功能是影响政治社会的运作，从而争取更多权利和促进政治以

---

[49] 同上，页 ix。
[50] 同上，页 ix。

至经济系统本身的民主化、合理化。

哈贝马斯在 90 年代新作《在事实与规范之间》[51]吸收了 Cohen 和 Arato 的一些观点，并对市民社会、公共领域和生活世界的关系和作用有进一步的论述。哈贝马斯指出，"公共领域是一个沟通的架构，它通过市民社会的社团网络而植根于生活世界"。[52]他明确表示，今天的市民社会概念与其在马克思主义传统中的意义不同，是不包括由私法所建构和由市场所导引的经济体系；市民社会的"核心架构包括那些非政府的和非经济的联系和志愿团体，它们把公共领域的沟通架构建立在生活世界的社会环节"。[53]市民社会和私人领域也是关系密切的（哈贝马斯再次强调公共领域有其私人性的基础（private basis）），所以市民社会的其中一个功能，便是把人们在私人领域中遇到的实际问题"过滤和转介"至公共领域，成为公众的议题。哈贝马斯又强调，无论公共领域还是私人领域的存在，都有赖于其相关权利（如言论自由、集会自由、结社自由、隐私权、宗教自由）的法律保障。

Chandhoke[54]的市民社会理论深受"公共领域"和沟通辩论的概念所影响，又考虑到发展中国家（尤其是印度）的经验，可视为哈贝马斯、Cohen 和 Arato 等人的市民社会观的进一步发展。在 Chandhoke 看来，市民社会就是公共领域，所以他表明在他的书中这两个词语是互相替换地使用的。市民社会不是社会的全部，它不包括私人性的社会行为，也不属国家或经济的领域。

Chandhoke 认为应该同时吸收自由主义传统和马克思主义传

---

[51] 见注 43。
[52] 同上注，页 359。
[53] 同上，页 367。
[54] 见注 29。

统中关于市民社会的睿见。自由主义强调市民社会自主于国家，国家的权力应受限制，市民社会中的自由和人权要受到保障，这是正确的，而市民社会在西方史中出现，也应承认为有进步的意义。但是，马克思主义所指出的市民社会里的剥削和压迫现象也是真实的，在历史现实中，市民社会并非平等参与的领域，某些人是没有声音的，某些人却享有很大的支配权。

Chandhoke 仍然相信，市民社会有促进人类解放事业的潜能。被边缘化的和弱势的群体可以在市民社会中争取他们的权利，市民社会中的批判性、理性的讨论能促进政府（国家）的问责性，并构成民意压力而影响政府的施政。市民社会又可把一些原被认为是私人生活中的问题（如女权主义所关心的问题）带进公共领域，引起公众的关注以至政府的相应行动。

Chandhoke 指出国家和市民社会可以互相影响对方。国家和统治阶级可能透过市民社会加强其统治、制造民意和使市民社会变得驯服；反过来说，市民社会中的进步力量又可抗衡国家和统治阶级的力量，并对国家政策发挥影响（虽然他们无意夺取国家的权力）。Chandhoke 提议以自由和平等原则作为联合市民社会中的力量的原则。Chandhoke 反对极端的国家民族主义和分化国家的宗教、族裔等反普遍性（particularistic）的极端主义，认为市民社会和公共领域的道路是好的中庸之道。

（五）保守主义色彩的市民社会理论

把人类解放和社会进步的希望寄托于国家和市场以外的市民社会和公共领域的思想，可以理解为当代市民社会理论的左翼，这与较右翼的、具保守主义色彩的市民社会理论相映成趣，后者的代表人物包括西班牙社会学家 Pérez‑Díaz[55]和美国思想家 Shils。[56]

Pérez‑Díaz 把当代的市民社会概念归纳为三种：第一是广义地理解市民社会，指出市民社会是从 18 世纪到现在于西欧和北美具体存在的社会形态，其特征包括有限权力、具问责性和受法治约束的政府、私有产权和市场经济、自主和多元的社团、自由讨论的公共领域；这种看法以他本人和 Gellner（见上文）为代表。第二是较狭义地理解市民社会，认为它是与国家相对的社会自主领域，包括市场、社团、公共领域等，这种看法以 Keane 为代表（见上文）。第三是更狭义地理解市民社会，认为它只包括市场经济，又或只包括国家和经济以外的社团、社会运动、公共领域等事物，后者以哈贝马斯、Cohen 和 Arato（见上文）及 Alexander（见下文）为代表。

Pérez‑Díaz 特别强调市民社会的出现的历史偶然性，即它是人们在若干特定的历史环境中的行为的非有意的结果（unintended consequence），但当它形成和被实践后，人们逐渐体会到它的好处，而市民社会的概念便被提出来去理解这种历史经验。他引用苏格兰启蒙运动的思想（见上文），指出市民社会建基于一种独特的道德传统，在这传统里，自利倾向和利他倾向、对个人财富的追求和对社会公益的承担取得了恰当的平衡。他又引用思想家 Michael Oakeshott 创设的"公民结社"（civil association）和"企

---

[55] Victor Pérez‑Díaz, "The Possibility of Civil Society: Traditions, Character and Challenges", in John A. Hall (ed.), *Civil Society: Theory, History, Comparison* (Cambridge: Polity Press, 1995), pp. 80–109; Victor Pérez‑Díaz, "The Public Sphere and a European Civil Society", in Jeffrey C. Alexander (ed.), *Real Civil Societies: Dilemmas of Institutionalization* (London: Sage Publications, 1998), pp. 211–238.

[56] Edward Shils, *The Virtue of Civility* (Indianapolis: Liberty Fund, 1997).

业组织"（association as enterprise）的概念来阐释市民社会的特征，指出市民社会是此两者的良性结合。Oakeshott 所谓的公民结社，是指人们组织起来的基础不是对于一个大家所同意的实质目标的共同追求，他们结合的基础在于他们对一些由法律或行为规则构成的实践的确认和接受。至于 Oakeshott 所说的企业组织则刚刚相反，其成立是为了经营某些实体目标。公民结社是非目的性的，企业组织则具有目的性和工具性。[57]

Pérez‑Díaz 指出他的广义的市民社会概念的好处，是能够突出市民社会各构成元素（如政治元素、经济元素、社会和文化元素）的相互关系，使人们了解到它们之间存在着制度性的联系，相辅相成地形成一个整体。例如，法治制度和尊重民意的政府（市民社会的政治部分）的存在，与市场经济、多元社会和公共领域有不可分割的关系。

Pérez‑Díaz 对哈贝马斯等人把市民社会（以至生活世界）从政治和经济中区分出来提出批评。他不同意把政治和经济制度视为"异化的"（"reified"）、根据某些非人所能控制的逻辑运作的机器，他认为这样便低估了人在政治和经济运作中的作用。Pérez‑Díaz 指出，市场有其开放性和不确定性，经济决定是由大量的生产者和消费者作出的；同样地，官僚系统的运作也有其不可预测性。他指出，在政治和经济制度中，行动者的行为是植根于社会和文化的土壤的，他们所作出的选择也有其道德传统的背景。把政治和经济制度从市民社会概念中排除出去，便等于是减低了改变市场经济和国家的规则的期望。Pérez‑Díaz 提醒人们，"在

---

[57] 关于 Oakeshott 在这方面的理论，可参见蔡英文："麦可·欧克秀的市民社会理论：公民结社与政治社群"，收录于陈秀容、江宜桦主编：《政治社群》（台北：中山人文社会科学研究所，1995 年），页 177–212。

任何地方都有可能找到'生活世界'的空间，包括在政治系统和经济系统的中心地带"。[58]

Pérez‐Díaz 又从历史角度去反驳 Alexander 的更狭义的市民社会概念（即市民社会是普遍化的社会团结性的领域）（见下文）。例如他指出在十七八世纪，公共领域的发展是由关于政治、经济、税务等问题的讨论所推动的。他又提到在美国历史中，善于参与公共领域的公民素质是在市场交易、政治议会和宗教活动中培训出来的。

保守主义色彩的市民社会理论与左翼市民社会理论的主要差异，是前者倾向于肯定和维护市场和传统，后者则对此两者持较批判性的态度。在这方面，Shils[59] 的市民社会思想是有启发性的。Shils 认为在西方历史传统中演化出来的市场和市民性（civility，或译作"市民认同"[60]、"礼度"）（市民性是市民社会的特征，见下文），是人类文明史上最伟大的发明之二。他又强调，市民社会存在于西方已有数个世纪。

Shils 对市民社会本身的定义并无过人之处，他认为市民社会是独立于国家的社会领域，由非血缘或地缘性的经济、宗教、文化和政治等性质的自主团体所组成。他强调市民社会的基础包括法制上对自由的保障、民主的政体、私有产权、契约自由和市场经济。市民社会里有多元的自主领域（如经济、宗教、文化、政治等不同领域），每个自主领域中又有多元的自主社团。

由于市民社会的多元性，其中的利益、价值和理想很多时候

---

[58] Pérez‐Díaz, "The Possibility of Civil Society", 同注 55, 页 105。
[59] 见注 56。
[60] 希尔斯著，李强译："市民社会的美德"，收录于邓正来、亚历山大编：《国家与市民社会》（北京：中央编译出版社，1998 年），页 32–50。

是互相冲突的；Shils 的睿见在于他指出，市民社会的首要特征是它的成员中存在着一种市民性（civility），而正因为市民性的存在，他们能处理、克服、甚至超越各种矛盾和纷争，社会秩序能得以维持。

Shils 所谓的市民性是一种心态、取向、品格和行为模式，其灵感来自孟德斯鸠的一个洞见，就是每一种政治制度都有其相应的人类道德品质和信仰，例如共和体制所对应的是公民美德、公德和市民性。Shils 认为市民社会的市民性的核心是一种市民集体自我意识（civil collective self-consciousness），就是他们认同自己是同一个社群的一分子，这个社群的其他成员是生活在同一政治权威、法律制度和领土内的人。具有市民性的人承认他与这些其他人之间有特别的纽带，他会尊重他们和对他们有礼，他会对这个社群及其制度有所珍惜和归依（attachment），他会重视这个社群的共同利益或整体利益。"市民性指这样的人的行为，他的个人自我意识一定程度上受到他的集体自我意识所掩盖，他的集体自我意识的坐标是社会整体和市民社会的制度。"[61]

市民性使文明的政治（civil politics）成为可能。在这种政治中，虽然人们有不同的意见、价值信念和互相冲突的利益和要求，但他们不会进行你死我活的斗争，因为即使是政敌之间，也共享上述的集体自我意识；虽然每个人或团体有其特殊的利益（市民性并不要求人们放弃其私利或个人的主张），但他们也会顾及社会的整体利益，所以他们会愿意达成妥协。

Shils 又提到市民性与公民身份（citizenship）、国籍（nationality）和民族主义的关系。他认为，"市民性是比国家（state）中

---

[61] Shils，同注56，页335。

的公民身份更广泛的现象。"[62] 公民身份只是相对于国家而言的:"公民身份是国家的现象;它是服从、批评及积极指导政府等行为的组合。"[63] 但国家并不涵盖市民社会。至于国籍、民族主义和爱国主义,Shils 认为它们有助于市民性和市民社会的建立,例如民族集体自我意识可支持市民集体自我意识,"成为一个民族社会(national society)是迈向市民社会的一步——尽管这并不是必然的。"[64]

(六) 文化社会学的市民社会理论

Jeffrey Alexander 是美国当代著名社会学家,他从文化社会学的角度去看市民社会,对市民社会的定义有其独到之处。他区分出市民社会概念的三个理念类型模式(ideal - typical forms),[65] 它们在思想史中是相继出现的。第一是洛克、福格森、黑格尔、托克维尔等人的无所不包的市民社会概念,即认为市民社会包括国家以外的各种机构和组织,如市场、宗教、社团和其他社会合作关系、民意、法定权利、政党等等;这种市民社会观认为市民社会是一种道德或伦理性的力量,并对资本主义市场有正面的看法,例如认为它能促进和平和民主。和这第一种观点相反,第二种市民社会观强调市场的负面作用,并大致上把市民社会等同于资本主义,如马克思便有这样的市民社会观,认为市民社会是自私自利的人的世界。Alexander 自己提出的是第三种市民社会观。

这种市民社会观是以社会分殊化(social differentiation)的概念为基础的,认为市民社会应区分于并视为独立于国家、市场和

---

[62] 同上,页 73。
[63] 同上,页 73。
[64] 同上,页 354。
[65] Jeffrey C. Alexander (ed.), *Real Civil Societies*: *Dilemmas of Institutionalization* (London: Sage Publications, 1998), pp. 3-8.

其他社会领域（如家庭、宗教、科学等）。Alexander指出，[66]市民社会"是一个团结性的领域（solidary sphere），在那里一种普遍化的群体（universalizing community）逐渐被承认和一定程度上实现"，在那里"社会团结性（social solidarity）是以普遍性的语言（universalistic terms）来定义的。"[67]

Alexander并没有说明他所谓的社会团结性的含义，但这似乎近于Shils所谓的市民性，因为Alexander说市民社会是"民族群体的'我们性'"（the "we-ness" of a national community）、"一种与这个群体的'每个成员'连系的感觉，这种感觉超越个别的承担、狭隘的忠诚和局部的利益"。[68]市民社会为生活在一起的不同宗教、阶级、种族的人提供一种共同的身份认同，这种身份认同是建基于普遍化的概念、价值和符号的，如"权利"或"人民"（peoplehood），这使市民社会与由传统纽带联系的社会（所谓Gemeinschaft）有所不同。

Alexander心目中的市民社会同时包括制度组织的范畴和思想意识的范畴。在制度组织的层面，市民社会中有大众传播媒体、民意调查、法院、社团、社会运动等等。在思想意识的层面，市民社会有其话语（discourse）和符号系统（symbolic codes），市民社会的意识是它们所建构的，例如，市民社会的话语把世界分为两部分——我们（即包涵在市民社会中者）和他们（即被排除于市民社会之外者）。

Alexander指出，美国宪法开首的用语"我们，人民……"

---

[66] 同上，页7。
[67] Jeffrey C. Alexander, "The Paradoxes of Civil Society", *International Sociology*, Vol. 12, No. 2 (1997), pp. 115-133, 十页118。
[68] 同上，页118。

(We, the people) 便是一种市民社会的话语，权利的话语也是市民社会的话语。在美国史中，少数族裔或弱势群体采用权利的这种普遍化话语去使自己成为"我们"的一分子，这便是市民社会的现象。市民社会一方面（例如通过权利的话语）承认个人化（individualization），另一方面又需要形成集体认同和集体意识，这便是市民社会的公民团结性（civil solidarity）的个人和集体向度之间的张力，也是市民社会的吊诡之处。

Alexander 引用了人权思想为例子，说明全球性公民团结性（global civil solidarity）的概念，并指出原则上市民社会的概念是可以适用于跨国的层面的。但是，他认为在现在这个历史阶段，民族国家仍十分重要，国家层次的团结性纽带（solidary ties）仍是主导的，所以他讨论的市民社会仍以民族国家（nation）为基础。

（七）全球性市民社会理论

当代美国国际法学者 Richard Falk 提出了"全球性市民社会"（global civil society）的概念，在日益全球化的 21 世纪，这是不容忽视的。近年来在多次国际高层经贸会议举行时的大规模反全球化示威（例如 2001 年 7 月在意大利热那亚举行八大工业国家首脑会议时的示威抗议活动），可算是全球性市民社会的活跃程度的反映。

Falk[69] 认为全球化的力量有两种，一种是全球性的市场力量，他称为"从上而下的全球化"（globalization－from－above），第二种是对第一种全球化提出异议的社会运动（social activism），他称为"从下而上的全球化"（globalization－from－below），而全

---

[69] Richard Falk, *Predatory Globalization: A Critique* (Cambridge: Polity Press, 1999), pp. 137－152。

球性市民社会便是这第二种全球化力量的表现。

全球性市民社会属"第三系统",这是相对于由国家组成的第一系统和由市场组成的第二系统而言的。在第三系统里,关注人类共同命运和全球性公共利益的公民自发地走在一起,在全球范围内发挥他们的影响力。

Falk把全球性市民社会定义为"一个行动和思想的领域,由个别的和集体的公民行动(individual and collective citizen initiatives)组成,这些公民行动是自愿和非牟利性质的,它们同时在不同国家之内和跨国层面进行"。[70] 现今全球性市民社会里有各式各样的非政府组织和社会运动,如民主运动、人权运动、环保运动、女权运动、和平运动和其他反对经济全球化所造成的恶果的运动。

四、市民社会与中国

市民社会的概念和理论是西方近现代思想史的现象,也是西方思想家在回顾西方的历史经验和展望西方的未来的反思过程中的产物。但正如在哲学、政治学、社会学等人文社会科学领域的其他重要概念和理论一样,市民社会的概念和理论也为中国知识界所继受,用以研究中国历史中的现象和探讨中国的未来。当然,进行这方面的思考的不限于中国的知识分了,也包括西方的研究中国的学者。在本文的这个部分,我尝试提纲挈领地谈谈这方面的研究。

(一)市民社会与中国历史传统

对中国思想史素有研究的墨子刻(Thomas A. Metzger)的

---

[70] 同上,页138。

"中国历史语境中的西方市民社会概念"一文[71]可以用来作为我们的讨论的起点。他的基本论点是,西方的市民社会概念与中国的思想传统是格格不入的,这种情况在20世纪也没有改变,他认为即使是那些追求"民主"的现代中国思想家也没有吸收西方市民社会思想的精髓。

墨子刻认为,西方市民社会概念的核心是一种"市民性"(civility),市民性是多元素的复合体,包括社会成员之间(即是陌生人之间)有一定程度的互信;要求政府向人民负责;接受三种市场——政治的市场(即多元政治)、知识的市场(如多元价值观)和经济市场;大家愿意在遵守同一套游戏规则的前提下各自追求自己的目标。他尤其指出,西方市民社会概念基于一个"从下而上"的观点,即并非完美的、可能犯错(fallible)的市民自我组织起来去监察一个常会犯错(incorrigible)的国家。他又以为市民社会的思想蕴涵一种对人性的悲观的认识,即人是易犯错的,没有人能结合知识、道德与政治权力于一身,所以社会秩序应保障上述三种市场的自由,使其不受自以为是的统治者的侵犯。

墨子刻指出,中国思想传统的观点与西方上述的"从下而上"的观点和对人性的悲观论背道而驰,中国的观点是"从上而下"的和对人性和社会乐观的。中国人相信的是"圣君贤相"、"内圣外王",不是市井之徒自己组织起来去监察常会犯错的政府,而是应由知识和道德的精英(士大夫、读书人或代表社会的良心的现代知识分子)去领导一个可臻完美(corrigible)的国家。中国传统思想认为公众的利益(public good)是可客观地掌握的,

---

[71] Thomas A. Metzger, *The Western Concept of the Civil Society in the Context of Chinese History* (Stanford: Hoover Institution on War, Revolution and Peace, 1998).

这些精英便能明白它,并教育和领导人门迈向理想的社会("大同"的理想),因此,毋须限制国家的权力。

对于中国传统的这种政治理念,香港政治哲学家石元康形容为"伦理化的政治":"政治的最主目的为对于人民的道德教化,使得人民能够在德性上不断地提升。"[72] 他认为现代世界的特征包括"非伦理化的政治"、"非政治化的经济"(在古代,经济领域是附属于政治领域的)和"非宗教化的伦理"(这是指韦伯所谓的世界的"解咒"(disenchantment)),而市民社会的出现,便体现了现代的特征(尤其是"非政治化的经济")。他指出,中国传统社会是小农方式经营的自然经济,商业活动被视为对于社会的固定关系和皇权的威胁,所以中国历代都实行"重本抑末"(重农轻商)的政策,反对营利思想,提倡人民进德修业。此外,他又引用黑格尔的观点,指出中国人以组织家庭的办法来组织国家,没有个人的自由和权利的概念。因此,石元康认为,中国传统中没有市民社会,而"要使自由主义在中国生根,我们就不得不把中国传统的组织社会的基本原则连根拔起。"[73]

中国传统的家长式统治,一般被认为是与现代市民社会互不兼容的。中国大陆历史学家萧功秦在"市民社会与中国现代化的三重障碍"一文[74]中引用严复的话:"中国帝王,下至守宰,皆以其身兼天地君亲师之众责。"萧功秦指出,"从历史上看,社会独立于国家并获得不受国家干预的自主权利这种观念,是中国传统文化中所没有的。"他又引用香港社会学家金耀基的观点:

---

[72] 石元康,同注 25,页 173–174。
[73] 同上,页 196。
[74] 收录于罗岗、倪文尖编:《90 年代思想选(第二卷)》(南宁:广西人民出版社,2000 年),页 41–53(原刊于《中国社会科学季刊》(香港),1993 年 11 月总第 5 期,页 183–188)。

"帝制中国的政治系统,拥有一个不受限制的政治中心。这个政治中心具有不断地对社会经济生活实施干预的潜在可能与倾向性。"[75]

但是,很多时候这种潜在的可能性不会被实现。在这方面,大陆学者李凡的意见是比较中肯的。他指出,由于传统社会中国家对社会的控制能力有限,所以"在国家之外实际上存在一个相对自治的民间社会"。[76] 他以地方政府的情况为例子,指出历代政府的官员最多只派到县一级,县以下的管理是由政府与地方缙绅合作解决的,村则由宗族自治管理。

中国传统社会中官民互动和合作的经验和制度,驱使旅美华人学者黄宗智提出"第三领域"的概念,作为研究和分析传统中国以至近现代和当代中国的社会现象的范式。他认为"国家和社会之间的二元对立……是从西方近代初期和近代的历史经验中抽象出来的理念,以此理解中国的现实并不适合。……应超越'国家/社会'的二元模式,而采用'国家/第三领域/社会'的三元模式。"[77] 第三领域是平民和国家共同参与和控制的领域,是国家和市民社会之间的中间地带,有其自身的特征、制度形式和运作逻辑。

(二) 市民社会与近现代中国

19世纪中叶以来,中国出现了翻天覆地的变化,中国社会的结构、形态和思想面貌经历了迅速的重组过程。在这过程中,类似西方市民社会的景象曾出现和蓬勃于神州大地,这种具体的

---

[75] 同上,页44。
[76] 李凡:《静悄悄的革命:中国当代市民社会》(香港:明镜出版社,1998年),页12。
[77] 黄宗智:"国家和社会之间的第三领域",收录于甘阳、崔之元编:《中国改革的政治经济学》(香港:牛津大学出版社,1997年),页155–179,于页155。

历史经验,为中国本土化的市民社会理论提供了丰富的素材。

萧功秦指出,"中国近代的市民社会是在 19 世纪中期以后,在近代的工商业和租界文化的发展和近代社会变革的推动下,从传统社会结构中逐渐蜕变出来的。"[78]经济和社会的变迁孕育出新的社会阶级或阶层,如经营近代工商企业的商人、从事自由职业的知识分子以至新兴的工人阶级。他们组织起来,成立了各式各样的社团,如商会、同乡会、银行公会、学社、出版社、报社、杂志社,以至工会、律师协会、慈善机构和政治组织(如有意推翻清朝的秘密组织及民国初期的政党),这些团体与较传统性的团体(如行会、会馆、书院、宗教组织、宗族组织以至黑社会的帮会组织)并存。

清末和民初的民间团体和组织在政治上发挥了影响力。例如在清末,商会是支持立宪运动和地方政制改革的重要动力;在五四运动中,学生组织、工人团体和商人团体的作用更是关键性的。民间力量在抗日和共产主义运动中又扮演了举足轻重的角色。大致来说,在 20 世纪初至 1927 年南京国民政府成立这段期间,中国市民社会的发展达到了历史性的高峰。[79]

1927 年以后,国民党政权开始加强对市民社会的管制;正如 Gordon White 等学者指出,[80] 在 1927 年以后,中国的国家与社会的平衡由前一阶段的社会占优势转变为国家占优势的局面。国民党政府对市民社会的做法是压制和取缔部分社团,并拉拢和

---

[78] 萧功秦,同注 74,页 46。

[79] 参见 Gordon White, Jude Howell and Shang Xiaoyuan, *In Search of Civil Society: Market Reform and Social Change in Contemporary China*. (Oxford: Clarendon Press, 1996), p. 17; He Baogang, *The Democratization of China* (London: Routledge, 1996), p. 183。

[80] White, Howell and Shang, 同注 79, 页 18-21。

吸纳其他社团,对它们成立注册和监管的制度。即使在这个时期,不同领域和种类的民间团体仍能发挥不同程度的影响力和享有一定范围的自治权,虽然它们从来未能获得市民社会在西方享有的自由和权利的法制性保障。

(三) 市民社会与 1949 年后的中国大陆

在 1949 年以后,直至 1978 年开始实行"改革开放"政策以前,中国大陆实行全能主义式(totalitarianism)的统治,市民社会可谓荡然无存。中国大陆在此时期的情况类似于以前苏联和东欧的情况,也就是东欧的市民社会思想所批判和反抗的情况。正如李凡所指出,"中国传统的民间社会所具备的一些自治性完全被打破,党/国家对社会经济、政治和文化的控制和渗透能力达到了中国有史以来的最强程度。……到文化大革命后期,……中国社会的'自主性'已经全部被取消——一个完全被政治和官僚控制的社会在中国建立起来了。"[81]

1978 年以后,情况开始迅速地改变,在一定意义上,20 世纪上半期曾在中国活跃过的市民社会开始复苏。在过去 20 多年,中国大陆在经济上的成就是有目共睹的,至于市民社会的出现,则是李凡所谓的"一场静悄悄的革命"。他并指出,虽然中国市民社会的发展仍属刚起步的阶段,市民社会的内部结构并不成熟(如有对政府的依赖性),又缺乏法制的保障(如言论、出版和新闻的自由、结社和集会的自由),但"从动态的发展的角度来看,中国社会的当前的巨大变化确实是有向现代意义上的市民社会发展的趋向的"。[82]

---

[81] 李凡,同注 76,页 16–17。
[82] 同上,页 26。

正如 White 等学者所指出，[83] 市民社会发展的动力学有两方面，一是政治性的（political dynamic）；二是市场性的（market dynamic）。政治性的动力包括国家政策的改变（如容许市民社会更大的空间和自主性）、政治上的反对力量的出现等。至于市场的动力，一个基本的论点是市场经济的发展会带来社会形态的改变，包括社会的分殊化（differentiation）和利益的多元化，并导致在国家和市民社会的平衡中市民社会取得更大的力量，市民社会的自主空间增加。

海外华人学者何包钢把中国市民社会分为三个领域，[84] 即经济市民社会、政治市民社会（如政治性的组织和运动）和文化市民社会（如话语（discourse）和公共领域）。他认为 1989 年的民主运动是全权主义倾向的国家与兴起中的市民社会的根本性冲突，结果是政治市民社会被全面压制，但在 90 年代，经济市民社会却继续发展。何包钢认为中国当代市民社会（包括经济市民社会）的特点是，它是与国家一定程度上重迭和纠缠在一起（entangled）的，由于它有这种混合性的特质，以及它相对于国家的自主性只是局部的，何包钢把它称为"半市民社会"（semi-civil society）或"准市民社会"（quasi-civil society）。在这方面，他与黄宗智关于"第三领域"的思路不谋而合（例如黄宗智认为乡镇企业和改革后的农村行政管理体制都属此第三领域）。

White 等学者把新兴的中国市民社会中的社团分为四大类。[85] 第一是"被放在笼中的领域"（the caged sector）的社团，即官办的"人民群众团体"，如中华全国总工会、中华全国妇女

---

[83] White, Howell and Shang, 同注 79, 页 7–10。
[84] He, 同注 79, 页 176。
[85] White, Howell and Shang, 同注 79, 页 29–37。

联合会、中国共产党青年团等。它们在改革开放的年代之前已长期存在,并已官僚化,自主性甚低。第二是"被吸纳的领域"(the incorporated sector)的新兴的"社会团体",它们是正式注册、得到官方认可的,其中包括全国性和地区性的商贸、专业、学术、体育文娱康乐等方面的团体。它们之中,少数是官办的,也有少数是类似其他国家的非政府组织(NGOs),但大多数则是"半官半民"或半官方的,通常是在某些政府机关的支持下由民间成立,或倚赖跨越官方和民间的人际关系网络而生存。虽然这个领域的社团是被国家纳入其管制范围并作为国家与社会的桥梁的,但White等人认为中国政府并没有完整的、系统的和严密的"社团主义"(corporatism)的做法("社团主义"指由国家透过其认可和在不同领域赋予垄断权的社团和社会中各利益阶层建立有组织的关系)。

至于第三和第四类的民间组织,都是在法律制度以外的。第三类社团存在于"夹缝的、模糊的地带"(the interstitial, "limbo" world of civil society),它们并没有取得上述第二类社团的正式地位,但也没有像下述第四类社会一样受到镇压。它们的例子包括一些妇女团体、一些知识分子、专业人士的网络和经常聚会,以至农村地区的传统式的宗族和宗教组织。它们有些得到当地政府的支持和合作,有些则被怀疑和不被信任。

第四类民间组织是地下的(underground civil society)、被压制的(the suppressed sector),其中有些因被视为对政权和社会有威胁而被监视但尚未被全面镇压,如一些气功组织,有些则被视为非法组织和与国家敌对的力量而被取缔和镇压,如一些民运团体、极左政治团体、邪教组织、秘密组织、黑社会组织等。

研究当代中国市民社会的学者一般都关心到市民社会和国家的关系和它对民主化的影响。李凡指出,中国市民社会与国家的关系"既有利益的互相冲突一面，也有利益的互相合作一面"，但"有大量的关系证明国家与社会之间采取了合作主义的方式"。[86] 至于中国市民社会的发展是否能促进中国大陆的民主化，何包钢和 White 等人都认为这是很难说的。何包钢指出，中国的"半市民社会"可以是民主化的力量和民主人士的避风港，也可以是要求社会稳定和支持新权威主义的力量（例如新兴的企业家阶层便有这种倾向）。[87] White 等人也指出，[88] 由于中国市民社会的多样性、割裂性（fragmented）和有可能造成社会不稳定（如上述第三、四类民间组织），所以市民社会既是民主化的动力、也是民主化的障碍。他们指出，中国大陆的和平和成功的政治转型，最终取决于一个愿意改革的中共领导层与市民社会中的精英（如知识分子、企业家和专业人士等阶层）的政治协商和合作。

(四) 关于中国市民社会的理论思考

上一节所叙述的主要是关于中国当代市民社会的实证研究，除此以外，在 90 年代，一些中国大陆学者也开始致力于建构中国本土化的市民社会理论。本节将介绍其中最具启发性的一些观点。

邓正来和景跃进在 1992 年发表的"建构中国的市民社会"[89] 可算是当代中国市民社会理论的经典之作。他们指出，现有的关于中国政治前途的思考，无论是"新权威主义"和作为

---

[86] 李凡，同注 76，页 31。
[87] He，同注 79，页 188。
[88] White, Howell and Shang, 同注 79，页 216。
[89] 邓正来、景跃进："建构中国的市民社会"，收录于邓正来：《国家与社会：中国市民社会研究》（成都：四川人民出版社，1997 年），页 1–22（原刊于《中国社会科学季刊》（香港），1992 年 11 月总第 1 期，页 58–68）。

其对立面的"民主先导论",都有同样的不足之处,就是把聚焦点放在政治权威及其转型上;他们认为更关键的问题"在于国家与社会二者之间没有形成适宜于现代化发展的良性结构,确切地说,在于社会一直没有形成独立的、自治的结构性领域"。[90] 因此,他们主张"用'国家与社会的二元观'替代'权威本位(转型)观'",他们的市民社会理论的"根本目标在于:从自下而上的角度,致力于营建健康的中国市民社会"。[91]

邓正来和景跃进心目中的中国现代市民社会是"以市场经济为基础,以契约性关系为中轴,以尊重和保护社会成员的基本权利为前提"的,[92] 在这些方面,他们认为这种市民社会有异于中国传统中的"依赖亲情血缘、侠胆义气关系来维持"[93] 的民间社会组织。他们又指出这个市民社会的中坚力量是企业家阶层和知识分子,也包括农民身份的乡镇企业家和乡镇企业工人,但不包括国家公职人员和"自给自足、完全依附于土地的纯粹农民"。[94]

邓正来和景跃进提出了建构中国市民社会的"两个阶段发展论",建构的力量包括国家的由上而下的作用(如经济政策、法制建设、教育政策等)和社会的由下而上的作用(如个体和私营经济、民间社团)。第一阶段是市民社会的"形成阶段",国家逐渐撤出其不应干涉的经济和社会领域,社会成员运用其自由空间建设市民社会。第二阶段是市民社会的"成熟阶段",这是"中

---

[90] 同上,页3。
[91] 同上,页3。
[92] 同上,页6。
[93] 同上,页9。
[94] 同上,页6。

国市民社会从私域向公域的扩张",[95] 它开始影响和参与国家的决策。

邓正来和景跃进认为中国市民社会应避免"超前过热地参与政治",[96] 也不应采取中国传统民间社会的"民反官"的单一路向。他们提倡国家和市民社会的"良性互动",即国家承认和保障市民社会的合法活动空间,在必要时可进行干预和调节;市民社会则构成制衡国家的力量,市民社会维护其独立自主性和多元利益,并为作为中国现代化的终极目标之一的政治民主化创设社会条件。

邓正来在其后的数篇文章[97] 中对中国市民社会的理论做出进一步的贡献,较重要的可在这里综合为以下四点。首先,他认为应区分市民社会概念在中国的两种不同应用。第一是用来认识、分析和解释中国现代化的历史进程,第二是"作为中国现代化发展过程中的一种实体社会的资源",[98] "将市民社会作为中国现代化的具体道路和某种目的性状况加以建构",[99] 这是一种"规范性的思考和批判",[100] 基于一种"强烈的现实关怀"。[101]

邓正来又对中国大陆和台湾的市民社会话语(在台湾更常用的是"民间社会")进行比较,"发现大陆与台湾论者因其具体取

---

[95] 同上,页18。
[96] 同上,页17。
[97] 邓正来:"台湾民间社会语式的研究",收录于邓正来:《国家与社会:中国市民社会研究》(成都:四川人民出版社,1997年),页48–85;邓正来:"导论:国家与市民社会",收录于邓正来、亚历山大编:《国家与市民社会》(北京:中央编译出版社,1998年),页1–21;《邓正来自选集》,同注1。
[98] 《邓正来自选集》,同注1,页43。
[99] 同上,页62。
[100] 同上,页55。
[101] 同上,页62。

向的侧重点的不同而在理解'市民社会与国家'模式以及因此而形成的理论品格方面的差异"。[102] 他认为大陆的市民社会论者大多理解市民社会与国家的关系为一种"良性互动关系",而台湾论者则以市民社会（民间社会）理论作为对国民党政府威权统治的抗争的理论和战略资源。他指出台湾的市民社会论的背景是"对台湾历史上传统自由主义的不动员症性格的批判以及对传统左派的阶级化约论的质疑",[103] 它是一种新的强调由下而上的民间力量的"造反哲学",[104] 有"强烈的动员性格和实践品格",[105] 但缺点是未能客观地承认政府在台湾的资本主义经济发展和民主化过程中的正面功用,又未能严肃地思考政治制度的发展和政治稳定的问题。

此外,邓正来提出了中国市民社会研究的一些方法论方面的问题。他指出,在借用西方的市民社会概念去研究中国的问题时,应慎防跌进"西方心主义"的陷阱,即以为西方市民社会所展示的现代化道路是唯一的、四海皆准的；这样会导致研究者在尝试在中国历史中寻找市民社会的踪影时,过分地重视某些和西方市民社会对应的因素,"根据西方的定义在中国发展的复杂经验中选择与之相符的那些方面进行意义放大的研究,从而忽略了某些对于中国发展具有实质意义的方面",[106] 又或导致研究者"以西方市民社会模式为判准,对中国不符西方市民社会的现象进行批判"。[107] 邓正来建议把西方市民社会模式本身视作"论辩

---

[102] 邓正来:"导论：国家与市民社会",同注97,页15。
[103] 邓正来:"台湾民间社会语式的研究",同注97,页54。
[104] 同上,页72。
[105] 同上,页54。
[106] 《邓正来自选集》,同注1,页33。
[107] 邓正来:"导论：国家与市民社会",同注97,页18。

对象",并在研究时以"中国的历史经验或现实为出发点","在此一基础上建构出相应的并能有效适用于中国的理论概念,进而形成中国本土的分析理论模式。"[108]

最后,邓正来讨论到在建构中国市民社会理论时,应如何看待传统。他不同意把把传统和现代绝对地对立起来,他认为这是"现代化框架"的思维的弊端,因为它"根本否定了现代中隐含有传统、而传统中又往往存在着现代这一极为复杂的现象"。[109] 他反对"视传统为整体的落后",反对整体性的批判、否定和抛弃传统,因为"这无疑忽视了传统中所隐含的向现代转型的深厚的正面性资源"。[110]

关于怎样把中国传统思想文化利用为建构现代市民社会的正面性资源,蒋庆提出了独到的见解。在"儒家文化:建构中国式市民社会的深厚资源"一文中,[111] 他认为"在中国建成西式的市民社会是不可能的",他主张"在中国历史文化传统的基础上"建构"中国式的市民社会",在这方面,儒家文化"是一支最主要的促进力量"。[112]

蒋庆从五方面论证儒家文化的正面作用。第一,市民社会是多元社会,但蒋庆认为多元社会中的价值相对化和世俗化使人的"生命得不到安立","儒家大统的政治智慧"可提供解决办法。[113] 第二,市民社会以市场经济为基础,有重利轻义的倾向,

---

[108] 同上,页19-20。
[109] 《邓正来自选集》,同注1,页30。
[110] 同上,页30。
[111] 蒋庆:"儒家文化:建构中国式市民社会的深厚资源",《中国社会科学季刊》(香港),1993年总第3期,页170-175。
[112] 同上,页170。
[113] 同上,页171。

儒家正义谋利的思想可予以对治，意思是"以义指导利"、"用道德来规范利的方向"。[114] 第三，市民社会重视契约关系，但契约关系中的理性计算和利害考虑容易使人变得冷漠无情，在这方面，儒家忠信仁爱的价值能为契约关系提供精神和道德的基础。第四，市民社会中人们只顾致富的倾向会对人心和社会有腐蚀的作用，儒家富而教之的思想可发挥正面影响，用道德力量去指导社会财富的运用。

最后，蒋庆指出，虽然市民社会提倡自由平等，但人是有需要从自己的身份和职业中找到其归宿和依托、从而实现其生命价值和尊严的。蒋庆认为，中国式的市民社会应是"有限的自由平等与合理的等级身份并存的社会"。[115] 儒家的礼乐文化"是对人在社会中的等级身份进行规范、涵濡与意义化的文化"，使"每个人在符合自己身份的礼中都可以找到自己生命的安顿与存在的价值"，因此，儒家礼乐文化有助于建设中国的市民社会——"此市民社会应该是新型的礼乐社会"。[116]

五、反思与总结

中国现代化的道路是艰难和曲折的，到了今天，中国大陆在经济水平上和政治、法律等制度的发达程度上仍远远落后于西方。根据上述 Gellner、Pérez‐Díaz 和 Shils 等人的观察，市民社会作为自由主义式的政治、经济、社会和文化的复合体在西方已存在和发展了多个世纪（尽管它在西方而非在世界的其他角落的诞生有其历史的偶然性），在中国大陆，这样的市民社会的建立仍遥遥无期。当然，正如邓正来、蒋庆等人指出，西方所走的道

---

[114] 同上，页172。
[115] 同上，页175。
[116] 同上，页175。

路不必被视为普世的标准或现代化的必由之路；如果市民社会是社会之善（good）的话，中国式的市民社会也毋须完全模仿西方的市民社会。但是，这仍未能回答这个问题：中国将往何处去？中国应往何处去？

在思考中国政治和社会的前途时，西方市民社会的理论和实践无疑是一套宝贵和丰富的资源，正如中国的传统思想文化也应被视为可供发掘的资源一样。本文尝试论述的便是从近现代到当代西方市民社会思想的精华，那么，我们可以从中得到什么启示？它对我们思考中国的未来，又有何帮助？

首先，我们须区分市民社会概念的两个含义和两种用途。市民社会可广义被理解为西方十八九世纪以来的以市场、宪政、法治、公民权利与自由、哈贝马斯所谓的公共领域以至 Shils 所谓的"市民性"为特征的有机的社会整体制度（如 Pérez – Díaz 的理解），市民社会也可较狭义地被理解为国家以外的社会自主领域（如 Keane、Gellner、邓正来等人的用法），或更狭义地理解为国家及市场以外的社会领域（如哈贝马斯、Cohen、Arato、Chandhoke、Barber 等人所主张），或再更狭义地理解为 Alexander 所谓的以普遍化话语为基础的社会团结性的领域。

市民社会概念的两种用途，一是描述性的，二是规范性的。描述性的市民社会概念主要是历史学和社会学上的用法，即以市民社会概念为一个理念类型（ideal – type）、范式（paradigm）或思考框架，来描述、分析和解释历史中某些方面的演变（如 Gellner 的用法）或社会中某些现象（如 Alexander 的用法），这是一种实证主义取向的研究。规范性的市民社会概念主要是政治哲学上的用法（如 Taylor、Walzer、Barber、Habermas 等），目的是提出一些关于政治和社会应该如何组织和发展的主张，勾画出理想的社会形态。这种思考具有实用性，也有理想主义的色彩。

由于市民社会概念有其西方史和西方思想史的烙印，它在中国情况下的应用，无论是广义的或较狭义的、描述性或规范性的，都会遇到一定程度的困难和争议，和需要作出一定程度的修改或适应化（如黄宗智提出的"第三领域"的概念、何包钢提出的"半市民社会"的概念）。市民社会概念在中国情况下的应用在学术上有其积极的意义，这是毋庸置疑的。

举例来说，我们可以采用最广义的市民社会概念去理解西方现代社会形态的形成的历史条件和历史轨迹，并从宏观社会学的角度，与中国历史的发展互相比较。我们又可采用较狭义的市民社会概念（即市民社会与国家或甚至与市场的区分），去研究当代中国演变中的社会阶层和新兴的民间团体和组织（如李凡和White等人的研究）。国家和市民社会的二分法又可用于规范性的研究，去指导中国市民社会所应该走的发展方向（如邓正来和景跃进的二阶段论和国家与市民社会的良性互动论）。

无论是哪种性质和层次的关于市民社会与中国的研究，最终必须面对一个最根本的问题：市民社会概念的积极意义何在？为什么值得使用它作为我们的理论和思考框架？要回答这个问题，我认为有需要从西方当代市民社会理论追溯到西方近现代的市民社会思想传统之中。这个丰富和深厚的传统是当代市民社会思想的源头活水，也是市民社会概念的魅力所在。

近现代西方市民社会思想传统所处理的问题，是人类群体政治生活的永恒课题在现代境况下的表现，如政治权力的正当性、范围和限制的问题（如Keane所指出），或社会合作的道德纽带的问题（如Seligman所指出）。这些问题是中国以至其他在现代世界中的发展中国家所必须面对的，虽然我们不一定能够或需要接受这些西方思想家所提供的答案，况且这些答案往往是互相矛盾的。无论如何，西方思想所提供的答案对于我们找寻自己的答案是有启发性的。

洛克认为社会("自然状态")的存在在逻辑上是先于国家(他所谓的"市民社会")的,人们在此"前政治"的社会中是自由、平等和享有天赋权利的;正如上文所指出,这基于一个基督教的神学假设。没有这个假设,市民社会中人的自由、平等和权利的依据何在?儒家思想家蒋庆指出,"自由与平等并非社会唯一需要与可欲的价值,等级与身份亦是社会所需的可欲的价值"。[117] 由此可见,以西方基督教文化为背景的洛克式的市民社会思想与中国传统文化确有矛盾之处,在建构中国市民社会理论时应如何取舍或如何对中国思想传统(参见上述墨子刻的论述)进行"创造性的转化",[118] 这是值得深思的。

苏格兰启蒙运动思想家(如福格森和亚当·斯密)尝试为日益市场化的市民社会寻找一个非宗教性的道德伦理基础,并在人性、人的天赋道德情操和人的良知中找到这个基础,从而说明以利己主义为动力的市场机制会得到利他主义(如同情心)和理性的长远利益考虑的平衡,社会秩序得以维系和发展。这种以人性和人心为依归的思考比较接近中国的思想和文化传统,中国市民社会理论是否应建基于这类的道德伦理思维,是值得进一步研究的。

孟德斯鸠和托克维尔强调中间团体和社会民间团体在市民社会中的重要性,目的是防治专制主义,无论是君主的专制或是民选的专制。在今天,社会中自发和自主的民间团体的价值和权利已是不言而喻的。市民社会在制衡国家权力和实现民主政制方面

---

[117] 同上,页174。
[118] 关于中国传统的"创造性转化"的概念,可参见林毓生:《政治秩序与多元社会》(台北:联经出版社,1989年),页387–394。

的功能，在今天的中国大陆仍未能发挥出来，这个初生的市民社会的未来动向是我们关心的。

鲁索和黑格尔强调国家的集体公共生活在实现人性方面的重要性，这可理解为对于市场化的市民社会的个人主义和自利主义的反动。鲁索提倡"公意"的至上性，黑格尔认为"国家"所体现的是社会伦理生活的最高形式，20世纪的全能主义国家的历史经验证明，这些概念在被绝对化时是十分危险的。西方激进的思想家继黑格尔以后对市民社会进行更全面的批判，根本否定市民社会存在的价值，在今天看来是极其不智的。因此，今天的市民社会理论回到了黑格尔对市民社会和国家的区分，更重新发现黑格尔以前的市民社会思想传统，珍视市民社会的自由、权利、财产、市场、民间团体和道德情操。

今天，市民社会在中国大陆的前途未卜，但中国市民社会理论可以先走一步。这个理论可以参考西方、东亚以至台湾、香港和澳门的历史经验，并吸收中西思想文化传统中的精华，同时必须照顾到当代中国的政治、经济、社会和文化状况。它应该超越政治战略性的权宜考虑和单纯的社会学实证分析，而面对哲学、人生和社会中的最根本问题，正如西方近现代思想家一样。这样的中国市民社会理论将是有深度和广度的，它将从道德、伦理、文化和历史的高度，展示出中国未来政治和社会的康庄大道。

儒家思想与自由民主[*]

在20世纪，中国人的思想、价值和生活世界发生了翻天覆地的变化，外来的文化对中华传统的挑战和冲击是史无前例的，所造成的震荡和影响也是无比深远的、全方位的。无论是政治、经济、社会、文化、科技或法律的领域，经历了这百年沧桑后的中国与原来的比较，已是面目全非。传统变得支离破碎，一种全新的文明正在分娩的剧痛中诞生于神州大地。

在政治思想的范畴，西方的"自由"、"民主"、"法治"、"人权"、"宪政"、"议会"、"选举"、"公民"、"主权在民"、"共和国"等民主自由主义的基本概念在19世纪后期已传入中国，并推动了清末的立宪运动和法律改革运动。辛亥革命后中华民国的成立和多部宪法的起草，都是以18世纪末美国和法国革命背后的资产阶级自由主义的政治、宪政和法律理念为依归的。但是，由于种种原因，西方自由主义始终未有在20世纪的中国找到适合其生长的土壤。

思想和行动的关系是密切的，思想可以指引行动，而行动的结果则会促进反思。中国未来在政治体制改革上的道路，固然很大程度上决定于经济发展的情况、各种社会和政治利益、集团和

---

[*] 原刊于陈祖为、梁文韬编：《政治理论在中国》（香港：牛津大学出版社，2001年），页12–25。笔者取得该出版社同意在此刊载修改后的版本，谨此致谢。

阶层的角力、中央和各地区的权力关系的转变等政治、经济和社会性因素，但也一定程度上取决于思想、哲学、文化和价值观念方面的探索。

纯粹学术上的探索与顾及现实意义和需要的探索不可能是完全一样的。举例来说，作为纯粹学术上的研究，我们可以分析和比较现今西方学术界的各种政治哲学的学派和各大师的思想，看看孰优孰劣。但如果我们的关注和承担在于现在的中国和中华民族的未来，我们的工作便是为中国和中华民族寻求政治思想上的出路。这条出路必须是以现在中国的国情和需要为出发点的，与中国的政治、经济和社会的实况和发展轨迹相衔接的。我们需要从历史的经验出发、从当前的需要出发，而不只是从抽象的、遥远的理想出发。

在21世纪初的今天，以18世纪欧洲启蒙运动为依据的民主自由主义在全球范围内如日中天，这反映于不少前威权主义国家的重建为民主宪政国家、方兴未艾的国际人权运动，以至各种在既有的民主自由体制下谋求争取进一步的合乎正义的权利保障的运动，例如女权运动、反种族歧视运动、同性恋者权利保障运动、少数民族在多元文化国家的权利保障运动等等。这些当代世界文明的潮流，其实都可理解为18世纪启蒙运动所展开的人类解放事业的一部分。

启蒙运动的目标之一，是建立一套普世适用的文明、道德、政治、法律标准，这些标准被视为理性的、也是唯一合乎人类理性的四海皆准的标准，反映出每一个个人的尊严、价值和需要。由于"启蒙"首先出现于西方，所以西方文明的使命，便是把西方文明因启蒙而获得的真理传播到地球的每个角落，于是，西方文明的全球化被等同于全人类文明的现代化和人类历史的进步。

民主自由主义是启蒙运动的政治环节，它主张个人权利相对于国家、政府和集体的优先性,国家的成立在于保障人权,而人权包括每个主体选择自己的价值信念和生活方式的自由和权利,国家的政府无权强迫人民接受某一宗教或教导人民甚么是精神上、道德上、政治上的真理、甚么是美善的生活、甚么是正义的社会秩序。反之,有不同政治和道德主张的人可以组成社团、政党,人民根据自己的判断行使选举权,选出来的政府须执行人民的意愿,并向人民负责。民主自由的社会是多元、开放和对不同思想价值和生活方式宽容的社会。

马克思主义也可被理解为启蒙运动的产物。马克思主义乐观地相信,人类社会是逐步由较低级阶段进化到更高级阶段的,人类在历史过程中取得进步是可能的、甚至是必然的,人类进步的事业,便是人追求解放的故事,从"必然王国"飞跃往"自由王国"的故事。这些信念,和启蒙运动的思维如出一辙。作为启蒙运动的政治反映的法国大革命,以"自由、平等、博爱"为其口号,这些也是马克思主义所追求的理想社会的特征。由此可见,马克思主义和民主自由主义是相通和相融的。

本文所讨论的民主自由主义是一个极为广义的、有涵盖性的概念,并不限于那种强调私有产权、市场经济、个人自由和权利永远高于社群、国家和民族的考虑的狭义的自由主义。这里谈的民主自由主义可以包涵社会民主主义(通过民主宪政、议会政治来追求社会主义理想中的社会正义、平等和自由)和社群主义(如相信个人是群体的一分子,除了权利外,也有其义务、责任和承担),这种民主自由主义并不就人和社会的关系预设某些有丰富内容的原则,也不主张某一种特定的经济制度,它只要求基本人权的保障、人民民主参政权的落实,和在思想信仰、言论表达、政治经济以至生活方式等范畴的多元、开放和宽容。

起源于西方启蒙运动的民主自由主义是否与中华文化相融?

要回答这个问题,我们一方面应从中国的现实出发,另一方面须对启蒙运动和民主自由主义在人类历史中的地位,作出正确的认识和评价,并解决中华民族应怎样看待现代西方文明的问题。

首先,应当指出,启蒙运动所缔造的这种以科学、民主、人权和市场为基础的现代文明,不单是与中华文化传统断裂的,也是与西方文明本身的传统断裂的。与其说启蒙和民主自由是西方的,不如说它是现代的:重要的区分不在于西方世界与东方(或非西方)世界的对比,而在于现代世界与前现代世界的对比。举例来说,中世纪西方基督教世界是不容许宗教信仰自由和相关的言论和出版自由的,被认为持有异端信仰的教徒受到残酷的迫害,像伽利略这样的科学界先驱也受到压制。正是由于启蒙时代以前的社会是阶级分明、充满专制王权、贵族特权和不平等的,所以"自由、平等、博爱"便成为了法国大革命的口号。民主自由主义不单在中国是激进地反传统的(正如五四运动所体现的),它在西方也是同样地激进地反传统的(正如18世纪末以后西方各次政治和社会革命所体现的)。

其次,启蒙运动和民主自由主义的出现,有其独特于西方的宗教、文化、经济、政治、社会、地理、思想和历史等因素,因而有历史的偶然性。正如当代的后现代主义思想家所指出,启蒙运动家所标榜的"理性"并非放诸四海皆准的,不同文化、不同思想价值观念和行为模式以至不同的话语系统之间存在着难以跨越的鸿沟,而在历史现实中,启蒙理性往往变成了西方权力扩张和文化霸权的工具。另一方面,正如以马克思主义为基础的批判学派所指出,在西方现代史中,民主自由主义只不过为资本主义所造成的剥削、压迫和不公义披上合法性的外衣,而民主自由主义所建构的权利主体不外是由某些偶然的历史和社会环境(主要是现代资本主义社会)所塑造出的身份或人格,并没有普遍和必然的意义。

但是，这并不表示启蒙和民主自由等理念完全是不切实际的、毫无正面价值的或对非西方世界没有意义的。在人类历史的长河中，文化的传播和交流是不断进行的。例如古代中国的"四大发明"便传至西方；基督教、回教、佛教等宗教传到世界各地而成为世界性的宗教；佛教思想融入中国文化；这些现象都说明某民族或文化的产物可以构成人类文明的共同遗产，为其他民族和文化继受。基于同样原理，现代西方文明所创造的科学、民主、人权和市场，也完全有可能被其他文明接受和使用。启蒙和民主自由的"理性"和普遍性，无须建基于某些客观的、超越的、跨文化或超历史的存在，而完全可以建基于有关民族和文化的自觉的、自愿的抉择和接受。

对于中华民族来说，民主自由主义的意义何在？我们可以在这里分三方面予以论述。首先需要考虑的是一个现代社会的政治体制的政权的合法性和认受性的理念基础的问题。在中国传统政制中，皇帝是"天子"，"天命"是政权的合法性基础，而儒家思想则要求统治者有高水平的道德修养，为人民谋幸福，并进行道德教化的工作，正如父母对子女的照顾和教导。在已经"解咒"（韦伯意义上的）的现代社会，政府的权力来自人民而不是上天，而在教育日益普及、民智渐开的环境下，政府官员和老百姓在知识上或道德上的不平等关系已不复存在，在这情况下，如要赋予政权其应有的合法性，除了民主自由主义，似乎别无他途。

其次，即使我们不谈政权的合法性这个比较理论和抽象的问题，而只看中国现行政治体制的具体情况，亦不难看到适量和逐步引进民主自由主义，确实是治理不少根本问题的妙策良方。举例来说，要对治贪污腐败问题，有效的舆论监督是必须的，在这方面，作为民主自由主义的核心价值观念的言论和出版自由便是关键的。民主自由主义也强调法治、权力制衡、司法独立和人权保障，现在的中国领导人已开始接受这些概念，但中国法制发展的水平仍然大大落后于西方国家，在这方面，仍需努力长期地学习、吸收和借鉴民主自由主义在法制建设方面的经验和成果。

第三，正如20世纪新儒家思想家（如牟宗三、唐君毅、徐复观、张君劢）所指出，在中国实行民主，不但并不违背中华民族传统文化的精神，而且能确保这个文化的最高理想能得到比它在过去更大程度上的实现。在1958年联名发表的《为中国文化敬告世界人士宣言》[1]中，上述4位思想大师指出，民主思想的种子，早已存在于中国文化之中，此外：

> 从中国历史文化之重道德主体之树立，即必当发展为政治上之民主制度，乃能使人真树立其道德的主体。……本于人之道德主体对其自身之主宰性，则必要求使其自身之活动之表现于政治之上者，其进其退，皆同为可能。此中即有中国文化中之道德精神，与君主制度之根本矛盾。而此矛盾，只有由肯定人人皆平等为政治的主体之民主宪政，加以解决；而民主宪政，亦即成为中国文化中之道德精神自身发展之所要求。今日中国之民主建国，乃中国历史文化发展至今之一大事业，而必当求其成功者其最深理由，亦即在此。[2]

新儒家认为民主的建立是中国传统文化的精神生命的内在要求和进一步的发展，这观点曾引起一些争论。林毓生先生便曾批

---

[1] 原载于《民主评论》和《再生》两杂志1958年元月号，后来收录于张君劢：《中西印哲学文集》（下册）（台北：台湾学生书局，1981年），页849-904。
[2] 同上注，页883。

评这个观点，他认为"最多只能说中国传统文化中蕴涵了一些思想资源，它们与民主思想与价值并不冲突；但它们本身却并不必然会从内在要求民主的发展。"[3]他指出"政教合一的观念与理想在传统中国从未动摇"，"中国传统的封闭的、一元式的思想模式"必须经过"创造性转化"，才能与现代民主相协调。[4]另一方面，李明辉先生为新儒家的"内在要求"说进行辩护，指出他们并不是主张儒家思想与现代民主之间的"逻辑的必然性"或"因果的必然性"的关系，而是主张从前者到后者的"实践的必然性"或"精神生命发展中的必然性"。[5]

我认为这样的争论是没有必要的，真正的问题并不是在客观上、在纯学术观点上，中国文化传统或儒家思想是否倾向于民主，而是我们今天是否可对这些文化遗产和儒家理念作出有利于民主的解释，从而把传统转化为现代化的资源，并为现代化的建设提供一种基于历史、传统、文化和民族性的合法性。在这方面，我认为新儒家的努力有积极的意义。必须承认，任何伟大的思想传统必须适当地响应时代的挑战，勇于自我更新，才能保持其生命力。思想传统的发展是动态的，并建基于对传统的不断的再解释。例如在现代基督教的神学里，我们可以清楚看到神学家怎样对传统基督教信仰作出新的诠释，从而使它在启蒙后的世界保持旺盛的生命力。同样地，儒家思想也必须响应启蒙运动和民主自由主义的挑战，批判地继承古老的传统，并创造性地自我更新。

---

[3] 林毓生：《政治秩序与多元社会》（台北：联经出版社，1989 年），页 341。
[4] 同上注，页 344、349。
[5] 李明辉："儒学如何开出民主与科学？"，载于其论文集《儒学与现代意识》（台北：文津出版社，1991 年），页 1–18。

在这个更新的过程中,启蒙的批判精神是必须的。我们不可过分美化自己的传统文化,并需要承认,正如其他伟大的宗教和道德思想体系一样,儒学在历史中很多时候很大程度上异化为宰制性的意识形态工具,把一些不合理的权力隶属关系和利益分配予以合法化和强化。此外,以儒学为正统,排斥或压迫其他的思想信念或生活方式,是有违启蒙后的多元、开放和宽容精神的。五四运动以来就传统礼教和伦理对个人个性和人格的压制的批评,也是基本上成立的。启蒙理性虽有其局限,但就其对传统的神圣不可侵犯的批判和把个人从传统的束缚中释放出来的功能来说,的确有其积极的意义。

更新后的新儒家政治思想将会有怎样的面貌?它和西方的民主自由主义将会有甚么不同?牟宗三等新儒家思想大师并未有解决这些问题,他们拥抱了西方的民主自由,作为未来中国的政治路向,但他们并没有深入分析西方民主自由主义的历史和思想的根源,探讨其不同阶段的演化,研究其不同层次的内容和蕴含的内在矛盾,以及正视民主自由主义的弱点、局限和它未能解决的问题。其实在21世纪初的今天,民主自由主义在西方正遭遇到前所未有的困境。因此,在接受民主自由主义之余,我们必须把它改善、补充、甚至转化,而在这方面,中华文化传统的智慧,尤其是更新后的儒家思想,相信能做出一定贡献。

民主自由主义在今日西方世界的困境之一,是法治和权利的过度膨胀。各个人、团体、组别和阶层都拚命争取自己的利益,并美其名为法律下应有的权利或人权。在司法机关的诉讼和游说立法机关立法,便是争取权利保障的主要途径。民主自由社会的危机,便是变成一个人人只懂争权夺利而不顾其义务、责任和承担的社会。儒家思想重视责任和承担,推崇礼让的精神,追求社会秩序的和谐,它可以对权利角逐的极端化提出有力的批判。

当然，对民主自由社会进行这样的批判不是儒家思想的专利，西方的社群主义也提出了类似的批判。上面曾提到，本文所指的民主自由主义是广义的，可涵盖社群主义。因此，社群主义的思考，可以理解为民主自由主义内部的自我反思和修正。儒家思想可对民主自由主义的主流作外在的批判，社群主义则对它进行内在的批判，然而两种批判是殊途同归的。[6]

其次，民主自由主义的重点放在人民的权利，对于适用于掌权者的伦理未有足够的思考。在民主选举制度下，参选者的目标是在游戏规则所容许的范围内争取到最多的选票，而当选者的目标则是在执政期间在选民中建立良好的印象，以便在下次选举时再度当选。虽然儒家传统未有发展出民主选举的理论，但它在建构一套适用于掌握政治权力的人的伦理上却有丰富的贡献。例如对统治者"修身"或"内圣外王"的要求，提倡"王道"（而非"霸道"）、"德治"、"礼治"、"仁政"和"民本"的施政，这些教诲对现代国家的领导人来说，仍是历久犹新的。儒家传统提醒我们，掌权者的道德责任是庄严、神圣而沉重的，故政治不应只是选票和权力的追求。

第三，民主自由主义隐含着一个根本的矛盾：一方面它强调国家中所有人在法律上和政治上的平等，但另一方面，在现实社会中不同的人和阶层在财富、权力、知识、才能、名誉、地位等各方面都是不平等的。民主自由主义对于这些实质的不平等未能提供完满的解决方案或有足够说服力的解释，反而美化了抽象的

---

[6] 狄百瑞曾把儒家思想冠以"社群主义"的称呼，并用了"儒家社群主义"（Confucian communitarianism）的字眼：见 Wm. Theodore de Bary, *Asian Values and Human Rights: A Confucian Communitarian Perspective* (Cambridge, Mass: Harvard University Press, 1998).

平等权利,这正是马克思主义对资本主义下的民主自由主义的批评。在这方面,中国传统的礼治社会的概念是有启发性的,就如蒋庆先生所指出:

> "礼"的特征是在不平等的现实社会中通过"中和"的精神使处在每一社会等差中的人能依礼达到与其地位角色相应的平等,从而在等差分殊的社会中实现其相应的生命意义和价值。[7]
>
> 礼乐制度……是一种基于人类本性建立起来的使人性能调适上遂的柔性的力量;这种力量能使人在不感到强力压迫的情况下自发地遵守礼制的规定,并自觉到自己不是在被动地服从外在制度条例,而是在积极地通过循礼守制实现自己的生命价值,完善自己的道德本性。[8]

必须承认,中华文明传统中的礼和礼治秩序已经一去不复返了,而且过去的礼治也有其阴暗面,包括对人性和个体性的压仰、对充满尊卑贵贱的区分的等差秩序的合理化等。我们需要的不是把现代社会中的不平等和不公义合理化、用以欺骗被压迫者的新的意识形态,我们需要的是与现代社会相适应、并合乎人性的新伦理道德和价值信念体系,这个价值体系不是国家政府外在地强加于人民的,也不只是少数知识分子的信念,而必须是内在化于人民心中的、人民心悦诚服的。

---

[7] 蒋庆:"超越西方民立、回归儒家本源",《中国社会科学季刊》第17期(1996年11月),页110,123。

[8] 蒋庆:"再论政治儒学",载于深圳大学中国文化与传播系主编:《文化与传播》(第三辑)(深圳:海天出版社,1995年),页154,160—161。

如何建立一种思想：它一方面与现实世界保持适当的距离，可用以批判现实社会中的不义和不公正，并作为社会改革的动力；另一方面，它又能说明每个人在现有社会秩序中的角色和份位，安顿人的身心，鼓励人承担生命的责任，尽忠职守，安身立命。这可能是儒家思想和民主自由主义需要共同努力的工作。

第四，虽然民主自由主义在驯服"猛于虎"的政治权力和保障个人的权利上贡献良多，但它未有正视人与自然的关系这个重要课题。[9]在这方面，启蒙理性、工业革命和市场经济偏向于对大自然的征服和利用，以满足人类在物质生活上的无穷欲望。现代经济思想以至民主自由主义都追求不断的经济增长，即生产和消费不断增加，使更多人的欲望得到更大程度的满足，也就是功利主义所谓的最大多数人最大的快乐。于是启蒙运动以来的现代西方文明便史无前例地消耗了大量的地球资源，对环境和生态造成了莫大的破坏。这种现象反映出启蒙理性、市场经济以至民主自由思想的不足之处，在这方面，中国传统文化中对天道、自然以至天、地、人的相互关系的认识，是中华民族可以献给21世纪的宝贵思想资源。

最后，民主自由主义（尤其是与它相连的民主政治制度和市场经济制度）的着眼点，主要是组成社会的每个个人此时此刻的利益和意愿，相对上忽略了一个社会和文化与其传统的深切关联及对其未来世代的责任感。在这方面，中国文化传统和儒家传统的立体思维将可以做出一定的贡献。中华民族是重视历史、尊重先人的民族，我们珍惜作为前人的心血结晶的文化遗产，委身于其保存和发扬光大。我们更认识到历史的延续性和向前无限伸展

---

[9] 参见 John Gray, *Enlightenment's Wake: Politics and Culture at the Close of the Modern Age* (London: Routledge, 1995)。

性，因此今天的我们对尚未出生的世代承担着神圣的责任。我们不可为了这一代人一时的满足，而牺牲我们的社群的长远利益。世界中不单是个人及其人权、利益和欲望，更有超越个人、跨越历史的道德理性、文化生命和精神境界。民主自由主义所强调和保障的人权和自由，毕竟不是人生的终归目标，而只是个人赖以实现其人生理想的手段或途径。

中国家庭哲学对世界伦理的可能贡献*

一

传统中国是家族本位、伦理本位的社会，而家庭和伦理的概念是相贯通的。所谓"国之本在家"、"积家而成国"，家庭是社会的基础，而家庭伦理则是家庭的基础。正如梁漱溟指出，"中国人就家庭关系推广发挥，以伦理组织社会"。[1]中国传统伦理以家庭伦理为核心，在"五伦"中，涉及到家的伦占其中之三（父子、夫妇、兄弟），其余的两伦（君臣、朋友）也是类推于关于家的伦（父子、兄弟）的。中国传统的这种伦理思想，主要由儒家所塑造，正如唐君毅所言：

> 家庭伦理之所以当中国人之道德生活之核心，其初固是由若干客观之社会条件，如农业生活等所养成。然家庭伦理之意

---

* 原发表于中国人民大学基督教文化研究所与香港汉语基督教文化研究所于2001年10月合办的第二届"中国传统伦理与世界伦理"研讨会。

[1] 梁漱溟：《中国文化要义》（香港．三联书店，1987年），页80。

义与价值，则是由中国儒家思想所发现，或所建立。[2]

在现代世界，家庭及其中蕴涵的伦理价值已获得国际人权和世界伦理文献的承认。根据《世界人权宣言》第 16 条，成年男女有权婚嫁和成立家庭，他们在婚姻方面应有平等的权利；缔婚须经男女双方的自由和完全的同意；家庭是天然的和基本的社会单元，并应受社会和国家的保护。1993 年世界宗教议会《走向全球伦理宣言》[3]中的四项规则的第四项，提倡男女之间的权利平等和伙伴关系，并提到：

> 尽管有不同的文化和宗教形式，社会的婚姻制度的特征依然是爱情、忠诚与持久。它的目标在于为丈夫、妻子和儿女提供安全并保证其相互的支持。它应当保障家庭所有成员的权利。……[4]

1997 年互促委员会的《人类责任宣言（草案）》[5]中关于"相互尊重与伙伴关系"的部分虽然没有用到"家庭"这个字眼，但有关于婚姻和父母与子女的关系的重要内容：

---

[2] 唐君毅：《中国文化之精神价值》（台北：正中书局，1979 年），页 199。
[3] Hans Küng and Kart‑Josef Kuschel 编、何光沪译：《全球伦理：世界宗教议会宣言》（成都：四川人民出版社，1997 年），页 1 – 37。
[4] 同上注，页 25 – 26。
[5] 和《世界宗教议会宣言》一样，《人类责任宣言（草案）》也是由德国神学家孔汉思（Hans Küng）发起的。《人类责任宣言（草案）》的中译见于《基督教文化学刊》，第一辑（1997），页 380 – 388，英文原文见于 Hans Küng and Helmut Schmidt (eds), *A Global Ethic and Global Responsibilities: Two Declarations* (London: SCM Press, 1998), pp. 1 – 36。

在一切文化和宗教形式中，婚姻都需要爱、忠诚和宽恕，并应以保证安全和相互支持为目的。……父母与子女之间的关系，应当反映出互爱、互敬、互相欣赏和互相关心。……[6]

在今日世界，传统的家庭制度面临多方面的挑战，例如单亲家庭的增加、离婚问题、同性恋家庭问题、人工受孕问题等等。家庭的问题又带来社会问题，如青少年的失落、吸毒、卖淫、犯罪问题等。在这样的一个世界，中国传统家庭伦理和哲学是否可供利用的文化资源？它能对当前世界伦理的讨论作出怎样的贡献？本文希望就此进行初步的探讨。

二

上面提到，《世界人权宣言》肯定家庭是"天然的和基本的社会单元"，这个关于家庭的天然性的观点，与中国传统伦理思想不谋而合。《易·序卦传》说：

> 有天地然后有万物，有万物然后有男女，有男女然后有夫妇，有夫妇然后有父子，有父子然后有君臣，有君臣然后有上下，有上下然后礼义有所错。

从这里可以看到，由夫妇、父子构成的家庭是宇宙整体秩序中的一个关键性的组成部分。夫妇的身份来自婚姻，子女也来自

---

[6]《人类责任宣言（草案）》中译文，同上注，页385–386。

婚姻，所以婚姻便是家庭的基础。《礼记·哀公问》曰：

> 天地不合，万物不生；大婚，万世之嗣也。

婚姻是"天道在人道上的体现"，[7]因而有其"超越性、神圣性与永恒性"。[8]这样的婚姻观，与西方基督教的婚姻观是相当接近的，而与现代世俗化后的婚姻观则大有不同。

《新约圣经》中把丈夫与妻子的关系比喻为基督与教会的关系，[9]中国传统思想则喻夫妇的关系如天地的关系，妻子敬夫如天，丈夫爱妻如地。[10]此外：

> 夫妇之生子，如天地之生人与万物。人之事父母，又可如人之事天地。则家庭夫妇父子之关系，即成天地与万物之关系之缩影。天地万物之关系，亦不外父子夫妇关系之扩大。[11]

中国古人对婚姻和家庭的肯定以至神圣化，乃基于他们对生命本身的肯定以至神圣化。通过家庭，人得以传宗接代，把自己和祖先的生命无限地向未来伸延，因此，家庭是生命的永恒不息的表现。孟子说："不孝有三，无后为大。"[12]生儿育女被理解为一种至高的道德责任，旨在保证自己从祖宗那里承接的生命得

---

[7] 蒋庆："社会、文化与历史观：儒教观点"，载何光沪、许志伟编：《对话：儒释道与基督教》（北京：社会科学文献出版社，1998年），页500，513。
[8] 同上注，页517。
[9] 《以弗所书》第5章第21-33节。
[10] 唐君毅，同注2，页257。
[11] 同上注。
[12] 《孟子·离娄上》。

以延续和发展，也保证祖宗永远有后代拜祭，其灵位前的香火永不熄灭，并有子孙为其扫墓。中国古人便是这样理解生命的不朽的。

中国传统伦理所处理的主要是各种类型的人际关系中的相互义务和责任，尤其是"五伦"，即君臣、父子、兄弟、夫妇和朋友这五组关系或"相人偶"。[13] 就这五项人伦关系，孟子曰："父子有亲，君臣有义，夫妇有别，长幼有序，朋友有信。"[14] 关于这五种关系中的相互义务，《礼记》提出了"十义"："何谓人义？父慈子孝、兄良弟悌、夫义妇听、长惠幼顺、君仁臣忠。"[15]

孔子曰："君君、臣臣、父父、子子。"[16]《易》曰："父父、子子、兄兄、弟弟、夫夫、妇妇。"[17] 这里反映的是儒家的"正名"思想和名分观。例如身为人父，就必须履行为父的职责，这样他才有父的名分，才配称做父。同样的原则，适用于家庭中的子、夫、妇、兄、弟等。因此，中国传统家庭的伦理，主要便是规范夫妇、父子和兄弟等三组人伦关系的伦理。我们在下面分别予以介绍。

中国传统中十分重视夫妇之道。《中庸》说："君子之道，造端乎夫妇。及其至也，察乎天地。"《诗经》三百篇之首是《关雎》，谈的是男女恋慕之情（"窈窕淑女，君子好逑。…"）。"儒教对《关雎》之诗推崇备至，认为《关雎》之道是天地之基，万

---

[13] 见梁启超：《先秦政治思想史》（重印版）（香港：中华书局，1986年），页74。
[14]《孟子·滕文公上》。
[15]《礼记·礼运》。
[16]《论语·颜渊》。
[17]《易·家人卦彖辞》。

物所系。"[18] 中国语文中有不少歌颂夫妻的恩爱的词语，如"白头偕老"，又把夫妻比作"鸳鸯鸟"、"比翼鸟"、"连理枝"、"并蒂莲"。[19]

在古代中国，夫妇结合并非自由恋爱的结果，而是基于父母之命、媒妁之言。但是，正如唐君毅所指出，夫妇可先有生理关系而后建立精神的、形上的感情的关系，以形成天长地久的婚姻、坚贞的爱情。[20] 虽然夫妇关系最初可能是基于性的本能，但由于人能自觉婚姻为"结合而相爱之关系"[21] 的理想，所以能学习在婚姻中照顾对方，互相体贴和了解、帮助和同情，从而累积夫妇间的情感、加强其道义关系，以至建立坚贞的互信，"遏抑限制规范其本能欲之向外乱注与泛滥"。[22] 这是：

> 一道德生活之发展历程。在常态之婚姻，此种发展乃为无间隙而逐步上升者。至坚贞互信而道义关系乃居主位，本能生活即统于道德生活，而夫妇之道即完成。[23]

中国传统关于夫妇关系的伦理规范，主张夫义妇顺，双方应各守本分，各遵其礼，并互相以礼相待，相敬如宾。古代没有离婚的制度，夫妻须同甘共苦，相依相伴度过一生。[24] 传统伦理

---

[18] 蒋庆，同注 7，页 522。
[19] 参见唐凯麟、张怀承：《成人与成圣：儒家伦理道德精粹》（长沙：湖南大学出版社，1999 年），页 227。
[20] 唐君毅，同注 2，页 255 - 256。
[21] 唐君毅：《文化意识与道德理性》（台北：台湾学生书局，1986 年），页 70。
[22] 同上注，页 71。
[23] 同上注，页 71。
[24] 《成人与成圣》，同注 19，页 228。

不主张夫妻的平等,而提倡其各行其义,各尽本分,以实现其生命的价值和意义,促进家庭和社会的和谐。根据儒家的"正始"思想,夫妇关系是"人伦之始"、"政教之始",良好的夫妇关系是社会良好秩序的基础,"治世治国必先'正夫妇之始'","夫妇不正则一切不正"。[25]

现在让我们再看父子之伦,即父慈子孝。众所周知,孝是中国文化最重要特征之一,钱穆称中国文化为"孝的文化"。[26]所谓"万恶淫为首,百善孝当先",孝道乃"德之本也,教之所由生也"。[27]

《旧约圣经》中十诫的第四诫[28]要求人们孝敬父母,因此孝敬父母是上帝给人的诫命。从中国传统伦理的角度看,孝则是人类内在道德理性的最高要求,是"人之仁心最初呈现处发芽处"。[29]根据唐君毅的解释,孝是人的"返本"意识的表现,即人对给予自己生命的父母、祖先以至整个宇宙的崇敬、感恩和爱护之情;通过人对自己生命的根源的思念和敬意,人找到了自己的身份认同。所谓"返本"意识是"返于我生命所自生之本之意识",[30]唐君毅指出:

> 孝之所以有形上的宗教的意义,则依于孝之为人类精神之一种反本而同抱祖宗之生命精神,以上达于天之意识。……人

---

[25] 蒋庆,同注7,页519-520。
[26] 转引自梁漱溟,同注1,页20-21。
[27]《孝经·开宗明义章》。
[28]《出埃及记》第20章第12节,《申命记》第5章第16节。
[29] 唐君毅,同注21,页75。
[30] 同上注,页74。

之孝心之可透过父母,至于吾人生命所自生之宇宙生命。[31]中国人乃透过孝父母祭祖宗以拜天地,则天地皆生命精神化矣。由孝所培养之宇宙意识,正为最富生命性精神性之宇宙意识。[32]

孝父母而及于祖宗,即使吾人觉吾人自己之生命,为无限生命之流之所汇流,而觉其若有一无限之内容。[33]

至于孝的内容或具体表现,则包括对父母的敬爱、感谢、服从和赡养,结婚生子以续统继后,并在父母去世后予以思念和拜祭。此外,子代对亲代又有承教继志的责任,这包括守业精神和家风的承传,对社会做出贡献,以光宗耀祖。[34]

所谓父慈子孝,父母对子女也负有道德义务。亲代对子代的义务,不单是抚养,而且包括教育。中国传统十分重视子女的教育,使子女能健康地成长,做个有用的人。所谓严父慈母,严是指不溺爱,对子女有威严和严格的要求。[35]

此外,根据唐君毅的说法,父母与子女的关系对于父母本身来说也有积极的道德意义。首先,他指出子女的存在是夫妇之爱的客观化,夫妇之间的情谊通过他们对子女的情谊而得以促进。其次,虽然父母对子女的爱原本是本能的爱,但是在家庭生活之中和孝的滋润下,这种爱可升华为精神之爱而更富有道德意义。[36]

---

[31] 唐君毅,同注2,页200。
[32] 唐君毅,同注21,页80。
[33] 唐君毅,同注2,页254。
[34] 参见《成人与成圣》,同注19,页220-225。
[35] 同上注,页217-220。
[36] 唐君毅,同注21,页83、104。

现在让我们再看兄弟的伦理。中国传统十分重视兄弟之间的关系，有时甚至把它置于夫妇关系之上。[37] 兄弟的关系的重要性，在于他们为同一父母所生，"乃一本之生命之分流"。[38] 中国语文里有丰富的词汇去形容兄弟之间这种自然的亲密关系：他们是骨肉之至亲，同胞共乳，血脉相连，他们分父母之形，连祖宗之气，他们之间的情谊被喻为手足之情。

根据儒家思想，兄弟在父母在生时有同居共财的义务。[39] 兄弟之间的关系由"悌"的概念所规范，即兄友弟恭。"友"是爱护和友善，"恭"是尊敬和顺从。相对于父子和夫妇关系，兄弟之间的关系是较多平等因素的。唐君毅指出，"兄弟间之根本道德为平等相敬重相友爱。[40]……孝与友不同。孝顺忘我之个体，友爱中有敬，则敬其个体，而不须忘个体。……各有其私而互承认其私，为敬之一涵义。"[41]

三

上面提及，中国传统伦理以家庭伦理为核心，但是，为什么家庭伦理占有如此重要的地位？这和中国传统思想中对于人性、人性的实现和人的道德成长的看法有关。根据儒家的主派观点，尤其是孟子的性善论，人有其内在的道德理性和仁心仁性，所谓"人皆有不忍人之心"，"无恻隐之心，非人也。……无是非之心，

---

[37] 参见《成人与成圣》，同注19，页234。
[38] 唐君毅，同注2，页201。
[39] 《成人与成圣》，同注19，页234-236。
[40] 唐君毅，同注21，页87。
[41] 同上注，页90。

非人也。"[42] 人的内心或本性中蕴藏着美善的感情和道德责任感，有超越自爱、关心他人和对他人承担责任的潜质，问题是怎样把人的这些美善的潜能培养、发扬和释放出来。在这方面，中国传统的智慧是，家庭能够发挥关键性的作用。

家庭是人的道德生活的起点和根基，也是人的高贵的感情的发端之处。每个人来到这个世界，必有其父母，而正如唐君毅指出：

> 原父母之生命，即与我之生命最早相连系之生命，我之生命乃首与父母生命相感通。因而对父母之自然之孝，亦为我与一切生命相感通之开始点，或对一切人尽责任之开始点，一切仁心之流行之泉源与根本。[43]

唐君毅认为孝是"普遍之达道"，[44] 因为它是所有人都可以走的道德道路，不像悌或夫妇之道，只适用于有兄弟或有配偶的人。有所谓"孝弟为仁之本"，[45] 悌也是家庭所提倡给人的道德成长之路，"兄弟乃吾降生此世界之一路上之先后之人"，[46] 兄弟之间的互敬、友爱和情谊，可作为其他社会人际关系的模范。

道德生活的精髓，在于人的自我节制，克服自私的倾向，把道德价值放在一己的利益和欲望之前，尊重、关怀他人，帮助他人，对他人尽责任，甚至在必要时为他人而牺牲自己。在中国传统伦理思想中，道德生活是人性的最高体现，而符合家庭伦理的

---

[42]《孟子·公孙丑上》。
[43] 唐君毅，同注 2，页 202。
[44] 同上注，页 202。
[45] 参见梁漱溟，同注 1，页 138；唐君毅，同注 21，页 111-112。
[46] 唐君毅，同注 21，页 112。

家庭生活则是道德生活的首要场所。在家庭中,有孝子、有慈母、有贤妻、有为了自己的弟弟而牺牲自己的哥哥,即使是对社会贡献不大的人,只要他们在其家庭岗位中履行其义务、完成其职责,便是不枉此生。

中国传统伦理思想一方面肯定人的仁心仁性,另一方面则明白事物有先后之分,人与人间的关系、情谊和责任有亲疏、远近、厚薄之分。一开始便要求人平等地爱世界上所有人是不切实际的。家庭是仁心仁性的发端之处,这不单有现实性的基础、形上的基础,更有自然的基础。古语有云:

> 孩提之童,无不知爱其亲,及其长也,无不知敬其兄。[47]

当然,儿童的自然感情是不足恃的,家庭教育必须引导其向正确的方向发展,启发孩子的道德理性,使他们日后能自觉自律地行事做人。

人的仁心仁性最初呈现和发端于家庭,但从社会和历史的宏观角度来看,美满的家庭生活并非我们唯一或最高的道德理想。更高的道德理想乃在于仁心仁性的扩充和拓展至越来越广泛的范围。正如梁启超所指出,"仁"是一种同类意识和同情心,而

> 爱类观念,必先发生于其所最亲习,吾家族则爱之,非吾家族则不爱,同国之人则不忍,异国人则忍焉。由所爱以"及其所不爱",由所不忍以"达于其所忍",是谓同类意识之扩大。……儒家之理想的政治,则欲人人将其同类意识扩充到

---

[47] 转引自梁启超,同注13,页83。

极量,以完成所谓"仁"的世界,此世界名之曰"大同"。[48]

在大同世界里,"人不独亲其亲,不独子其子",[49] 人们老吾老以及人之老,幼吾幼以及人之幼,四海之内皆兄弟,天下为一家,中国为一人。[50] 这当然是遥远的理想,但总不失为人类历史发展的应然方向。儒家的策略是由近而远,从小处做起,踏实地循序渐进。因此,有所谓"亲亲而仁民,仁民而爱物",[51]《大学》更具体地倡修身、齐家、治国、平天下的序列,以引证"物有本末,事有终始,知所先后,则近道矣"的道理。

家庭是人的道德实践的第一场所,人可进而在社会中进行道德实践,而家庭道德和社会道德是完全贯通的。正如唐君毅所指出:

> 吾人本有遍覆一切人之仁心仁性。而吾人为家庭尽责,唯是此仁心仁性之呈现之始。……家庭道德与社会道德,原出自一根一本,……由家庭道德至社会道德,乃同性质之道德生活范围之扩大与顺展,同一之道德自我或仁心仁性实现其自身之一贯的表现。……由家庭道德之实践所培养之道德意识,即可再表现为对社会之道德意识。二者只有表现范围之不同,本无性质上之不同。[52]

---

[48] 同上注,页 71—72。
[49] 《礼记·礼运》。
[50] 参见梁漱溟,同注 1,页 138。
[51] 同上注,页 138。
[52] 唐君毅,同注 21,页 110—113。

四

在现代，传统不再是神圣不可侵犯的，它受到人类启蒙理性的检验、反思和批判，在西方如是，在中国也如是。现有世界伦理文献中不少内容，[53]和中世纪的西方伦理大异其趣。另一方面，世界伦理与各大宗教和思想传统又有其共通之处，世界伦理可理解为我们在当代世界中对传统的批判的继承和创造性转化。

中国传统家庭哲学有其睿见，上文尝试介绍其中一二。但是，毋庸讳言，中国传统家庭伦理中也有不少不能经得起现代的考验的地方，例如三纲思想（其中涉及家庭伦理的有父为子纲、夫为妻纲）、关于女性的"三从四德"、各种涉及男女歧视和违反平等原则的概念和规范，以至对于家庭成员的独立人格和个性自由的缺乏承认。又例如传统伦理只重视父子和兄弟的关系，相对忽略母子、母女、姊妹的关系，这也反映了传统重男轻女、男尊女卑的观念。传统家庭伦理中这些被现代人共认为不合理的部分，当然不应为世界伦理所吸纳。

但是，中国传统家庭哲学中也有其万古常新的道理和洞见，现代人如能虚心地研究、学习和消化，必能大有裨益；这些道理和洞见如被吸纳进世界伦理之中，必能放一异彩。只要人作为人的根本存在境况不改变，只要人还有人性、有道德理性、有仁心、有道德生活，中国传统家庭哲学便仍有其价值和意义。中国传统家庭哲学出于对于人的存在的某些基本真理的反省，例如所有人都有父母，每个人的至亲是他（她）的父母、兄弟姊妹和配

---

[53] 参见上注3、5。

偶，婚姻有其神圣的意义，子女的健康成长、走进正途有赖于美满的家庭生活和正确的家庭教育。最终来说，中国人对于家庭的重视，乃出于其对生命的重视、对人的良知和向上之心的重视，以至对人世间的情的重视。究竟伦理为何物？生命的意义和价值何在？中国传统家庭哲学为在今天正为世界伦理上下而求索的我们，提供了一线光明，一点启示。

"一国两制"的概念及其在香港的适用[*]

我国是一个单一制国家,并无联邦制结构。[1]在中华人民共和国内部设立享有高度自治权的特别行政区的构想,以及"一个国家,两种制度"的相关概念,虽然还没有达到将中国转变为联邦制国家的程度,却代表着对原来高度集权的单一制国家模式的重大变更。这些新概念本来是为实现与台湾的统一而于20世纪80年代初提出的,但后来却实际上运用于香港与澳门的回归。这些概念的历史及实质如何,如何在法律上和政治上使之制度化,及其在1997年之后在香港的实施情况如何,对这些问题的探讨正是本文的目的之所在。

一、历史渊源

"一国两制"概念本来是作为其对台湾政策的新基石而提出的,但对该概念的完整阐述却发生在1982年至1984年间举行的中英两国政府就香港1997年后的宪法地位进行的谈判之中。该概念的起源可追溯至20世纪70年代末发生的中国对台政策的根

---

[*] 本文原为英文,在耶鲁大学中国法研究中心的许传玺博士的安排下翻译为中文,谨此致谢。

[1] 见许崇德主编:《宪法》,中国人民大学出版社,1999年,页118–128。

本性转变。[2] 在该转变之前，中国的立场是力图实现"台湾的解放"。当然，这里的"解放"所指的是把台湾从资本主义和帝国主义的罪恶中解放出来，并革命性地引进共产主义。如此的解放逻辑源于20世纪发生在中国大陆的共产主义革命运动。中国共产党所追随的根本目标和理想在于将中国由一个半殖民地半封建性质的社会改造为一个社会主义现代化国家。由于台湾被视为中国领土不可分割的一部分，同样地向台湾人民提供大陆人民自1949年以来就享有的解放所带来的利益就成了中国共产党的重要任务之一。

那么，为什么中国政府会在1978年后改变其政策，放弃"解放台湾"的口号呢？学者和观察家们经常提到，除了邓小平的务实主义的主导地位这个国内政治因素之外，还与20世纪70年代中日、中美友好关系的建立有关。[3] 在这种情况下，中国政府认为适宜对台湾海峡采取较为缓和的态度。

1979年以来发布的几份官方声明[4] 表明了中国政府新的对台政策，其中最重要的是中华人民共和国人民代表大会常务委员会委员长叶剑英于1981年9月发布的九条方针政策。该政策的基本构想是和平统一中国，给予台湾以中华人民共和国特别行政区的地位。这样它就可以在统一后保持其原有社会制度与经济制度不变，它可以享有高度自治权；能够与其他国家建立经济、文

---

[2] 参见Ying‐jeou Ma（马英九），"Policy towards the Chinese Mainland: Taipei's view", in Steve Tsang (ed.), *In the Shadow of China: Political Developments in Taiwan since 1949* (1993), ch. 8; Hsin‐hsing Wu, *Bridging the Strait: Taiwan, China, and the Prospects for Reunification* (1994).

[3] 马英九文，同上注，页193。

[4] 参见赵春义主编：《一国两制概论》，吉林大学出版社，1988年；《瞭望》周刊海外版编辑部编：《"一国两制"与祖国统一》，新华出版社，1988年；黄裔：《香港问题和一国两制》，大地出版社，1990年。

化等方面的关系,甚至可以保持自己的武装力量。之后不久的1982年1月,政治元老邓小平首创了"一国两制"这种提法,并将叶剑英的九条方针的核心表述为:只有一个中国,但可实行两种制度——大陆实行社会主义制度,台湾实行资本主义制度。在1982年12月制定通过的中华人民共和国新宪法中,可看到关于准备在中华人民共和国领域内建立若干特别行政区的条款,并允许它们实行不同于中国其他地区的制度。[5]邓小平在1983年7月的讲话中讲一步阐述了这个构想,他指出,大陆政府在按"一国两制"构想实现了祖国重新统一之后,不会向台湾派驻任何军队或行政官员,台湾的政府和武装力量将完全由当地人民管理,同时,台湾代表能够在中华人民共和国中央政府中担任领导职务。

从中华人民共和国的角度看,对台湾的这项提议已是最宽宏大量的条件了。它意味着大陆不再坚持以社会主义解放台湾,即不对台湾的私人资本进行社会主义改造,不由中国共产党领导人直接统治台湾。因此,它标志着一个重大的妥协。但台湾政权则以为,"一国两制"意味着台湾从属于北京政府并受其控制;在这个构想下,台湾政府在等级上将成为北京中央政府之下的地方政府或省政府,"中华民国"的名称和国旗将不复存在。从宪政角度看,运用凯尔森(Hans Kelsen)的理论,台湾现行法律制度的基本规范必然要发生转移。[6]"中华民国"的现行宪法将被废

---

[5] 1982年《宪法》第31条规定,"国家在必要时得设立特别行政区。在特别行政区内实行的制度按照具体情况由全国人民代表大会以法律规定。"

[6] 关于该理论在香港的适用,参见拙作 Albert H. Y. Chen, "The Provisional Legislative Council of the SAR", *Hong Kong Law Journal*, Vol. 27 (1997), p. 1 at pp. 9—10; 拙作《法治、启蒙与现代法的精神》,中国政法大学出版社,1998年,页253—257; Raymond Wacks, "One Country, Two Grundnormen? The Basic Law and the Basic Norm", in Raymond Wacks (ed.), *Hong Kong, China and 1997: Essays in Legal Theory* (1993), ch. 6.

止,台湾所有的政府运作都将不得不从中华人民共和国宪法那里取得其合法性。

因此,自从 80 年代以来,台北政权不断抗拒"一国两制"的模式。然而,中华人民共和国很快就获得了一个向全世界展示"一国两制"概念的理论正确性和实践可行性的机会。在 1982 年 9 月,英国首相玛格丽特·撒切尔来北京访问,以寻求解决香港 1997 年之后的宪法地位问题。在这次访问之后,两国政府之间开始了高层谈判。两年的艰苦谈判终于换来了 1984 年 9 月草签的中英两国《关于香港问题的联合声明》。[7] 从这份档案本身,加上通过观察《联合声明》实施的情况,[8] 我们现在得以更好地理解中国政府提出的"一个国家,两种制度"的含义。后来该概念也被用在毗邻香港的葡萄牙殖民地澳门的收复上。1987 年

---

[7] 关于谈判历程,参见 David Bonavia, *Hong Kong 1997* (1983); Felix Patrikeeff, *Mouldering Pearl: Hong Kong at the Crossroads* (1989)。关于对《中英联合声明》的评价,参见 Y. C. Jao et al. (eds), *Hong Kong and 1997: Strategies for the Future* (1985); Hungdah Chiu et al. (eds), *The Future of Hong Kong: Toward 1997 and Beyond* (1987)。

[8] 关于 20 世纪 80 年代末和 90 年代的发展,参见 Byron S. J. Weng, "The Hong Kong Model of 'One Country, Two Systems': Promises and Problems", in Peter Wesley - Smith and Albert Chen (eds), *The Basic Law and Hong Kong's Future* (1988), ch. 5; Albert H. Y. Chen, "From Colony to Special Administrative Region: Hong Kong's Constitutional Journey", in Raymond Wacks (ed.), *The Future of the Law in Hong Kong* (1989), ch. 3; Ambrose Y. C. King, " 'One Country, Two Systems': An Idea on Trial", in Wang Gungwu and Wong Siu-lun (eds), *Hong Kong's Transition: A Decade After the Deal* (1995), ch. 7; Ming K. Chan and G. A. Postiglione (eds), *The Hong Kong Reader: Passage to Chinese Sovereignty* (1996); Ming K. Chan (ed.), *The Challenge of Hong Kong's Reintegration with China* (1997); G. A. Postiglione and James T. H. Tang (eds), *Hong Kong's Reunion with China: Global Dimensions* (1997); Beatrice Leung and Joseph Cheng (eds), *Hong Kong SAR: In Pursuit Of Domestic and International Order* (1997)。关于更新的情况,可参见 Benny Yiu-ting Tai, "The Development of Constitutionalism in Hong Kong", in Raymond Wacks (ed.), *The New Legal Order in Hong Kong* (1999), ch. 2。

的《中葡联合声明》与1984年的《中英联合声明》大体相似。[9]

二、自治与联邦制度

要理解"一国两制"和"高度自治的特别行政区"概念作为宪政实验的本质,有必要先明确自治的概念,再将"一国两制"自治模式与联邦制度这种我们都熟悉的自治性宪政安排作一对比。现代政治学中所使用的自治概念[10]是指一个主权国家内部的政府权力的特定分配模式。假定有一主权国家X,Y为其领土的一部分。如果Y地居民能够通过自己的代表,被授权管理自身的一定范围的公共事务(例如住房,教育,交通,社会福利,环境卫生,医疗服务,税收等等),则他们可被认为在X国内行使自治权。他们自己管理的事务种类越广,他们所行使的自治程度就越高。

在这样的政治布局下,X国内存在至少两种政府。一种是X国的国家政府或称中央政府,代表并管辖X国的全体公民。另

---

[9] 关于澳门的情况,参见 H. S. Yee and S. H. Lo, "Macau in Transition: Politics of Decolonisation", *Asian Survey*, Vol. 31 (1991), p. 905; Lo Shiu Hing, "Comparative Political Systems: The Cases of Hong Kong and Macau", *Journal of Contemporary Asia*, Vol. 25 (1995), p. 254; Lo Shiu-hing, *Political Development in Macau* (1995); Yash Ghai, "The Basic Law of the Special Administrative Region of Macau: Some Reflections", *International and Comparative Law Quarterly*, Vol. 49 (2000), p. 183.

[10] 参见 Yoram Dinstein (ed.), *Models of Autonomy* (1981); Hurst Hannum, *Autonomy, Sovereignty and Self-determination* (1990). 关于自治概念在香港情况的适用,参见 Albert H. Y. Chen, "The Relationship between the Central Government and the SAR", in Wesley-Smith and Chen, 同注8, ch. 7; Yash Ghai, "A Comparative Perspective", in Peter Wesley-Smith (ed.), *Hong Kong's Basic Law: Problems and Prospects* (1990), p. 1; Albert H. Y. Chen, "Some Reflections on Hong Kong's Autonomy", *Hong Kong Law Journal*, Vol. 24 (1994), p. 173.

一种是 Y 地区的地方政府，代表并管辖 Y 地全体居民。在这两级政府之间存在着一种政府权力的划分，其划分基础是：先将政府事务分成不同类别，再将管理某些类别的事务的权力分配给其中一级政府，管理其他类别的事务的权力则留给另一级政府。地方政府所管理的事务越多，它的权力便越广泛，它的自治的程度就越高。

美国、加拿大、澳大利亚和印度的宪政体制是典型的联邦制模式。[11] 联邦国家由其成员州联合组成，存在着联邦政府与成员州政府这两级政府。成员州居民的事务部分由成员州政府管理，部分由联邦政府管理（这里的"政府"采广义解释，不仅包括行政部门，也包括立法与司法部门）。在此模式中存在这样一个默示假定：虽然成员州居民也有权利参加联邦政府的选举，但成员州政府却比联邦政府更直接地代表着他们的利益。

那么他们在哪些事务或领域为州政府管理，又在哪些事务或领域为联邦政府管理呢？答案取决于决定两级政府之间的权力划分的宪法会列明规定。联邦宪法会列明联邦政府和成员州政府各自拥有管辖权的政府事务的种类。对于某些事务，只有两级政府中的其中一级拥有管辖权，但就其他事务来说，也可能发生两者都有管辖权的情况。成员州政府拥有专属管辖权的事务的范围越广，它们自治的程度就越高。因此，联邦制实质上是允许在主权国家内部实行地方自治的一种宪政安排。

这种成员州政府与联邦政府之间的权力的划分是通过这个联邦国家的宪法固定下来的，也只有通过宪法修正案的方式才能得到变更。但修订宪法通常并不是一件容易的事情，因为这不仅要有联邦立法机关的行动，还要得到大多数成员州的立法机关的支

---

[11] 参见 K. C. Wheare, *Federal Government* (4th ed. 1963).

持,甚至要经过全民投票才能通过。

让我们进一步探讨宪法中的权力划分在实践上是如何运作的。实践中必然不时发生争议,如关于联邦政府(尤其是其立法部门)是否越权而干涉了成员州政府认为属其管辖的自治事务,或者成员州政府是否超越了自己的管辖权限,侵犯了联邦政府的专属管辖权。在典型的联邦模式下,这类争议由法院受理,最终决定权在联邦最高法院。因此,法治原则与司法公正原则在联邦模式中居于核心地位。

三、一个国家,两种制度

以上概述了联邦制结构的基本特征,因为我们在下面需要将"一国两制"模式与之作一对比。在香港与澳门重新统一于中国之后,中华人民共和国的国家结构呈现为:在国家政府或中央政府之下,存在着 28 个省政府(包括 5 个自治区政府)、4 个中央政府直辖下的直辖市政府和 2 个特别行政区政府。由于中国宪法没有对中央政府与省、直辖市、特别行政区政府之间的权力进行正式划分,因此中国不属于联邦制国家;[12] 其宪法没有限制中央政府就中国任何省、直辖市或特别行政区的任何事务行使权力。

四、特别行政区基本法

特别行政区的自治程度高至能用"一国两制"来表述,那么,其高度自治的基础是什么?其基础就在于《特别行政区基本法》,该法是根据《中华人民共和国宪法》第 31 条由全国人民代

---

[12] 2000 年 3 月由全国人民代表大会制定通过的《立法法》规定了只能由国家中央立法机关制定的法律予以处理的事项(见该法第 8 条),并暗示了省级人大所制定的地方性法规不能处理这些事项(见该法第 63、64 条),我们可以将此看作中央与地方立法机关之间立法权限划分的雏形。

表大会制定通过的。现有两部基本法,一为《香港特别行政区基本法》,一为《澳门特别行政区基本法》。[13] 两部基本法都有以下的功能:①规定了特别行政区政府的组成及运作方式;②规定了特别行政区的法律渊源;③保障该地区居民的人权;④列明施行于特别行政区之内的经济、社会制度和政策;⑤界定其与中央政府的关系及其自治权范围,这是最重要的。总之,基本法在特别行政区建立了独特的制度,不同于中国大陆所实行的政治、法律、社会和经济制度,因此,我们有了"一国两制"的表述。[14]

《基本法》不仅仅是一纸宪法,自其从1997年7月1日开始在香港实施以来,全世界都可看到《中英联合声明》和《香港特别行政区基本法》(1990年制定)中许下的诺言正在附诸实践。国际上就《联合声明》的实施的评价普遍良好,人们普遍承认香港特别行政区政府确实行使着按《基本法》管治香港的自由和权力,并没有出现北京政府违反《联合声明》的指控。新闻、结社、游行示威自由在香港依然健在,[15] 香港依然举行自由的多

---

[13] 有关香港特别行政区基本法的著作,参见 Wesley‐Smith and Chen, 同上注8; Ming K. Chan and David J. Clark (eds), *The Hong Kong Basic Law: Blueprint for "Stability and Prosperity" under Chinese Sovereignty?* (1991); Yash Ghai, *Hong Kong's New Constitutional Order: The Resumption of Chinese Sovereignty and the Basic Law* (2nd ed. 1999)。关于澳门基本法,参见 Ghai, 同上注9。

[14] 关于中国大陆学者对香港与澳门基本法的见解,参见萧蔚云主编:《一国两制与香港基本法律制度》,北京大学出版社,1990年;王叔文主编:《香港特别行政区基本法导论》,中共中央党校出版社,1997年修订版;王叔文等编:《澳门特别行政区基本法导论》,中国人民公安大学出版社,1994年;萧蔚云主编:《一国两制与澳门特别行政区基本法》,北京大学出版社,1993年;杨静辉、李祥琴:《港澳基本法比较研究》,北京大学出版社,1997年。

[15] 关于香港1997年后的情况,参见 L. C. H. Chow and Y. K. Fan (eds), *The Other Hong Kong Report 1998* (1999); Wang Gungwu and John Wong (eds), *Hong Kong in China: The Challenges of Transition* (1999)。

党选举。[16] 在经济领域,最富争议的事件是 1998 年亚洲金融风暴中,香港政府为防止股市和港元的崩溃而进行的干预,[17] 但人们一般承认这是香港政府在没有北京的压力或干涉的情况下自己所作的决定。在法律领域,最富争议的是香港特别行政区政府就《基本法》中的居留权规定请求北京政府作出解释的行为,但这同样完全是香港政府的行为,不是北京干涉的结果。

五、"居留权"争议

由于"居留权"事件是到目前为止,香港特别行政区成立以来香港的自治受到严峻的考验的唯一一次危机,因此我们在此对之作一简要陈述和评价。[18] 该争议产生于香港终审法院于 1999 年 1 月 29 日就两件相关案件——《吴嘉玲诉入境事务处处长》案[19] 和《陈锦雅诉入境事务处处长》案[20] 所作的判决。这些判决产生了两大争议,而这些争议最终是以不同方式解决的。

第一个问题源于终审法院在《吴嘉玲案》的判词中所作的陈述:[21] 香港法院"具有司法管辖权去审核全国人民代表大会或其常务委员会的立法行为是否符合《基本法》,以及倘若发现其抵触《基本法》时,……去宣布此等行为无效。"[22] 这引发了中

---

[16] 参见 Kuan Hsin–chi et al. (eds), *Power Transfer and Electoral Politics: The First Legislative Election in the Hong Kong Special Administrative Region* (1999)。

[17] 参见 Katherine Lynch, "The Temptation to Intervene: Problems Created by Government Intervention in the Hong Kong Stock Market", *Hong Kong Law Journal*, Vol. 29 (1999), p. 123。

[18] 更深入的讨论见于佳日思、陈文敏、傅华伶合编:《居留权引发的宪法争论》,香港大学出版社,2000 年。

[19] [1999] 1 *Hong Kong Law Reports and Digest* 315 (英文判词),731 (中文判词)。

[20] [1999] 1 *Hong Kong Law Reports and Digest* 304。

[21] 该陈述能否构成法院的判案理由,取决于对判词中的推理过程如何理解。

[22] [1999] 1 *Hong Kong Law Reports and Digest* 747。

国大陆一方的强烈反应，[23]并导致特别行政区政府于1999年2月26日向终审法院提出申请，要求其"澄清"判词中的相关部分。终审法院接受了该请求并声明：①香港法院的解释《基本法》的权力乃来全国人大常委会根据《基本法》第158条的授权；②全国人大常委会根据第158条对《基本法》作出的解释对香港法院有拘束力；③1月29日的判词"没有质疑全国人大及人大常委会依据《基本法》的条文和《基本法》所规定的程序行使任何权力。"[24]

香港的舆论一般认为，终审法院所作的"澄清"并没有从其1月29日判决中的原有立场退却，只是把原先判决中隐含的意思明确表达出来。我曾在其他文章中评论：该"澄清"之所以能够成功解决这次危机，正在于其模棱两可，能够支持不同的解释，其实其中所涉及的法理问题比"澄清"的文字所表明的要复杂得多，这些问题仍然没有得到解决。[25]

第二项争议则源于终审法院在案中对《基本法》第24条第2款第3项和第22条第4款所作的解释，及其不按第158条把第22条提交人大常委会解释的决定。《基本法》第24条第2款第3项授予香港永久性居民的在中国大陆出生的子女居留香港的权

---

[23] 据香港和大陆媒体在1999年2月7日的报导，四位中国知名法学教授（他们都曾担任基本法起草委员会成员和香港特别行政区筹备委员会成员）高调批评了该陈述，质疑香港法院是否把自己置于全国人大——宪法规定的最高国家权力机关——之上，使香港成为一个"独立的政治实体"。据报导，在香港特别行政区律政司长梁爱诗于2月12-13日访问北京讨论此事时，中国官员也批评该陈述是违宪的，并要求纠正。

[24] [1999] 1 *Hong Kong Law Reports and Digest* 577.

[25] 参见拙作"终审法院对'无证儿童'案的判决：议会至上和司法审查"，载于前引注18书，第71页。

利，[26]但就该权利是只局限于其出生时其父或母已经是香港永久性居民者（"狭义解释"），还是可以扩展至其出生时其父或母并非香港永久性居民、但其父或母后来成为了香港永久性居民者（"广义解释"），该条款是模糊不清的。第 22 条第 4 款规定"中国其他地区的人"要进入香港，必须先获大陆主管机关的批准，但就该要求是只适用于无香港居留权的大陆居民（"狭义解释"），还是也适用于按第 24 条第 2 款第 3 项在 1997 年 7 月 1 日《基本法》生效时根据《基本法》享有香港居留权的大陆居民（"广义解释"）（这些人在 1997 年 7 月 1 日以前按当时的法律并不享有香港居留权），该条款则含糊不清。另外须留意的是，《基本法》第 158 条规定：如香港终审法院需要对《基本法》中"关于中央人民政府管理的事务或中央和香港特别行政区关系的条款进行解释，而该条款的解释又影响到案件的判决"，则该法院在作出终局判决前，应提请全国人大常委会对有关条款作出解释。

在该案诉讼过程中，高等法院原讼法庭对第 24 条第 2 款第 3 项和第 22 条第 4 款都采用了广义解释，高等法院上诉法庭则对第 24 条第 2 款第 3 项采用了狭义解释，对第 22 条第 4 款维持了广义解释。当该案上诉到终审法院时，终审法院则对前者作了广义解释，对后者作了狭义解释。终审法院同时判定：即使第 22 条第 4 款涉及中央与特别行政区的关系，也无须请求人大常委会对此条款作解释，因为该条款并不是该案中需要解释的"主要条款"，有关"主要条款"为第 24 条第 2 款，而该条款在终审法院看来并不涉及中央政府管理的事务或中央与特别行政区的关系。

在终审法院作出判决之后，在抽样调查和统计研究的基础上，特别行政区政府估计：如按终审法院的解释实施《基本法》

---

[26] 在 1997 年 7 月 1 日《基本法》生效以前，这些子女是无权在香港居住的。

第 24 条第 2 款第 3 项和第 22 条第 4 款，香港将需要在未来 10 年接纳来自大陆的 167 万人口，而这将给香港带来不能承受的巨大社会和经济负担。在香港政府看来，香港其实无须承受该负担，因为终审法院对《基本法》有关条款的解释是值得质疑的。香港政府指出：终审法院虽然是在香港拥有最终审判权的法院，但却并非在任何问题上都对《基本法》享有最终解释权，因为根据《基本法》第 158 条第 1 款，对《基本法》的最终解释权在全国人大常委会。

因此，在 1999 年 5 月 21 日，行政长官董建华在立法会的多数意见支持下（虽然这遭到某些法律界和政界人士的强烈反对），请求国务院将《基本法》的有关条款提交人大常委会解释。国务院和人大常委会接受了该请求，常委会于 1999 年 6 月 26 日作出了解释，[27] 对第 24 条第 2 款第 3 项采用了狭义解释，对第 22 条第 4 款采用了广义解释。于是终审法院对这些问题的意见被推翻，这即是说，终审法院对有关条款的解释失去其效力，不能适用于以后的案件，但 1999 年 1 月 29 日判决的案件本身的诉讼当事人的权益则没有受到常委会决定的影响。常委会还在其解释中指出，该诉讼涉及《基本法》中关于中央政府管理的事务或中央与特别行政区的关系的条款的解释，本应按照第 158 条第 3 款在判决前由香港终审法院提请全国人大常委会作出解释。

在了解上述情形之后，我们应可看到，人大常委会 1999 年 6 月发布的解释并非中央政府对香港特别行政区的自治权的干涉，该事件宜理解为香港终审法院与特别行政区政府行政、立法部门之间的意见冲突——我们应注意到：《吴嘉玲案》和《陈锦雅案》

---

[27] 该解释的双语文本全文，见于《香港特别行政区政府宪报号外》，第 2 号法律副刊，1999 年 6 月 28 日，页 1577（1999 年第 167 号法律公告）。

都涉及对香港立法机关制定的移民立法（如限定享有香港居留权的出生于大陆的香港永久性居民子女的范围，规定他们来港定居的程序）的合宪性（即其是否符合《基本法》）的司法审查。另一个重要因素是，终审法院在案中没有遵从《基本法》第158条第3款规定的"提请解释"要求。[28] 正如 Jerome Cohen 教授于1999年7月1日在美国参议院外交关系委员会东亚与太平洋事务小组上所说："我认为终审法院的最大问题不在于其对移民问题所作的实体解释，而在于其拒绝在作出判决前将第22条提请全国人大常委会解释。……我很难接受这样的结论：中央政府是否按第22条第4款继续享有要求已获得香港永久居留权的人办理出境批准手续以及控制其中赴港人数的权力这个问题，并不涉及中央政府管理的事务或中央与特别行政区的关系。……终审法院的5位精明的法官令人惊诧地一致裁定不需要就第22条提请人大常委会解释，是在为香港自治权的最大化而进行一次大胆的赌博。如果不是香港政府为了准备应付移民潮，对即将涌入的移民数量作了估计，认为终审法院的判决将导致一个仅有650万人口的地区在未来10年要吸纳167万人口，他们的冒险可能就得逞了。"

六、国际评价

即使在居留权争议进行得如火如荼之际，美国助理国务卿 Stanley Roth 在 1999 年 7 月说道："香港大致上仍是自治、开放、遵守法治的，情况好于任何预期。……香港特别行政区政府在所有的管理与经济问题上所作的决定都是自主的，而非受北京指示

---

[28] 详见拙作"终审法院对'无证儿童'案的判决：对适用《基本法》第158条的质疑"，载于前引注18书，页113。

所作。"[29] 英国外交部长 Robin Cook 在于同月向英国国会所作报告中声称:"我们对香港移交两年以来情况的评价是,中国政府和香港特别行政区政府都有决心使'一国两制'能成功实现,该体制总体上运作良好。"[30] 1999 年末,美国传统基金会（Heritage Foundation）在其"经济自由指数"的研究中,将香港列为 100 多个国家与地区中经济自由度首屈一指的地方。[31] 2000 年 5 月,欧洲委员会发布关于香港情况的报告,也声称"一国两制"总体上运作良好,"香港仍然是亚洲最自由的社会之一"。[32]

七、成功的秘诀

"一国两制"模式成功适用于香港的秘诀何在呢？我认为部分原因在于《基本法》的规定以及依据其建立起来的制度。但这只是答案的一部分,而且也许不是最重要的那一部分,最重要的可能是北京政府对香港特别行政区事务所采取的不成文的做法及正在演化而成的宪法性惯例。因此我想强调一点：如果我们想要理解什么是"一国两制"模式,仅只看《基本法》的条文是远远不够的,还必须看有关当局的实际行为、心态与实践做法。有人说《基本法》字面上看起来很完备,但他们怀疑《基本法》能否在实践中得到贯彻实施。我却认为恰恰相反,《基本法》从字面上看远非完备,真正起作用去改善它的正是那些不成文的实践、理解和惯例。

那么,《基本法》的成功之处和薄弱环节各在哪里？非正式的实践做法和不成文的惯例是如何克服部分这些薄弱环节的？还

---

[29] *Hong Kong Standard*, 3 July 1999。

[30] *Six – monthly Report on Hong Kong*, *January*——*June* 1999（presented to Parliament by the Secretary of State for Foreign and Commonwealth Affairs, Cm 4415）,页 3。

[31] G. P. O'Driscoll, Jr. et al., 2000 *Index of Economic Freedom* (2000)。

[32] *South China Morning Post*, 19 May 2000,页 6。

存在哪些其他薄弱环节？这是本文的余下部分要探讨的问题。

八、成功之处与薄弱环节

"一国两制"模式的最大成功之处就在于由《香港特别行政区基本法》授予香港特别行政区的高度自治权。一国两制模式与联邦制模式都是自治的形式，而前者的优越性在于：特别行政区享有的自治程度大大高于联邦制国家的成员州所享有的。[33]特别行政区拥有对除了国防与外交事务之外的所有事务的管辖权，包括以下方面：

（1）超过99%的由国家中央立法机关制定的法律不适用于香港特别行政区，香港原有的普通法制度得到了保存。《基本法》附件3列明可以适用于香港的全国性法律，现时只有11项，例如《国籍法》、《国旗法》、《领海及毗连区法》、《香港特别行政区驻军法》、《外交特权与豁免条例》等。[34]

（2）香港居民不必向中央政府纳税，且他们向特别行政区政府交纳的税款亦全部用于特别行政区，毋须将其中任何部分上缴中央政府。

---

[33] 香港特别行政区享有极高程度的自治（就自治政府管辖的事务的范围而言），这是中国大陆内外学者一致认可的，参见王叔文主编，同上注14，第40－52页，131－142页；Ghai，同上注10，第9页；Hannum，同上注10，第149页。

[34] 附件3自《基本法》在1990年制定以来，共修订了两次。第一次是1997年7月1日，全国人大常委会增补了1990－1997年间制定的5部新法，包括：《香港特别行政区驻军法》、《国旗法》、《国徽法》和有关领海、领事特权的其他两部法律；第二次是1998年12月，增补了《专属经济区和大陆架法》（参见《香港特别行政区政府宪报》，1998年第52号，第2号法律副刊，1998年第393号法律公告，1998年12月24日）。《基本法》第18条规定附件3所列法律在香港"公布或立法实施"，实际上，只有《国旗法》和《国徽法》是由香港地方立法机关通过立法实施的（《国旗及国徽条例》，是为了使有关全国性法律的实施符合香港当地情况），而附件3中所列其他法律都是在香港直接公布实施的。

(3) 香港特别行政区可以继续享有和发行自己的货币（港元）。

(4) 特别行政区可以实行自己的出入境管理制度。

(5) 特别行政区是有别于中国其他地区的单独关税地区。

(6) 香港特别行政区可以以"中国香港"的名义与其他国家和地区建立经济、文化等方面的关系，参加不以主权国家为单位构成的国际组织，世界贸易组织就是一个很好的例子。[35]

香港特别行政区目前所享有的自治程度决不低于在英国统治下香港所享有的。其实，香港在殖民时代的自治很大程度上是不成文做法与宪法性惯例的结果，而香港特别行政区今天在许多领域所享有的自治则是由《基本法》明示保证了的，[36]这正是"一国两制"自治模式的优点。

但我认为该模式仍存在两个主要局限或缺陷，一是自治的宪法性和法律性保障不如联邦制稳固，二是特别行政区的民主化程度有限。但我将在下文指出，前者在实践中未有造成困难，而且还可通过不成文的规范或惯例来补救，后者则有望在日后逐步解决。

九、自治的法律保障

我们先谈上述第一个缺陷。在联邦制结构中，联邦政府与成员州政府之间的权力划分是由宪法确定的，而宪法是不能随意修改的；如有关于两级政府的管辖权的冲突的争议时，则由联邦最

---

[35] 参见 Roda Mushkat, *One Country, Two International Legal Personalities: The Case of Hong Kong* (1997).

[36] 参见 Chen，同上注8，第112-115页；Robert Allcock, "Application of Article 158 of the Basic Law"，发表于"从比较法角度看基本法之执行"研讨会（香港大学法律学院与香港特别行政区律政司联合主办，于2000年4月28-29日在香港举行以庆祝《基本法》颁布10周年）的论文。

高法院作出终局裁决。而在"一国两制"模式下,中央政府与特别行政区政府之间的权力划分是由全国人大制定的《基本法》所规定的。假定在极端情况下,全国人大单方面修改《基本法》以大幅度削减特别行政区的自治权,这时特别行政区是没有任何法律或司法救济的(即使该修改明显违反《基本法》第159条)。[37]此外,又没有独立的司法机关可对中央政府与特别行政区政府之间的管辖权争议作出裁决:按照《基本法》第17、18和158条,不是由法院而是由全国人大常委会(在征询基本法委员会的意见后)[38]决定特别行政区的立法是否越权、在特别行政区适用哪些全国性法律和发布对《基本法》的解释。

由联邦最高法院和由人大常委会解决主权国家内部各级政府因实行地方自治而引发的管辖权争议,究竟有何不同?这说到底是一个信任的问题。如果人们相信全国人大常委会(在听取基本法委员会的建议之后)能够和美国最高法院做得一样好,那么,我们这里所讨论的"一国两制"制度的缺陷将不存在。可是,在

---

[37] 这一点可能存在争议,答案取决于全国人大在中华人民共和国宪法下所享有的最高决定权的性质,尤其是它能否约束其后继者(即未来新一届的全国人大)。参见 Bing Ling, "Can Hong Kong Courts Review and Nullify Acts of the National People's Congress?" *Hong Kong Law Journal*, Vol. 29 (1999), p. 8 (1999); Albert Chen, "Constitutional Crisis in Hong Kong: Congressional Supremacy and Judicial Review", *The International Lawyer*, Vol. 33 (1999), p. 1025。

[38] 香港特别行政区基本法委员会是按全国人大 1990 年 4 月 4 日(即基本法制定通过的同一天)的决定组建的,根据该决定,基本法委员会由 12 名成员构成,大陆与香港各占 6 名,任期 5 年。香港成员由全国人大常委会根据香港特别行政区行政长官、终审法院首席法官和香港特别行政区立法会主席的联合提名任命。在第一届的基本法委员会里,6 名大陆成员中有 3 名是人大常委会官员(其中有两人参与立法工作),1 名是国务院港澳事务办公室副主任,1 名是外交部副部长,1 名是法学教授;6 名香港成员中,有 3 位法律工作者(包括 1 名法学教授),1 位商人,1 位医生和 1 位教育家。

香港以至在国际上，不少人认为人大常委会是政治性的国家权力机关，而非能作为宪政争端的公正裁判者的司法机构。

但有两种途径可在实践中补救这个缺陷。第一种途径就在于我们上面所提到的"一国两制"制度的优点——特别行政区的高度自治。在诸如美国、加拿大、澳大利亚和印度这些联邦制国家，其宪法规定了联邦与成员州政府之间的复杂的权力划分模式。两级政府都各自有权管理范围相当广泛的政府事务，关于甚么事情属哪个政府管辖，存在着许多灰色地带。权力划分模式的复杂性导致了界限不明的问题和频繁的管辖权纠纷。对比之下，"一国两制"模式的权力划分显得相对简单。[39] 特别行政区有权管辖除了国防和外交之外的几乎其他一切事务，其自治权是如此之大，以致极少发生需要由中央政府行使职权的情形。实际上，在过去4年内，从来没有发生过"具体"的管辖权争议（虽然发生过一次由终审法院1999年1月的判决所产生的"抽象"的管辖权争议，即关于香港法院是否有权审查全国人大或其常委会的行为）。[40]

此外，虽然在理论上中央政府依据《基本法》第17、18、158、159条享有非常重要的权力，其行使足以影响特别行政区的自治权，但在实践中却似乎已形成了这样一项惯例或不成文规则：中央政府实行最大限度的自我克制，以使其干预最小化、特别行政区的自治权最大化。比如，按第17条规定，全国人大常委会有权发回超越特别行政区自治范围的特别行政区立法并使之无效，但是，中央政府并没有建立机制对每一项已通过的特别行

---

[39] 正因如此，香港特别行政区律政专员 Robert Allcock 指出："在别处发生的管辖权界限不明问题在香港发生的可能性颇低"，见其前注36中论文页4。

[40] 见 Chen，同上注37。

政区立法进行系统的、严格的审查,也从没有对任何特别行政区立法提出过质疑。按第 18 条,全国性法律可以列入《基本法》附件 3 并适用于香港特别行政区,但 1997 年 7 月 1 日之后,附件 3 只加添了一部全国性法律,即关于国际海洋法的《专属经济区和大陆架法》。[41] 按第 158 条规定,全国人大常委会可以发布对《基本法》的解释,它在 1999 年 6 月就香港居民在大陆出生的子女的居留权对《基本法》第 22 条和第 24 条发布了解释。[42] 但值得注意的是,该解释不是常委会主动提出的、而是应特别行政区政府向中央政府提出的要求而发布的。

十、民主问题

最后,我们将研究香港所实行的"一国两制"模式的第二个局限,这关系到一项原则:自治范围的广泛与否只是自治安排的其中一个主要因素,另一个同等重要的因素涉及地方自治政府是否能真正代表自治单位的人民的利益。[43] 这反过来又取决于自治单位内部政治制度的本质,尤其是它是否贯彻民主原则。

在这里必须指出,香港特别行政区的内部政治制度被一些人批评为不够民主。[44] 特别行政区的第一届行政长官是由一个 400 人组成的推选委员会选出的,而该委员会又是由北京任命的特别行政区筹备委员会按香港社会的各种职业团体和社会团体界别而

---

[41] 见上注 34。
[42] 参见本文第五部分。
[43] 参见 Chen, "Some Reflections",同上注 10。
[44] 参见 Yash Ghai, "Hong Kong and Macau in Transition (I): Debating Democracy", *Democratization*, Vol. 2 (1995), p. 270; Yash Ghai, "Hong Kong and Macau in Transition (II): Exploring the New Political Order", *Democratization*, Vol. 2 (1995), p. 291; Lo Shiu-hing, *The Politics of Democratization in Hong Kong* (1997); Kuan Hsin-chi et al., *The 1995 Legislative Council Elections in Hong Kong* (1996)。

选出的。[45] 第二届行政长官则由社会各界别的人士和团体所推选的 800 人选举委员会选出。[46] 在选举之后，当选人还必须经过中央政府任命才能成为行政长官。[47] 在特别行政区的头三届立法机关（不包括临时立法会）中，不超过一半的成员是普选的，而其他成员则是以职业和其他社会团体为基础选出的。[48]

另一方面，《基本法》规定了特别行政区实行进一步的民主化的可能性。第 45 条规定了以普选方式（根据具有广泛代表性的提名委员会的提名）选出行政长官的最终目标，第 68 条也规定了以普选方式选出立法会全部议员的最终目标。但在行政长官的普选制度中引入了严格的审查提名程序，加上中央政府对行政长官任命权的掌握和特别行政区政治体制（参加《基本法》起草的中国大陆学者称其为"行政主导体制"）下行政长官的强势地位，[49] 显然是为了保证特别行政区要由中央政府所信任和接受的人来管治。

吊诡的是，特别行政区政治体制下的有限民主是与其广泛的自治范围相联系的。正是由于特别行政区的自治程度是如此之高，中央政府才不放心将特别行政区的管治权交给在意识形态上反对中央政府或因其他原因不能或不愿对中央政府采取合作态度

---

[45] 香港特别行政区第一届行政长官的产生办法是由全国人大于 1990 年 4 月 4 日（即《基本法》通过的同一天）所通过的《全国人大关于香港特别行政区第一届政府和立法会产生办法的决定》规定的。关于更详细情况，可参见 Albert H. Y. Chen, "Legal Preparation for the Establishment of the Hong Kong SAR: Chronology and Selected Documents", *Hong Kong Law Journal*, Vol. 27 (1997), p. 405。

[46] 这是在《基本法》附件 1 中规定的。

[47] 见《基本法》第 45 条。

[48] 见《基本法》附件 2。关于 1998 年举行的香港特别行政区立法会第一次选举，见 Kuan, 同上注 16。

[49] 参见王叔文主编，同上注 14，页 207-209。

的人。这正是民主自由的宪政国家采取的联邦制模式与"一国两制"模式的另一不同之处。

十一、结语

可以总结,"一国两制"模式是中华人民共和国独特的政治和法律文化的产物。如果我们用西方的联邦、自治、民主、法治观念来衡量,它显然有不足之处,但更持平地看,它确实已经代表了中国政治和法律体制的重大突破。即使它在法理上并非无懈可击,而且有赖于非正式的惯例和不成文的规范的补充,又没有完全实现民主的理想,但该模式已经给予了——而且我相信它将继续给予——香港居民所珍惜的人权、经济自由、开放社会、多元文化和自由生活方式。

《香港特别行政区基本法》的理念、实施与解释*

一、前 言

现代法院解释宪法的理论和方法,既有其普遍性,亦有其特殊性。例如在决定如何在个人权利和公共秩序之间取得适当平衡时,各国的释宪机关一般都采用某种形式的比例原则,故美国宪法学学者 Kommers 和 Finn 说:

"这么多国家的法院都采用这类原则,显示一些普遍性的东西正在产生作用,即宪法性审判的过程是具有一定程度的客观性和可确定性的。"[1]

加拿大宪法学者 Beatty 也指出:

"无论法官在哪个国家,他们都使用同样的思考方法,这是法的完整性和可明了性的有力证明。这些法院所创造的比较法学,赋予法和有关法律原则一定程度的客观性和中立性,超越了国界以至不同文化和环境之分。"[2]

以上论述的都是现代释宪的普遍性原理,它们在香港法院在

---

* 原发表于台湾中山人文社会科学研究所于 2001 年 3 月主办的第三届"宪法解释之理论与实务"研讨会,并刊于该所出版的《宪法解释之理论与实务(第三辑)》,2002 年。笔者取得该所同意在此刊载,谨此致谢。

[1] Donald P. Kommers and John E. Finn, *American Constitutional Law* (1998), p. 46.
[2] David M. Beatty, *Constitutional Law in Theory and Practice* (1995), p. 105.

解释宪法性权利时所建立的判例法中，得到彰显。但是，香港的宪法性文件，即《中华人民共和国香港特别行政区基本法》，作为中华人民共和国全国人民代表大会根据《中华人民共和国宪法》和1984年《中英联合声明》制定的、用以实施"一国两制"的一部法律，又有它的特殊性。它的特殊性主要在于它一方面为回归中国后的香港特别行政区，保留了香港在殖民地时代从英国移殖而来的普通法制度，另一方面又"以一部全国性法律的身份，构成了一个普通法制度与更大的中国宪法体系的结合"。[3]

本文的目的，在于探讨香港基本法及其释宪原则的普遍性及特殊性。本文一方面介绍香港基本法背后的理念和立法宗旨，另一方面研究香港法院在应用基本法时所采用的释宪方法，并就香港法院对基本法实施后出现的重大宪法性诉讼的处理，予以叙述和评论。

二、香港基本法作为宪法性文件的普遍性与特殊性

《中华人民共和国香港特别行政区基本法》是中华人民共和国全国人民代表大会（人大）在1990年4月4日通过的一部法律；1997年7月1日，中国从英国手中收回香港，这部《基本法》便正式实施。人大在1993年3月也通过了一部在性质和内容上十分类似香港基本法的《中华人民共和国澳门特别行政区基本法》，1999年12月20日澳门回归中国，澳门基本法也开始实施。

从国内法的角度来看，这两部基本法都是人大根据《中华人

---

[3]《刘港榕诉入境事务处处长》(*Lau Kong - yung v Director of Immigration*) [1999] 2 *Hong Kong Law Reports and Digest* 58，Anthony Mason 爵士的判词（Mason 是澳大利亚最高法院前首席大法官、现任香港特别行政区终审法院兼职法官）。

民共和国宪法》第 31 条制定的关于"特别行政区"的法律,[4]而从国际法的角度来看,中国制定这两部基本法,乃其履行其根据 1984 年的《中英联合声明》和 1987 年《中葡联合声明》所承担的国际法义务的行为。这两份国际条约都采用了邓小平先生提出的"一国两制"的概念,[5]以解决港澳回归中国的问题。"一国两制"的构想最初是针对台湾问题而设计的。在 20 世纪 70 年代末期,我国政府调整了它的对台政策,从原来的"解放台湾"改为"和平统一"。[6] 1981 年 9 月 30 日,人大委员长叶剑英宣布了九条方针政策,提倡和平统一,台湾成为中国的特别行政区,享有高度的自治权,维持原有的社会和经济制度,保留原有的与外国的经济、文化方面的关系,甚至可以保留军队。1982 年 1 月,邓小平创造了"一国两制"这个词语,指出"叶九条"实际上便是"一个国家,两种制度"。[7]

历史的吊诡是,"一国两制"虽然受到台湾当局的拒绝,却由于英国首相撒切尔(Margaret Thatcher)在 1982 年 9 月访问北京时提出香港前途的问题,使中国政府有机会以香港作为"一国两制"的构想的首要实验地点。而《香港特别行政区基本法》(以下简称《基本法》,有关条文以"基"及有关号数引之)便是这

---

[4] 第 31 条规定:"国家在必要时得设立特别行政区。在特别行政区内实行的制度按照具体情况由全国人民代表大会以法律规定。"

[5] 参见赵春义主编:《一国两制概论》,1988 年;《瞭望》周刊海外版编辑部编:《"一国两制"与祖国统一》,1988 年;黄裔:《香港问题和一国两制》,1990 年。

[6] 参见 Ying-jeou Ma, "Policy towards the Chinese Mainland: Taipei's view", in *In The Shadow of China: Political Developments in Taiwan Since 1949* (1993), ch. 8; Hsin-hsing Wu, *Bridging the Strait: Taiwan, China, and the Prospects for Reunification* (1994).

[7] 见注 5 前揭书。

场实验的法理基础。

《基本法》取代了香港殖民地时代的《英皇制诰》（Letters Patent）和《皇室训令》（Royal Instructions），成为了1997年后香港的宪制性文件。《英皇制诰》和《皇室训令》是英皇运用其皇室特权（royal prerogative）而制定的殖民地宪法，[8]《基本法》则是人大根据《中华人民共和国宪法》第31条制定的关于"设立特别行政区"和规定"在特别行政区内实行的制度"的法律。如果应用德国法学家凯尔森（Hans Kelsen）关于法律秩序的"根本规范"（Grundnorm）的理论（"根本规范"是赋予一个法制中所有不同层次或等级的法律规范其法律效力和统一性的终极基础和渊源），[9]那么1997年香港回归中国时其法制所经历的便是一次根本规范的移转，亦即凯尔森意义上的法律革命：香港法制的根本规范从原有的、肯定英国宪法秩序为有效的（包括英皇特权立法和英国国会立法的不可置疑的效力）规范，改变为一个肯定《中华人民共和国宪法》的权威和效力的新的根本规范。另一方面，香港管治权的移转也涉及国际条约（《中英联合声明》）的实施，因此，根本规范的移转是否可进一步追溯到国际法的层次，

---

[8] 关于殖民地时代的香港宪法，可参见 Norman Miners, *The Government and Politics of Hong Kong* (5th ed. 1995), ch. 5; Peter Wesley-Smith, *Constitutional and Administrative Law in Hong Kong* (1995); (拙作) Albert H. Y. Chen, "From Colony to Special Administrative Region: Hong Kong's Constitutional Journey", in Raymond Wacks (ed.), *The Future of the Law in Hong Kong* (1989), ch. 3。

[9] 关于凯尔森的"根本规范"的概念在香港的情况的应用，我在以下文章中曾作初步的探讨："香港九七回归的法学反思"，收于拙作《法治、启蒙与现代法的精神》，1998年，页252以下（此文也见于《法学家》，1997年第5期，页51）；Albert H. Y. Chen, "The Provisional Legislative Council of the SAR", *Hong Kong Law Journal*, Vol. 27 (1997), p. 1 at pp. 9–10。

也是一个可以探讨的课题。[10]

《基本法》是中华人民共和国最高立法机关制定的法律，它不单是一部香港法律（同时是香港特别行政区的宪制性文件），它也是一部"全国性法律"，其拘束力遍及全国。[11]《基本法》在香港的实施，是中国对香港行使主权的象征和保证。但吊诡的是，这部中华人民共和国法律在香港的实施，却确保了中华人民共和国99%以上的法律不在香港实施，又对于中国政府就香港的主权的行使，设定了若干严格的规限。香港回归以后，它的法制背后的根本规范改变了，但99%以上的香港法律并没有改变，它们仍然依旧运作，原有的法官、律师和参与法制运作的官员，全部留任，他们仍操故业，无须经过任何的"再培训"。

这样为什么是可能的？这便决定于《基本法》的性质、内容和立法宗旨。《基本法》与中国一般的立法有很大的不同，它渗入了不少香港原有的英式法制的元素。[12]《基本法》的内容中不少反映了现代宪法性文件的共通原理和价值观念，例如人权的保

---

[10] 关于国内法的根本规范与国际法的关系，可参见黄瑶："世纪之交反思凯尔森的国际法优先说"，《法学评论》，2000年第4期，页26。

[11] 关于中国大陆学者对香港《基本法》的研究，参见王叔文编：《香港特别行政区基本法导论》，1997年2版，萧蔚云编：《一国两制与香港特别行政区基本法》，1990年；萧蔚云编：《香港基本法的成功实践》，2000年。关于香港和外国学者的有关著作，见拙作《香港法制与基本法》，1986年；陈弘毅、陈文敏：《人权与法治：香港过渡期的挑战》，1987年；拙作《香港法律与香港政治》，1990年；Peter Wesley‑Smith and Albert H. Y. Chen (eds), *The Basic Law and Hong Kong's Future* (1988); Ming K. Chan and David J. Clark (eds), *The Hong Kong Basic Law* (1991); Yash Ghai, *Hong Kong's New Constitutional Order* (2nd ed. 1999)。

[12]《基本法》的不少条文都是从《中英联合声明》搬过去的，而这份《联合声明》是中英两国的专家共同起草的产物。《联合声明》中那些关于1997年后的香港法制的条文，反映了香港原有英式法制的特点。

障、司法的独立、宪法性条文高于一般立法的理念、权力分立的原则、民主的价值等。而《基本法》的立法宗旨,可以理解为在中华人民共和国对香港享有主权的大原则下,赋予香港"高度自治"的权力(基§2),使它得以保留其原有经济、社会和法律制度及生活方式,至少"50年不变"(基§5)。

《基本法》除序言外,分为九章。序言说明了《中英联合声明》和《中华人民共和国宪法》第31条是制定《基本法》的背景和依据,并开宗明义地确立了"一个国家,两种制度"的"方针"。第一章是总则,规定"香港特别行政区是中华人民共和国不可分离的部分"(基§1),人大授权香港特别行政区"实行高度自治"(基§2),"保持原有的资本主义制度"(基§5)。香港特别行政区须"保护私有财产权"(基§6)和"居民和其他人的权利和自由"(基§4),香港原有法律,"除同本法相抵触或经香港特别行政区的立法机关作出修改外,予以保留"(基§8);"香港特别行政区立法机关制定的任何法律,均不得同本法相抵触。"(基§11)

《基本法》第二章题为"中央和香港特别行政区的关系",它把香港特别行政区的地位界定为一个"直辖于中央人民政府"的"享有高度自治权的地方行政区域"(基§12),并划分了中央政府和香港特别行政区政府就涉及香港的事务的管治权的范围。大致来说,中央"负责管理与香港特别行政区有关的外交事务"(基§13)和"防务"(基§14),香港特区则享有其他事务的"行政管理权"(基§16)、"立法权"(§17)和"独立的司法权和终审权"(§19)。中央立法机关制定的法律,"除列于本法附件3者外,不在香港特别行政区实施"(基§18)。列入附件3的法律"限于有关国防、外交和其他按本法规定不属于香港特别行政区自治范围的法律"(基§18),现时附件3内共有11项法规,较重要的包括《国籍法》、《国旗法》、《驻军法》、《外交特权与豁免条例》等。[13]

《基本法》第三章规定的是"居民的基本权利和义务",它对"香港特别行政区永久性居民"作出定义(基§24),并列出了居民和其他人的各种权利和自由(基§25-41)。在《基本法》实施后的司法实践中被证明为最重要的是第39条:"《公民权利和政治权利国际公约》……适用于香港的有关规定继续有效,通过香港特别行政区的法律予以实施。"(第1款)"香港居民享有的权利和自由,除依法规定外不得限制,此种限制不得与本条第1款规定抵触。"(第2款)

《基本法》第四章题为"政治体制",它为香港特别行政区建构了一个政制,其主要特征可归纳为行政主导、行政立法互相制衡、循序渐进的民主化和司法独立。关于民主进程方面,值得留意的是,第一届行政长官由400人的推选委员会产生(然后由中央政府任命),第二、三届行政长官由800人的选举委员会产生。立法会方面,60个议席中由全民分区普选产生的议席,在首三届立法会中分别为20、24和30,其他议席则由主要以职业界别为基础而组成的功能组别和选举委员会选举产生。[14]但《基本法》也明文表示,香港特别行政区政制发展的最终目标是全民普

---

[13] 除此4项外,其余的7项为《关于中华人民共和国国都、纪年、国歌、国旗的决议》、《关于中华人民共和国国庆节的决议》、《国徽法》、《中华人民共和国政府关于领海的声明》、《领海及毗连区法》、《专属经济区和大陆架法》、《领事特权与豁免条例》。

[14] 在第一届和第二届立法会中,由选举委员会选举产生的议席分别为10席和6席。到了第三届立法会(2004年选出),立法会将不会有由选举委员会产生的议席;第三届立法会的60个议席中,一半由全民分区直接选举产生,一半由各功能界别分别选举产生。

选行政长官（基§45）和立法会的全部议员（基§68）。

关于司法体制方面，值得留意的是，《基本法》规定设立香港自己的终审法院（基§81-82），取代殖民地时代伦敦的枢密院（Privy Council）作为香港的案件的最终上诉法院的功能。"终审法院可根据需要邀请其他普通法适用地区的法官参加审判。"（基§82）实施此条文的《香港终审法院条例》[15]设立了来自海外的非常任（兼职）法官的制度，他们包括若干名现任或已退休的英国、澳洲和新西兰的终审法院法官，香港终审法院一般由5人合议庭听审，4人是香港终审法院的全职法官（其中包括长期在港任职的外籍人士），一人是来自海外的兼职法官。在香港特别行政区的司法实践中，这些海外法官撰写了不少重要的判词，他们在香港特别行政区法制中发挥的作用是不容低估的。

《基本法》的第五、六章分别题为"经济"和"教育、科学、文化、体育、宗教、劳工和社会事务"，规定的主要是保留香港在这些方面原有的各种制度和政策，并授权香港自行管理这些方面的事务。在一定程度上，那些规定香港必须维持某种原有制度或继续奉行某种政策的条文（在这里可简称为"政策性条文"），与那些赋予香港广泛的自治权的条文是有些矛盾的：[16]真正的自治应理解为在处理有关自治事务时的无拘束的权力，包括改变原有制度和政策的权力。但《基本法》中政策性条文的用意，并不是要限制香港的自治，而是在政治和心理的层面，保证中央政

---

[15]《香港法例》第484章。关于此条例制定过程中的争议，可参见 Lo Shiu-hing, "The Politics of the Debate over the Court of Final Appeal in Hong Kong", *China Quarterly*, No. 161 (2000), p. 221.

[16] 见拙作"论《基本法》中政策性条文"，收于《香港法律与香港政治》（见注11），页27以下; Albert H. Y. Chen, "Some Reflections on Hong Kong's Autonomy", *Hong Kong Law Journal*, Vol. 24 (1994), p. 13, at pp. 177-178.

府不会要求香港改变其原有制度和政策或实行中国大陆的制度和政策。至于这些政策性条文是否具"可审判性"(justiciable)、是否可由法院在诉讼中强制执行,还是只是对行政和立法机关的一般性的、参考性的指引,[17] 目前仍未有定论。

《基本法》第七章规定的是香港特别行政区的"对外事务",它赋予香港特别行政区一定意义上的"国际人格",[18] 去参加那些并非局限于主权国家的国际活动。例如,香港可在经济、文化、体育等领域以"中国香港"的名义与外国和国际组织发展关系和签订协议(基§151),或以"中国香港"的名义"参加不以国家为单位参加的国际组织和国际会议"(基§152)。

《基本法》第八章对《基本法》的解释和修改作出规范。正如其他中华人民共和国法律一样,《基本法》的解释权理论上属于人大常务委员会(以下简称人大常委会)(基§158(1))。[19] 但是,在一般案件的审判中,如涉及《基本法》的应用,香港法院可自行解释(基§158(2)、158(3))。如果一件案件涉及《基本法》中"关于中央人民政府管理的事务或中央和香港特别行政区关系的条款"的解释,而它又上诉至终审法院,那么终审法院则必须在作出判决前,提请人大常委会对有关条款进行解释(基§158(3))。在作出解释前,人大常委会须征询一个由大陆和香港人士(包括法律界人士)组成的基本法委员会的意见(基

---

[17] 参见 Ghai,见注11,at 243。

[18] 参见 Roda Mushkat, *One Country, Two International Legal Personalities* (1997)。

[19] 关于中国大陆的法律解释制度,参见张志铭:《法律解释操作分析》,1999年,第6章;Albert H. Y. Chen, "The Interpetation of the Basic Law: Common Law and Mainland Chinese Perspectives", *Hong Kong Law Journal*, Vol. 30 (2000), p. 380, at pp. 408–416。

(158 (4))。[20]

第 159 条则规定了修改《基本法》的程序。大致上,中央方面和特区方面都有修改的提案权,但只有人大才有权作出修改。值得留意的是,"本法的任何修改,均不得同中华人民共和国对香港既定的基本方针政策相抵触"(基§159(4)),而正如《基本法》的序言所说明,这些"基本方针政策"乃载于《中英联合声明》者。

《基本法》第九章是"附则",只有一条,主要规定了香港回归时原有法律除由人大常委会宣布为与《基本法》抵触者外,将采用为香港特别行政区法律。[21]

此外,《基本法》还有 3 个附件,"附件 1"规定行政长官的产生办法(尤其是第二、三届),"附件 2"规定立法会的产生办法和表决程序,"附件 3"则列出在香港特别行政区实施的全国性法律。

从以上关于《基本法》的简介里,我们可以看到,虽然《基

---

[20] 关于基本法委员会的组织和功能,见于人大在 1990 年 4 月 4 日通过《基本法》时同时通过的关于设立基本法委员会的决定。该委员在 1997 年 7 月正式成立,成员为 6 位大陆人士(包括 5 名官员和 1 名学者)和 6 位香港人士(全是非官员身份的人,包括笔者在内)。

[21] 人大常委会在 1997 年 2 月 23 日根据此条通过了关于处理香港原有法律的决定:可参见拙作"香港九七回归的法学反思"(见注 9),页 262-270;拙作"九七前后香港法律的延续性",《中国法律》,1997 年 7 月"香港回归特刊",页 7-10(中文),页 81-85(英文);Albert H. Y. Chen, "Continuity and Change in the Legal System", in L. C. H. Chow and Y. K. Fan (eds), *The Other Hong Kong Report* 1998 (1999), ch. 3.

本法》不是一个主权国家的宪法，但它的确是一份"宪法性文件"，[22]并具有宪法性文件的一些典型特征。它既规划了香港特别行政区内部的政治体制，包括其立法、司法和行政架构的产生、权力和相互关系，又规范了香港特别行政区和北京中央政府的关系，包括两者之间权力分配的原则。此外，它设定了人权保障的制度，正如下文指出，在《基本法》生效实施后不久，香港特别行政区法院便迅速确立了以《基本法》为基础的"违宪审查"的权力（即香港法院审查和推翻违反《基本法》的香港法律的权力）。虽然《基本法》所体现的"一国两制"模式与外国的"联邦制"有异，但《基本法》所处理的自治权范围问题、宪法性文件的解释和纠纷争议的解决的问题，以至对赋予自治权的宪法性文件的修改的限制问题等，正是联邦制中的关键问题。或许可以这样说：《基本法》和联邦国家宪法所处理的问题是类似的，

---

[22] 关于《基本法》是否应视为"宪法性文件"（constitutional instrument），可比较大陆和香港学者的看法。大陆学者认为《基本法》是全国人民代表大会根据《中华人民共和国宪法》制定的"基本法律"之一（参见萧蔚云，前揭书（见注11），页72-74；许崇德主编：《港澳基本法教程》，1994年，页16），但并没有把《基本法》称为宪法性文件或宪法性法律。正如台湾学者王泰铨指出，"中共官方及学界均一致认为香港基本法不是'小宪法'"（王泰铨：《香港基本法》，1995年初版，页21-22）；但王氏也承认香港《基本法》可被视为一"宪法性法律"（同上，页22）。香港学者普遍认为香港《基本法》是香港特别行政区的宪法性法律或宪法性文件：参见 Wesley-Smith and Chen，见注11，页iii；Peter Wesley-Smith, *Constitutional and Administrative Law in Hong Kong* (1995), p. 68; Yash Ghai, *Hong Kong's New Constitutional Order* (1997), p. 64。此外，香港司法界也普遍持此见解，并采用一般释宪原则来解释和演绎香港的《基本法》，并以一般违宪审查原则来审查香港立法机关所制定的法律是否抵触《基本法》及因而无效：参见本文第三、四部所述判例。

但它们所提供的解决问题的方案却有所不同。[23]

联邦制国家的宪法里设定了联邦政府和州政府[24]（这里说的"政府"是广义的，包括立法、行政和司法机关）之间的分权安排，即就与州的人民的管治有关的事务而言，管理某些事务的权力属联邦政府，管理另一些事务的权力属州政府。这样，联邦政府和州政府各自的管辖权的范围，便在宪法中得到明确的划分。州政府有权管理的事务越多，它的管辖权的范围便越大，亦即是说，它的自治权的范围便越大。联邦政府不能单方面削减州的自治权，因为联邦国家的宪法的修改，通常必须得到绝大部分的州的同意。至于就宪法中关于管辖权的划分的条文的实施和解释，如果出现争议，则由独立公正的法院根据法治和宪治原则予以裁决，最终可上诉至联邦最高法院，如著名的美国最高法院、加拿大最高法院和澳大利亚高等法院。这些法院都是声誉超著的，得到人民的信任和认同。

比较起来，我们可以看到，和联邦制一样，《基本法》所设立的也是一种涉及中央政府和地方政府的管辖权划分或分配的安排，如果我们把香港特别行政区的自治权的范围与美国、加拿大或澳洲的成员州的自治权的范围予以比较，我们甚至会发觉，香港的自治权在范围上是比这些联邦制国家中的州的自治权更为广

---

[23] 关于香港特别行政区的自治模式与"联邦制"的比较，可参见拙作"基本法中的中港关系"，收于《香港法制与基本法》（见注 11），页 207 以下；Albert H. Y. Chen, "The Relationship Between the Central Government and the SAR", in *The Basic Law and Hong Kong's Future*, 见注 11, ch. 7; Ghai, 见注 11, at 182–187。虽然大陆学者否认在香港实施的"一国两制"模式"带有联邦制特点"，但他们也曾就此模式与联邦制作全面的比较研究：参见王叔文，前揭书（见注 11），页 48–52, 104–115, 141–143。

[24] 参见 K. C. Wheare, *Federal Government* (4th ed. 1963)。

泛的（例如在立法权上、税务上、货币上、关税上、出入境管制上或国际参与上）。但是，从另一个角度看，香港的自治权在宪制层次获得保障的巩固程度，却不如联邦制国家的州，因为《基本法》不是国家宪法，《基本法》的修改（至少在理论上）也毋须事先取得香港方面的同意，[25]而关于中央和特区管辖权的争议的最终裁决者，不是类似联邦最高法院的司法机关，而是人大常委会。可幸的是，由于《基本法》所设立的中央和特区的管辖权的分配安排是十分简单的，而特区的管辖权是几乎无所不及的（即适用于除了国防和外交以外的几乎所有香港事务），所以香港似乎可幸免于像联邦制国家中那些关于联邦政府和州政府的管辖权范围的频密争议。[26]《基本法》实施以来的经验似乎引证了这点。此外，在实践中中央政府和香港特别行政区政府都严格按照《基本法》办事，中央实行高度的自我约束，不干预特别行政区的自治事务，也有助于减少或避免这类争议。

三、香港法院的释宪理论与方法

1991年以前，香港宪法性文件《英皇制诰》和《皇室训令》构成的是一部简陋的殖民地宪法，[27]它赋予港督会同立法局广泛的立法权，这个立法权没有受到人权保障原则的规限，政制中

---

[25] 正如前述，《基本法》第159条对《基本法》的修改设定了一些限制，也规定在修改前须征询包括香港成员在内的基本法委员会；但是，在极端的情况下，如果人大不理会港人的反对，对《基本法》作出了港人认为是违反《基本法》第159条的修改，这个修改仍然很可能是有效和对香港法院具拘束力的（参见下文关于香港法院就人大的行为行使违宪审查权的讨论）。

[26] 参见 Robert Allcock, "Application of Article 158 of the Basic Law", paper presented at *Constitutional Law Conference on the Implementation of the Basic Law: A Comparative Perspective* jointly organised by the Faculty of Law, University of Hong Kong and the Department of Justice, HKSAR on 28–29 April 2000。

[27] 见注8前揭书。

也没有有效的分权安排,因为港督由英国任命,在 1985 年以前,香港立法局的议员全都是政府官员和港督任命的"非官守议员",而英国政府又享有直接为香港立法和否决香港本地立法的全面的权力(虽然它极少运用此权力)。在理论上,香港法院(包括对香港案件有终审权的英国枢密院)有对香港立法机关通过的法例的违宪审查权,但由于殖民地宪法对殖民地立法机关的立法权并没有设定有现实意义的限制,所以香港法院没有什么机会去发挥它的违宪审查权。这种情况在下述的 1991 年的"宪制革命"[28]后出现了根本的改变。

在这个"宪制革命"之前,关于香港法院应予采用的释宪原则和方法的主要判例是香港上诉法院 1991 年判决的 *Attorney General v Chiu Tat – cheong* [29]一案。在本案中,刑事被告人对审讯他的裁判法院法官的权力提出质疑,其理据是根据《英皇制诰》第 14 条,法官必须由港督任命,而案中的裁判法院法官却是由首席大法官任命的(其实自 1974 年以来,所有裁判法院法官都是由首席大法官任命的)。被告人在高等法院胜诉,但其后在上诉法院败诉。上诉法院在其判词中援引了英国枢密院在一系列案件中所建立的释宪原则,这些案件包括 *Edwards v Attorney General for Canada*、[30] *Attorney General for Ontario v Attorney General for Canada*、[31] *Thornhill v Attorney General of Trinidad and*

---

[28] 参见 Chen(见注 19),at 418。
[29] [1992] 2 HKLR 84。参见 Peter Wesley – Smith, "Constitutional Interpretation", in Peter Wesley – Smith (ed), *Hong Kong's Transition* (1993), p. 51。
[30] [1930] 124。
[31] [1947] AC 127。

Tabago[32]和 *Attorney General of the Gambia v Jobe*。[33]这些判例[34]都主张法院在解释宪法性文件时，采用一种宽松的（generous）、目的论的解释方法，不必拘泥于狭隘的、技术性的考虑；宪法有如正在生长的树，有一个成长的历程；宪法的解释应有一定的灵活性，以适应转变中的社会环境。

上述的 Jobe 案是香港法院在以后（包括在 1997 年以后）的释宪案件中多次引用的判例。此案是从甘比亚（Gambia）上诉至枢密院的案件，案中刑事被告人以当地宪法中关于人身自由和财产权的保障的条文为依据，质疑刑事诉讼法中的若干规定。枢密院引用了法律的合宪性推定（presumption of constitutionality），对其中一些规定作出合乎宪法的解释（通过把某些保障人权的内容默示至规定之内），但它同时裁定，其中另一个规定明显地违反宪法里的无罪推定原则，因而是越权和无效的。

现在让我们看看 1991 年后香港释宪制度的新发展。[35] 1989

---

[32] [1981] AC 61。

[33] [1984] AC 689。

[34] 这些判例都是英国枢密院在处理其殖民地或某些英联邦国家法院的上诉案件时的判决，这些地区都有成文宪法，其司法系统以英国枢密院（Privy Council）为其终审法院。英国本土案例的终审法院是英国上议院（House of Lords）法庭，但由于英国自己没有成文宪法，所以上议院法庭并无关于如何解释成文宪法的判例。

[35] 参见 Johannes Chan and Yash Ghai (eds), *The Hong Kong Bill of Rights: A Comparative Approach* (1993); Benny Y. T. Tai, "The Development of Constitutionalism in Hong Kong", in Raymond Wacks (ed.), *The New Legal Order in Hong Kong* (1999), ch. 2; Yash Ghai, "Sentinels of Liberty or Sheep in Woolf's Clothing? Judicial Politics and the Hong Kong Bill of Rights", *Modern Law Review*, Vol. 60 (1997), p. 459; Johannes M. M. Chan, "Hong Kong's Bill of Rights: Its Reception of and Contribution to International and Comparative Jurisprudence", *International and Comparative Law Quarterly*, Vol. 47 (1998), p. 306; Andrew Byrnes, "And Some Have Bills of Rights Thrust Upon Them: The Experience of Hong Kong's Bill of Rights", in Philip Alston (ed), *Promoting Human Rights Through Bills of Rights: Comparative Perspectives* (2000), ch. 9。

年北京天安门发生了"六四事件",即将在 1997 年回归中国的香港出现了严重的信心危机。为了挽回港人对前途的信心,港英政府决定加强香港法制对于人权的保护。1991 年 6 月,香港立法局通过了政府起草的《香港人权法案条例》,[36]把自从 1976 年已在国际法的层面适用于香港的《公民权利和政治权利国际公约》,引入成为香港本地的立法,由香港法院执行其中的人权标准,并用以审查在《香港人权法案条例》生效之前已制定的立法:该条例第 3 条第 2 款规定,"所有先前法例,凡不可作出与本条例没有抵触的解释的,其与本条例抵触的部分现予废除。"

那么,香港法院是否可以引用同一套人权标准来审查在《香港人权法案条例》通过之后才制定的法例?答案是肯定的,但理由不在于《香港人权法案条例》本身,而是由于《英皇制诰》在 1991 年 6 月作出了相应的修订。根据修订后的《英皇制诰》第 7 条,《公民权利和政治权利国际公约》中适用于香港的规定,将通过香港法律予以实施;香港立法机关在 1991 年 6 月 8 日(即此修订生效之日)后,不得制定与《公约》规定有抵触的限制权利和自由的法律。[37]香港上诉法院后来在 *R v Chan Chak – fan* [38]案中指出,修订后的《英皇制诰》有如下的作用:

"《英皇制诰》禁止立法机关在立法时违反在香港适用的《公

---

[36]《香港法例》第 383 章(以下简称《人权法案》)。香港所有成文法现已具有正式的、有法律效力的中译本,《香港人权法案条例》乃是 Hong Kong Bill of Rights Ordinance 的正式中文名称。

[37] 这个条文是字眼是故意模仿《基本法》第 39 条的,用意是使香港法院在 1997 年前在《英皇制诰》第 7 条的基础上建立的思维方法和判例法,可以在《基本法》实施后继续发挥其影响力。可参见 Byrnes,见注 35, at 334 – 335。

[38] [1994] 3 HKC 145 at 153。

民权利和政治权利国际公约》，从而使《人权法案》享有凌驾性地位。《人权法案》是在香港适用的《公约》的体现。因此，任何与《人权法案》相抵触的立法都是违宪的，法院作为宪法的监护者将会予以推翻。"[39]

《人权法案》的制定，把香港带进违宪审查的时代，[40]这对于香港原来的古老的殖民地法制来说，可算是一场宪政革命。在《人权法案》的基础上，香港法院（包括作为香港终审法院的枢密院）发展了香港的释宪理论和方法，这些理论和方法，沿用至1997年后的《基本法》时代。让我们看看在这方面最有影响力的几个判例。

1991年9月，即《人权法案》颁布后的3个月，香港上诉法院在 R v Sin Yau – ming [41]案中就人权法的解释和应用作出了权威性的论述。在本案里，法院审查了《危险药品条例》[42]中若干有利于控方的证据法上的推定条款（例如如果被告人藏有0.5克以上的危险药品，则推定其藏有该药品的目的乃是作贩毒用途，除非被告人能予以反证）是违反《人权法案》中的无罪推定条款的，因而是无效的。

正如在上述的 Attorney General v Chiu Tat – cheong 一样，上诉法院在本案中引用了英国枢密院的判例以阐释释宪的原则。除

---

[39] 此段文字乃笔者从英文判词的翻译。香港上诉法院在 Lee Miu – ling v Attorney General（[1996] 1 HKC 124）案中援引了这段话和重申其观点。

[40] 参见陈文敏，"香港人权法案生效首年的回顾"，《法学评论》，1992年第4期，页75-79及1992年第5期，页63-69；拙作"论香港特别行政区法院的违宪审查权"，收录为本书最后一篇文章。

[41] [1992] 1 HKCLR 127。

[42] 《香港法例》第134章。

了提到上述的 Jobe 案以外，上诉法院也援引了 Minister of Home Affairs v Fisher。[43]这是个重要的判例，香港法院在 1991 年以后（包括在 1997 年以后）曾多次引用。Fisher 案是从百慕达（Bermuda）到枢密院的上诉，案中的关键问题是百慕达宪法中用到的"子女"（child）一词是否应解释为包括非婚生子女。枢密院留意到，在某些法例中，"子女"一词不应解释为包括非婚生子女，但它认为，在解释宪法条文时，用以解释其他一般法律（尤其是私法）的原则不一定适用；在解释宪法时，应注意到有关宪法性文件的性质和背景，并采用较宽松的解释方法，尽量保障宪法所规定的权利和自由。在本案中，枢密院还考虑到其他国际人权法的文件，它的结论是，案中有关条文应解释为包括非婚生子女，他们享有与婚生子女一样的居留权。

正如枢密院在 Fisher 案中提到释宪方法与解释其他法律的方法有所分别，香港上诉法院在 Sin Yau–ming 案中也主张，香港法院在解释和应用《人权法案》时，可采取一个"全新的法理立场"，[44]无须受到一般法律的解释原则或普通法的论述的限制。上诉法院强调，在演绎《人权法案》时，香港法院可参考范围广泛的国际法和比较法方面的材料，包括美加等享有人权法案的普通法国家的司法判例、欧洲人权法院的判例和根据《公民权利和政治权利国际公约》成立的人权委员会的意见书和报告书。

在判断本案中受质疑的证据法上的推定条款是否合宪时，上诉法院采用了加拿大最高法院在 R v Oakes [45]案中的思维模式和"比例"或"相称"（proportionality）原则：如果有关法例的确限

---

[43] [1980] AC 319。
[44] [1992] 1 HKLR 141。
[45] [1986] 1 SCR 103。

制了某项宪法性权利，则要进一步考虑此限制是否能在自由民主社会中被合理地和明显地证成。在这方面，法院须考虑此限制背后的目的是否正当，有关法例用以达致此目的之手段是否与此目的有合理的联系、是否已尽量减轻对有关权利的必须的限制和是否与上述目的相称。

Sin Yau-ming 案被誉为香港法院在《人权法案》通过后的新的司法积极主义（judicial activism）的象征，与作为司法自我约束（judicial restraint）的体现的 Attorney General v Lee Kwong – kut [46]案形成有趣的对比。本案是两宗香港案件合并在一起往英国枢密院的上诉，也是《人权法案》通过后第一宗上诉至枢密院的人权案件，枢密院在 1993 年 5 月就本案发表的判词对香港人权法在日后的发展有一定的影响力。[47] 案中处理的是两项法律条文是否违反人权法中的无罪推定原则的问题，第 1 项条文是《简易程序治罪条例》[48] 第 30 条，规定如有人拥有被合理地怀疑是偷来的东西，除非他能解释他如何获得此东西，则属犯罪。第 2 项条文是《贩毒（追讨得益）条例》[49] 第 25 条，它规定在若干情况下，参与有助于保留贩毒得益的安排属刑事罪行，除非被告人能就某些事项提出相反证明。枢密院裁定，第 1 项条文是违反人权法因而是无效的，第 2 项条文则是有效的。

在由 Woolf 勋爵代表枢密院撰写的判词中，枢密院肯定了香港上诉法院在 Sin Yau-ming 案中采用的释宪方法，尤其是以 Fisher 案和 Jobe 案为基础的宽松的、目的论的解释方法。枢密院也

---

〔46〕 [1992] 2 HKCLR 76 (Court of Appeal); (1993) 3 HKPLR 72 (Privy Council).
〔47〕 参见 Byrnes，见注 35，at 356 – 359，373 – 375; Chan, 见注 35，at 311 – 312; Ghai, 见注 35，at 468 – 469。
〔48〕 《香港法例》第 228 章。
〔49〕 《香港法例》第 405 章。

同意美加法院和欧洲人权法院的判例是有参考价值的，但它指出"这些其他法域的情况不一定与香港相同"。[50]在关于无罪推定的司法审查方面，枢密院认为加拿大最高法院在 *R v Whyte* [51]案的处理方法把问题不必要地复杂化，枢密院指出，问题不外是如何在个人的权益和社会公益之间取得适当的平衡，这需要较灵活的处理。最后，枢密院提醒香港法院：

> 香港司法机关固然应全力维护《香港人权法案》里的个人权利，但也需要确保关于《人权法案》的诉讼不会出现失控的情况。《香港人权法案》的问题应务实地、明智地、有分寸地处理。若非如此，《人权法案》便会带来不公而非正义，而它在公众眼中的地位亦将被贬低。为了维持个人和社会整体之间的平衡，不应以僵化和硬性的标准妨碍立法机关在处理严重犯罪问题时的努力，这些问题是不容易解决的。应当留意，政策性问题的处理仍主要是立法机关的责任。[52]

除了 *Lee Kwong-kut* 案外，枢密院在另外两宗香港上诉案件中对人权法的应用，也构成了香港在1997年前的释宪判例法的重要部分。在 *Ming Pao v Attorney General* [53]案中，枢密院肯定了香港上诉法院在本案的判决，即《防止贿赂条例》[54]第30条关于禁止透露某人正被廉政公署调查的规定，并没有违反人权法中关于

---

[50]　(1993)3 HKPLR 72 at 91。
[51]　[1988] 2 SCR 3。此案是加拿大最高法院继上述的 R v Oakes 案后的另一个权威性的判决。
[52]　(1993) 3 HKPLR 72 at 100。
[53]　(1996) 6 HKPLR 103。
[54]　《香港法例》第201章。

言论自由的保障。在判词中,枢密院重申宪法性文件应赋予宽松和目的论的解释,并强调言论自由的重要性,但它认为,案中被质疑的条文对言论自由的限制是为了方便对贪污的调查而需要的,而且它能满足"比例"原则。在应用"需要"或"必要"原则时,[55] 枢密院同意香港法院的看法,[56] 即不必把"需要"等同于欧洲人权法院所谓的"迫切的社会需要"(pressing social need),但它又指出,即是后者是适当的标准,它也能在本案中得到满足。[57]

在 *Fok Lai-ying v Governor in Council* [58] 一案中,原告人的住所被政府根据《收回官地条例》[59] 有偿地收回作公共用途,枢密院表示了与香港上诉法院不同的意见。枢密院认为,考虑到《香港人权法案》第 14 条的规定(该条保障私人住宅不受无理或非法侵扰),《收回官地条例》第 3 条(关于港督收回土地的权力)应解释为在针对住宅的收回令发出之前,政府应提供公正的程序,给予当事人提出反对的合理机会。但就本案案情来说,枢密院认为,原告人已经获得这样的机会,故枢密院驳回了原告人

---

[55] 《香港人权法案》第 16 条(相当于《公民权利和政治权利国际公约》第 19 条)规定,对于发表自由的限制,"以经法律规定,且为下列各项所必要(necessary)者为限——(甲)尊重他人权利或名誉;或(乙)保障国家安全或公共秩序、或公共卫生或风化。"这条文中"必要"一词便是这里谈的"必要"或"需要"原则的基础。

[56] 这是指香港上诉法院在 *Tam Hing-yee v Wu Tai-wai* 案的看法([1992] 1 HKLR 185 at 191)。

[57] 此外,枢密院又在本案判词中援引了欧洲人权法院关于审查的宽容度(margin of appreciation)的原则,以表示枢密院对香港本地的立法机关和法院的判断的尊重。

[58] (1997) 7 HKPLR 327.

[59] 《香港法例》第 124 章。

的上诉。

以上谈的都是1997年以前的香港案件,在判决这些案件时产生的判例法中,我们可以看到法院的释宪理论和方法。这些法院包括香港本地的法院,也包括作为香港终审法院的枢密院。在1997年以前,枢密院在处理香港的上诉案件时作出的判例,对所有香港法院来说是具拘束力的(即使在1997年后,它们仍对香港法院来说有丰富的参考价值),[60] 所以我们在研究香港在1997年以前的宪法性诉讼时,需要重视枢密院的判例。

值得留意的是,在《基本法》于1997年7月实施以后的宪法性诉讼中,香港法院仍然引用英国枢密院在上述 *Jobe* 案和 *Fisher* 案的判词为阐述释宪理论和方法的最高权威。关于有关案件的案情和具体判决的介绍,我们留到本文的第四部分。在这里,让我们先看看1997年后的香港法院是如何论述释宪理论和方法的。

香港回归后第一宗宪法性诉讼是1997年7月29日由高等法院上诉法庭判决的《香港特别行政区诉马维騉》[61] 案。上诉法庭3位法官的其中两位论述了解释《基本法》的方法。陈兆恺首席法官指出,虽然一般来说,*Jobe* 案和 *Sin Yau-ming* 案所主张的宽松和目的论的解释方法可适用于《基本法》,包括适用于本案的有关条文,但这种方法不一定适用于《基本法》的每一项条文。他指出,《基本法》不是由普通法传统中的律师起草的,它是一份独特的文件,它一方面是国际条约(《中英联合声明》)的产物,另一方面,它又是中华人民共和国的全国性法律和香港的

---

[60] 在1997年以后,普通法继续在香港实施(见《基本法》第8条),香港特别行政区法院可参考其他普通法适用地区的司法判例(见《基本法》第84条)。
[61] [1997] HKLRD 761,[1997] 2 HKC 315。

宪制性文件。[62]

另一位法官 Mortimer 则更热衷于 Jobe 案和 Fisher 案所提倡的宽松和目的论释宪方法，他更强调香港法院完全可以采用普通法原则来解释《基本法》，并指出：

> 近年来发展的普通法解释方法有足够的宽度和灵活性，可用以目的论地解释这份类似宪法的文件的清晰的文字。这些普通法的解释原则，在国际公约的影响下已经有所调整。[63]

在本文第四部分介绍的居留权诉讼案件中，香港法院也多次论及释宪的方法。例如，1998年4月2日，高等法院上诉法庭在《张丽华诉入境事务处处长》[64]一案中作出判决，陈兆恺首席法官援引了 Fisher 案，指出法院在解释《基本法》中赋予权利的条文时应采纳尽量保障有关权利的解释。[65] 在同案中，Mortimer 法官再次引用了 Jobe 和 Fisher 两案，主张以目的论的方法来解释《基本法》。[66]

1998年5月1日，上诉法庭在《陈锦雅诉入境事务处处长》[67]一案作出判决。陈兆恺首席法官再次引用 Fisher 案，并指出法院应对《基本法》中赋予权利和自由的条文给予"宽松及目的论的解释"。[68] Mortimer 法官也同意这个观点，他在判词中

---

[62] [1997] 2 HKC 315 at 323-4。
[63] 同上，at 364。
[64] [1998] 1 HKC 617，[1998] 2 HKC 382。
[65] [1998] 1 HKC 649-650。
[66] [1998] 1 HKC 662。
[67] [1998] 1 HKLRD 752。
[68] [1998] 1 HKLRD 756。

又再引用了 Fisher 和 Jobe 两案，并指出："即使我们未能发现有关条文背后的目的，我们仍须给予有关文字的清晰含义一种宽松的解释。"[69]

关于《基本法》的解释方法的最权威性论述，来自香港终审法院1999年1月29日在《吴嘉玲诉入境处处长》[70]一案（此案即上述的《张丽华案》，它在上诉至终审法院的阶段改称为《吴嘉玲案》）的判词，此论述的权威性似乎没有受到后来人大常委会的"释法"所影响，在此"释法"事件后，终审法院在《吴嘉玲案》的论述仍屡次为香港法院所引用。[71]这个论述的要点如下。

在解释《基本法》时，应采用目的论的方法（purposive approach）：

> 法院之所以有必要以这种取向来解释宪法，是因为宪法只陈述一般原则及表明目的，而不会流于讲究细节和界定词义，故必然有不详尽及含糊不清之处。在解决这些疑难时，法院必须根据宪法本身及宪法以外的其他有关资料确定宪法所宣示的原则及目的，并把这些原则和目的加以贯彻落实。[72]

---

[69] [1998] 1 HKLRD 764。
[70] [1999] 1 HKLRD 315（英文判词），[1999] 1 HKLRD 731（中文判词）。
[71] 参见 Agrila Ltd v Commissioner of Rating and Valuation [2001] 1 HKC 175 at 217；《庄丰源诉入境事务处处长》[2000] 1 HKC 359 at 371（原讼法庭），[2000] 3 HKLRD 661 at 665, 687（上诉法庭），[2001] 2 HKLRD 533（终审法院）；《谢晓怡诉入境事务处处长》[2000] 2 HKLRD 161 at 166-7, 172（上诉法庭）；Commissioner of Registration v Registration of Persons Tribunal and Another [2000] 2 HKLRD 523 at 534-5, 552-3。
[72] [1999] 1 HKLRD 748（判词中文版），[1999] 1 HKLRD 339-340（英文版）。

终审法院指出，《基本法》的目的，乃在于贯彻"一国两制"的原则，并赋予香港特别行政区高度自治权，正如《中英联合声明》所规定的。在确定《基本法》中个别条文的目的时，法院可参考《联合声明》和其他相关数据，包括《基本法》第 39 条提到的《公民权利和政治权利国际公约》。

终审法院又指出，《基本法》是一份"有生命力的文件"（a living instrument），[73] 用意在于应付不断变化的环境和需要。法院应尽量避免以字面的、技术性的、狭隘的或生硬的方法来解释《基本法》。至于《基本法》第三章所保障的自由，"是两制中香港制度的重心所在"。[74] 法院应给予这些条文宽松的解释（a generous interpretation），使香港居民能全面地享有这些得到宪法性保证的权利和自由。

虽然终审法院在《吴嘉玲案》中阐述释宪方法时没有引用英国或其他外国法院的判例，但从上述的叙述中我们可以看到，终审法院在这方面的取向，是与香港在 1997 年以前已从普通法世界继受的释宪传统一脉相成的。这个传统在今日的香港仍然健在，《吴嘉玲案》的释宪方法并没有因下述的人大常委会"释法"事件而受摒弃。

四、基本法在实施后的重大诉讼及其处理

香港特别行政区在 1997 年 7 月 1 日成立以来，香港法院处理了多宗影响重大的宪法性诉讼。本文此部分将简介其中一些有代表性的判例，从中我们可以看到香港法院怎样面对新时代所带来的挑战。

---

[73] [1999] 1 HKLRD 339.
[74] [1999] 1 HKLRD 749.

(一) 临时立法会的合法性

香港特别行政区成立后不到一个月，便出现了一宗哄动一时的宪法性诉讼，这便是《香港特别行政区诉马维騉》[75]案。这是一宗刑事案件，被告人被控串谋妨碍司法公正———个普通法上的罪行。被告人的论据是，普通法在香港的效力随着香港回归中国已经消失，而虽然由香港特别行政区临时立法会制定的《香港回归条例》[76]规定普通法在回归后继续有效，但这《条例》本身是无效的，因为临时立法会并非按照《基本法》成立的合法的立法机关。

高等法院上诉法庭在1997年7月29日颁布的判词中指出，即使没有《香港回归条例》的有关规定，普通法在香港回归后仍是有效的，因为《基本法》在这方面已作出了明确的规定。但是，由于双方律师就临时立法会的合法性问题进行了深入的辩论，而这也是香港市民十分关心的问题，所以上诉法庭也就临时立法会问题作出了裁决。

自从由中央任命的香港特别行政区筹备委员会在1996年3月决定为即将成立的香港特别行政区设立"临时立法会"（其任期限于1998年6月30日以前）后，临时立法会的合法性问题在香港争论不休。《基本法》里没有提及"临时立法会"，它只提到

---

[75] 见注64。关于本案的评析，可参见 Daniel R. Fung and Peter H. H. Wong, "Constitutional Law and Litigation in the First Year of the Hong Kong SAR", *Hong Kong Law Journal*, Vol. 28 (1998), p. 336 at 338–343; Ghai, 见注11, at 178–181; "Focus on the Ma Case", *Hong Kong Law Journal*, Vol. 27 (1997), pp. 374–404; 拙作"终审法院对'无证儿童'案的判决：议会至上和司法审查"，载于佳日思、陈文敏、傅华伶合编：《居港权引发的宪法争论》，2000年，页71以下; Chen, 见注19, at 424–7。

[76] 1997年第110号条例。

香港特别行政区的"第一届立法会",[77] 而人大在通过《基本法》时同时通过了《关于香港特别行政区第一届政府和立法会产生办法的决定》（以下简称《决定》），在此《决定》里规定了第一届立法会的组成方法。1990年《基本法》和《决定》通过时，中英双方已就1995年香港立法局的选举方法达成某些共识，在此基础上，《决定》基本上假设了所谓"直通车方案"，即在1995年产生的立法局议员可顺利过渡为香港特别行政区第一届立法会的议员，任期直至1999年。

1992年，新任港督彭定康（Christopher Patten）推出比1990年中英政府曾取得共识的模式更激进的政治体制改革方案，并且不顾中方的反对，在1995年立法局的选举中予以实施。中方认为这是不能接受的，遂决定放弃"直通车方案"。考虑到在1997年7月1日以后组织选举第一届立法会需要一段时间，而在这段时间香港又不能没有一个立法机关，特别行政区筹备委员会于是决定成立一个"临时立法会"，由负责推选第一届行政长官的四百人推选委员会选举产生，而非按照第一届立法会的组成方法产生。[78]

上诉法庭在《马维騉案》中分析了临时立法会成立的背景，最后裁定特别行政区筹备委员会成立临时立法会是《决定》赋予它的职权范围内的事，临时立法会的成立不但没有违反《基本法》，而且是为了实施《基本法》而有其需要的。这个结论后来

---

[77] 根据《基本法》第68条，立法会的产生办法载于《基本法》附件2。附件2则规定，第一届立法会按照人大《关于香港特别行政区第一届政府和立法会产生办法的决定》产生。

[78] 参见王叔文，前揭书（见注11），页25—26；拙作"香港九七回归的法学反思"，见注9，页257—261；Albert H. Y. Chen, "Legal Preparation for the Establishment of the Hong Kong SAR", *Hong Kong Law Journal*, Vol. 27 (1997), p. 405。

得到终审法院在《吴嘉玲案》[79]中的肯定。但是,上诉法院在处理临时立法会问题时表达的另一个重要和具争议性的观点,却惹来终审法院在《吴嘉玲案》中的反驳,终审法院在这方面的观点,又惹来北京方面的猛烈批评,终于导致终审法院需要对此观点发表"澄清"(见下文)。那么,上诉法庭在《马维騉案》的观点是怎样的呢?

上诉法庭在案中接受了代表政府出庭的律政专员冯华健的论点:[80]根据《基本法》第19条,"香港特别行政区法院除继续保持香港原有法律制度和原则对法院审判权所作的限制外,对香港特别行政区所有的案件均有审判权。"在1997年以前,香港法院无权审查和推翻英国国会就香港的立法或英皇就香港作出的行政行为(如港督的任命),因为国会和英皇是代表主权国的最高权力机关;同样地,1997年后的香港法院作为地区性的法院,也无权审查或推翻全国人大或其常委会这些主权机关的行为。因此,如果香港特别行政区临时立法会是根据人大的授权而成立的,那么香港法院便无权质疑它的合法性。

关于《马维騉案》,最后一点值得留意的是,冯华健律政专员承认而上诉法庭也接受这点:[81]同样是根据《基本法》第19条,正如香港法院在1997年以前有权审查香港立法机关的立法是否与《英皇制诰》相抵触,在香港回归以后,特别行政区法院也有权审查特别行政区的立法是否与《基本法》相抵触。[82]在

---

[79] 见注70。
[80] [1997] 2 HKC 315 at 351。
[81] 同上注。
[82] 关于此问题的理论性探讨,见拙作 Albert H. Y. Chen, "The Basic Law and the Protection of Property Rights", *Hong Kong Law Journal*, Vol. 23 (1993), p. 31 at 50 – 55。

《马维騉案》后,香港法院拥有就特别行政区立法的违宪审查权这个观点成为了整个香港法律界和司法界公认的原则(虽然有中国大陆学者提出过质疑),[83]再没有出现争议,特别行政区法院在一些案件中也确实行使了违宪审查权。[84]从这个角度看,《马维騉案》或许可被誉为香港特别行政区法制史上的 Marbury v Madison。[85]

(二)居留权问题

如果要从香港特别行政区成立以来香港法院判决的所有案件中选出最轰动的和影响深远的案件,那么香港终审法院在1999年1月29日在《吴嘉玲诉入境事务处处长》[86]和《陈锦雅诉入境事务处处长》[87]两案的相关判决可以当之无愧了。这些判决成为了1999年2月26日终审法院被迫作出"澄清"和1999年6月26日人大常委会"释法"的导火线。

《吴嘉玲案》(在高等法院原讼法庭和上诉法庭诉讼的阶段称为《张丽华案》)和《陈锦雅案》涉及的都是法院对《入境条例》[88]的违宪审查权的行使,被质疑的条文都是特别行政区临时立法会为了实施《基本法》第24条而对原有《入境条例》作出的修订。[89]由于这些修订是由临时立法会制定的,所以案中

---

[83] 参见许崇德、传思明:"香港基本法框架下判例法的走向",中国人民大学法学院"纪念《香港特别行政区基本法》颁布十周年学术研讨会"论文(2000年4月1日至2日),页3-4。

[84] 参见拙作"论香港特别行政区法院的违宪审查权",收录为本书最后一篇文章。

[85] 5 US (1 Cranch) 137 (1803)(美国最高法院确立其违宪审查权的历史性判决)。

[86] 见注70。

[87] [1999] 1 HKLRD 304。

[88] 《香港法例》第115章。

[89] 关于更详细的介绍,可参见拙作(见注84);Chen,见注21,at 40-43;拙作"回归后香港与内地法制的互动",收录为本书最后第二篇文章。

也涉及临时立法会的合法性问题。

在《基本法》实施之前的殖民地时代，香港居民在中国大陆所生的子女并不享有来港居留的权利，他们只能向大陆的出入境管理当局（即公安机关）申请移居香港的"单程通行证"，但通常要轮候多年或十多年。《基本法》第24条（《中英联合声明》内也有类似规定）则规定，香港特别行政区"永久性居民"包括香港永久性居民"在香港以外所生的中国籍子女"，这类人士几乎全部都是在中国大陆出生和长大的。第24条同时赋予所有香港特别行政区"永久性居民"在香港特别行政区的居留权。

第24条的这些规定有其不清晰之处。例如，香港永久性居民在大陆所生的非婚生子女是否香港永久性居民？如果某人在大陆出生时，其父母均非香港永久性居民，但其父或母后来成为了香港永久性居民，那么该某人现在是否香港永久性居民？又例如，如果某人从中国大陆偷渡来港或以旅游或探亲为理由来港后逾期居留，但却能向香港当局证明其"永久性居民"身份，那么香港当局是否还有权把他遣返中国大陆？

临时立法会在《入境条例》内设定的条文，对这些问题均提供了答案。特别行政区的《入境条例》不承认生父与其非婚生子女的关系，故香港男性居民在大陆的非婚生子女无权来港定居。（以下简称"规定1"。）《入境条例》又规定，港人在香港以外所生的中国籍子女，其出生时其父或母必须已取得香港永久性居民身份，否则该名子女不具香港永久性居民身份（以下简称"规定2"）。至于偷渡来港者，则不可能行使其居留权，因为《入境条例》规定，即使某名大陆居民因其为港人子女而根据《基本法》第24条享有香港永久性居民身份，他仍须先取得大陆公安机关签发的"单程通行证"和香港入境事务处签发的"居留权证明书"，才能来港定居，否则可被遣返（以下简称"规定3"）。

关于"规定1",香港高等法院原讼法庭、[90]上诉法庭和香港终审法院的3个判决是一致的,即"规定1"是违反《基本法》第24条的,因为后者并没有就有关子女的身份(即其是婚生子女或非婚生子女)作出区分或歧视。正如终审法院在《吴嘉玲案》的判词中指出,《基本法》本身和《基本法》第39条提到的《公民权利和政治权利国际公约》都强调平等原则,反对歧视,《公约》第23条又规定对家庭的保护,这些都是支持法院的结论的因素。虽然"规定1"在制定前曾获根据《中英联合声明》成立的中英联合联络小组的认可,但法院认为这无济于事,因为小组的协议不一定反映《基本法》第24条的正确解释。终审法院就"规定1"的判决作出后,香港特别行政区政府完全接受了这个判决,并对《入境条例》的有关条文进行修改,设立港人在大陆非婚生子女来港行使其居留权的程序。由此可见,在《吴嘉玲案》中,香港法院无可置疑地行使了对本地立法的违宪审查权,这个事实,丝毫没有受到后来人大常委会"释法"的影响。

关于上述的"规定2",香港的三级法院在《陈锦雅案》中,则意见分歧。"规定2"的合宪性,决定于如何理解《基本法》第24条提到的香港永久性居民"在香港以外所生的中国籍子女"这句话。原讼法庭[91]和终审法院均认为,这句话很明显地包括现时的香港永久性居民的所有子女,如果后者是中国籍和在香港以外出生的话。他们并认为这种有助于家庭团聚的解释也符合《公民权利和政治权利国际公约》中保护家庭的原则。因此,他们的结论是,"规定2"是违宪的。

---

〔90〕 [1997] 3 HKC 64.
〔91〕 [1998] 1 HKLRD 142.

就这点来说，终审法院推翻了上诉法庭的判决。上诉法庭的3位法官均认为"规定2"所体现的正是《基本法》第24条的正确解释。他们指出，香港永久性居民"在香港以外所生的中国籍子女"这句话中"所生"两字，把焦点放在子女出生的时间，所以除非某人在出生时其父或母已具有香港永久性居民身份，否则此人不能满足第24条的这句话的要求。上诉法庭又指出，第24条的用意是赋予各类与香港有真实联系的人在港的居留权，而如果一个非香港永久性居民在香港以外生了孩子，难以见得这个孩子与香港有什么联系。最后，上诉法庭还反驳了关于家庭团聚的论点，指出在案中情况下父母和子女分居异地很大程度上是父母自己的选择（例如他们在大陆诞下孩子后移民至香港，又例如他们可选择回到大陆定居和与孩子团聚）。因此，上诉法庭的结论是，"规定2"是合宪的。

至于"规定3"，原讼法庭和上诉法庭（在《张丽华案》中）都认为它是合宪的，终审法院却裁定它为违宪（《吴嘉玲案》）。法院之间的分歧源于他们对《基本法》第22条第4款的不同解释。这个条文规定："中国其他地区的人进入香港特别行政区须办理批准手续，其中进入香港特别行政区定居的人数由中央人民政府主管部门征求香港特别行政区政府的意见后确定。"问题的关键是，根据《基本法》第24条因其父母是香港永久性居民而取得香港永久性居民身份的大陆居民，是否包涵在"中国其他地区的人"这句话里。如果答案是肯定的话，则"规定3"便可理解为合宪和合理的，反之，则"规定3"便很可能是违宪的。

原讼法庭和上诉法庭均给予这个问题肯定的答案，他们认为无论从字面上或从立法目的上去解释，第22条第4款应理解为适用于港人在大陆所生的、身为大陆居民的子女，他们又指出这个理解是符合《中英联合声明》的有关条文的。他们又认为，第

24条和第22条是相关的，第24条所赋予的居留权可以受到第22条的规限。

终审法院对第22条第4款却有相反的理解。首先，它指出第24条所赋予香港特别行政区永久性居民的居留权是一项"核心权利"（core right），[92]法院有责任尽量予以维护。如果一个香港永久性居民能否进入香港取决于大陆官员的裁量权（根据"规定3"，大陆居民即使享有香港永久性居民身份，仍不能进入香港和在在港定居，除非他已获大陆公安机关签发"单程通行证"），那么"其居留权便毫无保障"。[93]终审法院认为，《基本法》第22条第4款不应理解为对香港特别行政区自治权的减损，这自治权包括根据其宪法性文件让享有宪法性居留权（constitutional right of abode）[94]的香港永久性居民入境的权利和义务。终审法院对第22条第4款的解释是：

> 第22（4）条内所指的"中国其他地区的人"包括进入特区定居的人，但不包括《基本法》已赋予其在特区拥有居留权的特区永久性居民。按对言词一般理解，根据《基本法》而拥有永久性居民身份的人士不能称之为"中国其他地区的人"。他们是中国这地区（香港）的永久性居民。将他们形容是为了定居而进入特区的人也是不正确的。他们进入特区并非为了定居。他们本身为永久性居民，拥有进入特区及在特区随意逗留的权利。[95]

---

[92] [1999] 1 HKLRD 346（英文版），753（中文版）。
[93] [1999] 1 HKLRD 753.
[94] [1999] 1 HKLRD 347，754.
[95] [1999] 1 HKLRD 346，753.

因此，终审法院的结论是，"规定3"中关于要求港人在大陆子女必须持有大陆签发的"单程通行程"才能移居香港的规定是违宪和无效的；要求他们在来港前必须在大陆预先向香港当局申请"居留权证明书"的规定则是合宪的，但"居留权证明书"制度的目的须限于身份的核实，不能用以不合理地拖延他们来港的权利的行使。

关于《基本法》第22条，还存在着另一个问题，终审法院对此问题的处理，[96]对日后的人大"释法"是有关键意义的。正如上文提到，根据《基本法》第158条，如果终审法院在审案时"需要对本法关于中央人民政府管理的事务或中央和香港特别行政区关系的条款进行解释，而该条款的解释又影响到案件的判决"，那么终审法院便不能自行解释该条款，而须提请人大常委会解释。在《吴嘉玲案》中起了关键作用的第22条，该条属《基本法》中标题为"中央和香港特别行政区的关系"的第二章。终审法院在其判词中曾表示愿意接受第22条第4款乃涉及中央与特区的关系的论点，[97]但它裁定即使如此，也毋须提请人大常委会解释，因为这条款并非法院在本案中解释的"主要条款"（predominant provision）：终审法院认为，在本案中"实质上最主要需要解释的是第24条，即关于永久性居民的居留权及该项权利内容的规定"。[98]虽然《基本法》里没有这种"主要条款"的概念，但终审法院认为这样理解《基本法》中关于提交人大常委

---

[96] 笔者认为终审法院就此问题的处理失误，详见拙作"终审法院对'无证儿童'案的判决：对适用《基本法》第158条的质疑"，载于佳日思等编，前揭书（见注75），页113以下；及拙作"回归后香港与内地法制的互动"，本书最后第二篇文章。

[97] [1999] 1 HKLRD 343, 751.

[98] [1999] 1 HKLRD 345, 752.

会解释的规定，是有助于实践香港的高度自治的。[99]

此外，由于案中涉及临时立法会在《入境条例》中设定的规定的效力问题，所以终审法院也需要就上文讨论过的临时立法会本身的合法性问题作出裁决。在案件仍在上诉法庭的阶段（《张丽华案》），上诉法庭也曾面对这个问题，虽然双方律师就此问题进行了辩论，包括辩论上诉法庭在《马维騉案》的判词中关于香港法院对人大行为没有管辖权的说法是否正确，但上诉法院在《张丽华案》[100]中引用了判例拘束力的原则，指出上诉法庭是受其自己以往的判例所拘束的；在《马维騉案》中上诉法庭就临时立法会的合法性的意见是它的判决理由（ratio decidendi）的一部分而非纯属附带意见（obiter dictum），因此上诉法庭在《张丽华案》中必须遵从。

终审法院在《吴嘉玲案》中肯定了临时立法会的合法性，认为它的成立是符合上述1990年人大的《决定》的，亦没有违反《基本法》。但是，终审法院同时指出，上诉法庭在《马维騉案》中关于香港法院无权审查人大行为的看法是错误的，因为把殖民地时代香港法院的管辖权的限制延伸至《基本法》下的新宪制架构是不对的。[101] 终审法院认为，香港法院不但有根据《基本法》审查香港自己的立法的权力，而且有审查人大及其常委会的违反

---

[99] [1999] 1 HKLRD 344 – 5, 752.
[100] [1998] 2 HKC 382.
[101] [1999] 1 HKLRD 338, 748.

《基本法》的立法行为的权力,包括宣布有关行为为无效的权力。[102] 终审法院举了《基本法》的修改为例:

> 鉴于制定《基本法》是为了按照《联合声明》所宣示和具体说明的内容,落实维持香港50年不变的中国对香港的基本方针政策,上述论点便更具说服力。《基本法》第159(4)条订明《基本法》的任何修改均不得抵触既定的基本方针政策。为了行使司法管辖权去执行及解释《基本法》,法院必须具有上述的司法管辖权去审核全国人民代表大会及其常务委员会的行为,以确保这些行为符合《基本法》。[103]

终审法院在《吴嘉玲案》中对于香港法院就中国国家权力机关的行为的违宪审查权的声明随即惹来北京方面的激烈反应。1999年2月7日,四位曾任基本法起草委员会委员的著名大陆法律学者在官方媒体发表了猛烈的批评,质疑香港法院是否把自己置于国家最高权力机关之上,否定中国对香港的主权,把香港变成独立的政治实体。[104] 2月12日,香港律政司司长上京与北京官员商讨如何化解这场香港史无前例的"宪政危机",她带回香港的讯息是,中央政府认为终审法院的有关观点是"违宪"的,

---

[102] 关于此说法是否有道理,参见拙作"终审法院对'无证儿童'案的判决:议会至上和司法审查",见注75;拙作"回归后香港与内地法制的互动",见注89;Bing Ling, "Can Hong Kong Courts Review and Nullify Acts of the National People's Congress?" *Hong Kong Law Journal*, Vol. 29 (1999), p. 8;凌兵:"解决《基本法》与人大其他立法行为之间的冲突的应适用法律",载于佳日思等编,前揭书(见注75),页155以下。

[103] [1999] 1 HKLRD 338, 747.

[104] 四位学者的意见全文现收录于"内地法律专家对终审法院判决的意见",载于佳日思等编,前揭书(见注75),页55以下。

须予以"纠正"。2月24日,特区政府向终审法院提出了一个极为罕见的申请,要求它就1月29日《吴嘉玲案》的判词中涉及人大及其常委会的部分作出"澄清"。

2月26日,在一个简短的聆讯后,终审法院就它在《吴嘉玲案》的判词颁布了补充性的判词,指出终审法院在1月29日的判词中"并没有质疑人大常委会根据第158条所具有解释《基本法》的权力","也没有质疑全国人大及人大常委会依据《基本法》的条文和《基本法》所规定的程序行使任何权力"。[105] 虽然这个简短的声明并没有完全解决1月29日的判词所带出的各种复杂的、关于香港法院对中央政府机关的违宪审查权的问题,但在此声明后,北京方面没有进一步的追究,那些宪法理论的问题便不了了之。

但好戏还在后头。终审法院在1999年1月29日的判决对中央政府和香港政府有不同的意义。中央政府所关注的是其对香港的主权是否受到减损,香港政府关注的是判决对香港造成的人口压力。在进行调查和统计后,香港政府在1999年4月28日公布了令港人大吃一惊的评估报告:如果终审法院对《基本法》有关条文的解释是对的话,那么在未来十年内,便会有167万大陆居民有资格来香港定居,其中包括实时享有居留权的69万人(所谓"第一代"人士),而当"第一代"人士移居香港及住满7年后,其现有子女(所谓"第二代"人士)98万人亦将有资格来港。香港政府认为这样大量的移民是香港社会和其经济资源所无

---

[105] [1999] 1 HKLRD 577 – 8(英文版),579 – 580(中文版)。关于对此次"澄清"事件的评论,见 Yash Ghai, "A Play in Two Acts: Reflections on the Theatre of the Law", *Hong Kong Law Journal*, Vol. 29(1999), p. 5;陈文敏:"终审法院在澄清中没有澄清的问题",载于佳日思等编,前揭书(见注75),页175以下;及前揭于注102的拙作两篇。

法承受的。

于是香港政府提出了向人大常委会寻求对《基本法》有关条文作出解释的构想。[106] 虽然法律界和政界中有人强烈反对这样做，认为这样会对香港的法治、自治和司法独立造成致命的打击，但政府在"民意战"中占上风，并取得了立法会多数议员的支持，于是行政长官在5月21日向国务院提交报告，[107] 请求它"协助解决"香港在实施《基本法》时所遇到的问题，[108] 建议它提请人大常委会对《基本法》第22条第4款和第24条有关条文的"立法原意"作出解释。报告指出，终审法院判决"引发的社会问题和后果将会严重影响香港的稳定和繁荣，是香港无法承受的"，又强调这次向国务院提出这样的请求，"这是实因面对的情况非常特殊，在不得已之下才作出的决定"。

6月11日，国务院正式提请人大常委会解释《基本法》的有关条文，人大常委会在征询基本法委员会的意见后，于6月26日颁布了它的《解释》。[109] 就《基本法》第22条第4款和第24条关于港人在大陆所生子女的规定来说，其实《解释》的内

---

[106] 关于此次"人大释法"事件，可参见佳日思等编，前揭书（见注75）；Peter Wesley-Smith, "Hong Kong's First Post-1997 Constitutional Crisis", Lawasia Journal (1999), pp. 24-64; 拙作"回归后香港与内地法制的互动"，见注89。

[107] 报告全文现收录于佳日思等编，前揭书（见注75），页476以下。

[108] 报告引用了《基本法》第43条和第48(2)条作为行政长官"就执行《基本法》有关条款所遇问题，向中央政府报告"的依据。根据第43条，香港特别行政区行政长官对中央人民政府和香港特别行政区负责。第48(2)条规定行政长官的职权包括"负责执行本法和依照本法适用于香港特别行政区的其他法律"。

[109] 《解释》全文刊于《香港特别行政区政府宪报号外》，第2号法律副刊，1999年6月28日，页1576（1999年第167号法律公告），并收录于佳日思等编，前揭书（见注75），页479-480。

容并无新意,它采纳的解释基本上就是香港高等法院上诉法庭在《张丽华案》和《陈锦雅案》中所主张的解释。《解释》文本中值得留意的还有两点。

第一,人大常委会在文本中指出,终审法院在1月29日的判决对《基本法》的"有关条款"作出了解释,"该有关条款涉及中央管理的事务和中央与香港特别行政区的关系",[110] 本应根据第158条提交人大常委会解释,[111] 但终审法院没有这样做,而其解释"又不符合立法原意"。

第二,《解释》的末段明文指出,"本解释不影响香港特别行政区终审法院1999年1月29日对有关案件判决的有关诉讼当事人所获得的香港特别行政区居留权。"这即是说,就诉讼当事人而言,终审法院的判决没有被推翻或改变。[112] 但"本解释公布之后,香港特别行政区法院在引用《中华人民共和国香港特别行政区基本法》有关条款时,应以本解释为准。"

在1999年12月3日,香港终审法院在《刘港榕诉入境事务处处长》案的判词中对人大常委会这次"释法"的效力作出了权

---

[110] 这里说的"有关条款"应该是指《基本法》第22(4)条,香港终审法院也曾接受此条乃涉及中央与香港特别行政区的关系。至于第24条中关于港人在香港以外所生的中国籍子女的规定,是否属此类条款,人大常委会的《解释》里没有明确说明。但值得留意的是,人大常委会法制工作委员会副主任乔晓阳在向人大常委会说明《解释》的草案时曾指出,第24条的这项条款"与第22条第4款是密不可分的":此说明现收录于佳日思等编,前揭书(见注75),页481–485。

[111] 参见前揭于注96的拙作两篇。

[112] 《基本法》第158条第3款就人大常委会应香港终审法院的请求作出的解释有如下规定:"如全国人民代表大会常务委员会作出解释,香港特别行政区法院在引用该条款时,应以全国人民代表大会常务委员会的解释为准。但在此以前作出的判决不受影响。"

威性的论述。[113] 终审法院指出，根据《中华人民共和国宪法》[114]和《基本法》第 158 条第 1 款，人大常委会有权在案件诉讼以外的情况颁布关于《基本法》的个别条文的解释，亦即是说，其解释权不限于香港终审法院在诉讼过程中根据第 158 条第 3 款提请人大常委会解释《基本法》中关于中央管理的事务或中港关系的条款的情况。因此，今次人大常委会颁布的《解释》是有效的、对香港法院有拘束力的。

至于这份关于《基本法》的《解释》的内容的生效日期，终审法院认为可追溯至《基本法》本身生效实施的日期，即 1997 年 7 月 1 日，因为正如本案中的兼职法官、澳大利亚前首席大法官 Mason 所指出，"这个《解释》并非纯粹的立法，《基本法》的修改才是纯粹的立法"；[115] 它阐述的是《基本法》本来的立法用意。首席大法官李国能则援引了英国上议院法庭在 *Kleinwort Benson v Lincoln City Council* [116]案中关于司法判决的"宣示性理论"（declaratory theory）的论述。根据此理论，当法院在其判决中推翻了以往（在其他案件的）判决所肯定的或以往大家都信以为真的法律原则时，法律并非有所改变，而只不过是过往被接受的原则现在被宣示为错误的；因此，就确定适用于在以往发生的事情的法律规范的内容来说，司法判决具有追溯力，但已终审的案件则不受影响。所以李国能大法官在本案中说："这个《解释》宣示有关法律的本来面目。"[117] Mason 大法官则指出，就人大常委会在终审法院提交常委会释法以外的情况自行释法来说：

---

[113] [1999] 3 HKLRD 778。
[114] 根据《宪法》第 67（4）条，人大常委会的职权包括"解释法律"。
[115] [1999] 3 HKLRD 822。
[116] [1999] 3 WLR 1095。
[117] [1999] 3 HKLRD 802。

"已经作出的判决是受到保护的,因为特别行政区的法院享有司法权,终审法院享有终审权。根据普通法,如果在一件案件的终审判决后出现了对该案所涉及的法律的新解释,该案的诉讼当事人仍受该判决所拘束,不能要求重审。"[118]

除上述案件外,香港特别行政区法院还处理了不少其他的关于居留权的诉讼,由于篇幅关系,不在此一一介绍。

(三) 言论和表达自由

言论自由是自由、开放和民主社会的基石,法院在关于言论自由的案件中的判决,可反映有关社会的宪政文化。我们在这里介绍香港回归后几宗著名的涉及言论自由的诉讼。

以宪法性的重要性来说,最值得注意的案件无疑是《香港特别行政区诉吴恭劭及利建润》[119](即所谓"国旗案")。案中两被名告人在1998年1月1日参加一次由"香港市民支持爱国民主运动联合会"[120]组织的示威游行,他们都在示威中使用了自制的、经有意损毁和涂污的中华人民共和国国旗和香港特别行政区区旗(其中一名被告人也举起了台湾的"中华民国"国旗,但此

---

[118] [1999] 3 HKLRD 821.

[119] [1999] 2 HKC 10 (裁判法院), [1999] 1 HKLRD 783 (上诉法庭), [1999] 3 HKLRD 907, (1999) 2 HKCFAR 442 (英文词) 及 469 (中文判词) (终审法院)。关于本案的评析,参见拙作 Albert H. Y. Chen, "A Burning Issue", *South China Morning Post*, 28 March 1999, at p. 10; Margaret Ng, "Dangers of Saluting the Flag", *South China Morning Post*, 24 December 1999; Raymond Wacks, "Our Flagging Rights", *Hong Kong Law Journal*, Vol. 30 (2000), p. 1; Andrew Bruce, "The Flag Case: A Short Reflection on the Presentation of the Case and its Significance as a Piece of Constitutional Decision – Making", paper presented at conference mentioned in note 25 above; 传华伶: "香港的'国旗案'", 北京大学香港大学法学研究中心 "公民权利保障与司法公正" 研讨会论文 (1999年10月16日至17日)。

[120] 这个社团是在1989年北京学生运动爆发时成立的。

事与本案的检控无关），结果被控触犯香港特别行政区临时立法会在回归时制定的《国旗及国徽条例》[121]和《区旗及区徽条例》[122]中关于禁止侮辱国旗和区旗的规定。[123] 被告人的抗辩理由是，这些规定违反了《基本法》、《公民权利和政治权利国际公约》和《香港人权法案条例》所保障的言论和表达自由原则，因而是违宪和无效的。

被告人在裁判法院被判罪名成立，裁判官判他们每人须提供4 000元保证在1年内不再犯事。案件上诉至高等法院上诉法庭，1999年3月23日，上诉法庭的一个由3位外籍法官组成的合议庭裁定被告人无罪，因为设定侮辱国旗和区旗为刑事罪行的条文是违宪的。案件再上诉至终审法院，1999年12月15日，终审法院5名法官（包括参与本案审讯的海外兼职法官 Anthony Mason 爵士）一致决定推翻上诉法庭的判决，恢复裁判法院的原判。

上诉法庭的意见是，被告人只是使用经损毁过的国旗和区旗和平地表达自己的意见，不见得他们的行为会带来骚乱的可能性。上诉法庭承认，国旗或区旗有其重要的意义，但《公民权利和政治权利国际公约》第19条（此《公约》根据《基本法》第39条在香港实施）和《香港人权法案》第16条所要求的是，如果关于禁止侮辱国旗和区旗的立法要能成立，必须证明它是为了保障"公共秩序"而"必要"（necessary）的。上诉法庭认为，特区政府未能说服法院此要求得以满足。上诉法庭特别强调，香港已有其他法例足以在侮辱国旗或区旗行为出现时保障公共安宁，例如关于暴动、非法集会和扰乱公安的刑事法规，而如果被

---

[121] 1997年第116号条例。
[122] 1997年第117号条例。
[123] 见《国旗及国徽条例》第7条、《区旗及区徽条例》第7条。

毁坏或焚烧的国旗或区旗是公共财产（本案中的旗乃私人财产），则可用刑事毁坏或纵火等罪名予以检控。[124]

终审法院认为上诉法庭对于"公共秩序"的理解过于狭隘，又低估了保护作为中国统一和香港回归的象征的国旗和区旗的社会意义。终审法院引用了香港法院的判例和国际法上的材料，说明《公民权利和政治权利国际公约》里提到的"公共秩序"（《公约》的英文文本除了用 public order 的字眼外，还特别在其后附上法文 ordre public 的字眼）[125] 并不限于无暴力发生这个意义上的公安，还包括"大众福祉"和"集体利益"方面的考虑。[126] 至于国旗和区旗作为中国和香港特别行政区独特的象征，李国能首席大法官在判词中指出：

> 作为如此独有的象征，国旗及区旗对香港特区的固有重要性可见于 1997 年 7 月 1 日子夜来临的历史性时刻，在香港举行标志着中华人民共和国恢复对香港行使主权的交接仪式上，以升起国旗及区旗揭开仪式序幕的这项事实。……中华人民共和国恢复对香港行使主权后，香港正处于一个新秩序的初期。贯彻"一国两制"的方针极之重要，正如维护国家统一及领土完整亦是极之重要一样。既然国旗及区旗具独

---

[124] 上诉法庭又在判词中援引了美国最高法院的两个重要判例 Texas v Johnson (1989) 491 US 397 和 United States v Eichman (1990) 496 US 310，在此两案中，美国最高法院都以五比四的多数裁定把焚烧国旗订为刑事罪行乃对表达自由的违宪的限制。这些判决在美国引起很大的争议，不少人甚至主张修宪以禁止侮辱国旗的行为。可参见 Frank Michelman, "Saving Old Glory: On Constitutional Iconography", *Stanford Law Review*, Vol. 42 (1990), p. 1337。
[125] 法文 ordre public 所包涵的内容比英文 public order 的一般理解更广泛。
[126] (1999) 2 HKCFAR 459（英文判词）及 482（中文判词）。

有的象征意义,保护这两面旗帜免受侮辱对达致上述目标也就起着重大作用。因此,有非常充足的理由断定,将侮辱国旗及区旗的行为列为刑事罪行,对受保障之发表自由的权利施加限制,此举是有充分理据支持的。[127]

终审法院承认,侮辱国旗的行为是在语言文字以外的表达意见的行为,故人权法中言论和表达原则是适用的,问题是案中被质疑的法规对表达自由的限制是否有其需要及符合"比例原则"。终审法院认为,为了达到保护国旗和区旗的重大象征意义的目的而对表达自由作出某些限制,是"公共秩序"所需要的,而案中被质疑的法规对表达自由的限制并不过分——人民虽然不被允许以侮辱国旗和区旗的方式来表达其意见,但他们仍可透过其他方式表达类似的意见;因此,这样的对表达自由的限制是与其背后的目的相称的,没有违反比例原则。

值得留意的是,终审法院在判词中提到一点,这点是在上诉法庭判词中只字不提的:本案中被审查的其中一部法例《国旗及国徽条例》,并非香港特别行政区立法机关自行制定的一般立法,而是它根据《基本法》第18条制定的、用以实施根据《基本法》附件3而适用于香港的少数全国性法律之一的本地立法,有关的全国性法律是《中华人民共和国国旗法》,其中关于侮辱国旗的罪行的规定与香港特别行政区《国旗及国徽条例》的相应规定如出一辙。[128] 终审法院在判词中提到:

---

[127] (1999) 2 HKCFAR 447, 461(英文)及473, 483(中文)。
[128] 《中华人民共和国国旗法》第19条规定:"在公众场合故意以焚烧、毁损、涂划、玷污、践踏等方式侮辱中华人民共和国国旗的,依法追究刑事责任;情节较轻的,参照治安管理处罚条例的处罚规定,由公安机关处以15日以下拘留。"

香港特区立法机关认为，鉴于人大常委会已通过将国旗法列入《基本法》附件3内，特区制定包括第7条在内的国旗条例的有关条文以履行在香港实施这条全国性法律的责任，此举是恰当的〔意指特区立法机关认为此举是恰当的〕。本院在处理"是否必要"〔即是否有需要对表达自由作出限制〕这问题时，应对这个看法予以充分考虑。[129]

可以想像得到，如果终审法院在权衡表达自由和公共秩序后，认为特区立法中用以实施列于《基本法》附件3的《国旗法》的法规是对表达自由的不合人权准则的限制，它将会陷入非常尴尬的局面：它将要决定一项违反人权标准的、但由人大常委会命令在香港实施的法规是否有效。这正是上述《吴嘉玲案》中终审法院判词谈到的、造成1999年2月"宪政危机"的香港法院对人大行为的审查权的问题。可幸的是，至今仍未出现需要处理这个问题的具体情况（而1999年1月终审法院判词谈到的只是一个抽象的、假想性的情况）。

香港特别行政区成立后的另一宗有名的言论自由案件，便是《黄阳午诉律政司司长》[130]一案。案中被告人黄阳午是香港《东方日报》的总编辑，东方报业集团也是案中被告人，他们因该报刊登的一系列的7篇文章和派遣一队记者（所谓"狗仔队"）连续4天跟踪一名高等法院法官而被控藐视法庭罪（contempt of court）。《东方日报》是在香港读者最多的两份报章之一，根据法

---

[129] (1999) 2 HKCFAR 460（英文）及483（中文）。
[130] [1999] 2 HKLRD 293（上诉法庭）。原讼法庭在本案的判决是《律政司司长诉东方报业集团》[1998] 2 HKLRD 123。

院在本案中的判词,其读者约230万,占香港报业市场的53%。

在1997年12月11至15日和1998年1月12至15日,《东方日报》发表一系列文章,对香港的淫亵物品审裁处成员和高等法院一些法官(尤其是当时的原讼法庭法官Rogers和上诉法庭法官Godfrey)进行恶毒的、煽情的、包括种族主义的人身攻击和恐吓,并称香港法院对东方报业集团有严重的偏见,在殖民地时代已开始、并在回归后继续对《东方日报》进行政治迫害,并压制新闻自由。这些文章的背景有两方面。首先,在1996年至1997年间,淫亵物品审裁处和高等法院曾根据《淫亵及不雅物品管制条例》[131]作出不利于《东方日报》的裁决。其次,在1996年,《东方日报》记者曾在北京机场偷拍到歌星王菲怀孕的照片并刊登于其周刊,《苹果日报》(《东方日报》的主要竞争对手)却把它复制刊登,《东方日报》于是控告《苹果日报》侵犯版权,[132]虽然原讼法庭法官Rogers判《苹果日报》败诉,但他下令只给予《东方日报》港币8 001元的赔偿,并下令《东方日报》须支付《苹果日报》在此诉讼中的(庞大的)律师费。《东方日报》不服而上诉,1997年9月19日,以Godfrey法官为首的上诉法庭3人合议庭驳回了赔偿金额的上诉;关于诉讼费用方面,上诉法庭虽然撤销了原讼法庭关于原讼阶段律师费的命令,却命令《东方日报》支付《苹果日报》应付上诉的费用的2/3。Godfrey法官在判词中对《东方日报》偷拍王菲的照片、侵犯她的隐私权提出了批评。《东方日报》后来的文章批评Godfrey法官把这行动与跟踪黛

---

[131]《香港法例》第390章。
[132] *Oriental Press Group v Apple Daily* [1997] 2 *HKC* 515; *Oriental Press Group v Apple Daily*(*No. 2*)[1997] 3 *HKC* 615; *Oriental Press Group v Apple Daily* [1998] 4 *HKC* 131.

安娜皇妃的"狗仔队"相提并论。[133]

除了在上述文章系列中对 Godfrey 法官进行猛烈的人身攻击以外，《东方日报》在 1998 年 1 月 13 日至 15 日派了一群由记者和摄影记者组成的"狗仔队"在 Godfrey 法官的寓所和工作地点每天 24 小时跟踪他，《东方日报》声称要教育他什么是"狗仔队"，并在《东方日报》里报导 Godfrey 法官每天的一举一动和对跟踪行动的反应。由于此事有新闻价值而《东方日报》又积极邀请他们参与，香港其他报章和媒体（包括电视台）也派记者来采访《东方日报》的"狗仔队"的活动。1 月 15 日，《东方日报》社论宣布教育 Godfrey 法官的行动已达到其目的，行动将于 1 月 16 日零晨结束。正如社论所言，行动如时结束。

> 原讼法庭在本案中指出：
> "《东方日报》对香港司法机关发动的运动是史无前例的。……这是对法治的挑战，这些藐视法庭行为可算是在普通法世界中媒体藐视法庭的最严重的事例。"[134]

原讼法庭认为，《东方日报》的有关文章是对法庭的恶意中伤（scandalising the court），造成破坏公众对司法制度的信心的切实的危险（real risk），故构成藐视法庭。原讼法庭又认为，对 Godfrey 法官的跟踪行动，对他构成恐吓和滋扰，再加上在《东方日报》中就此行动的报导，是对司法的干预，对司法制度的运作有切实的危险，并影响公众对司法制度的信心，故构成藐视法庭。黄阳午被裁定罪名成立，被判入狱 4 个月。

---

[133] 这个批评是没有依据的，Godfrey 法官在判词中并没有提及"狗仔队"。
[134] [1998] 2 HKLRD 173.

案件上诉至上诉法庭。正如上诉法庭法官 Mortimer 在判词中指出,案中的主要问题是,"原讼法庭所采用的英联邦普通法国家对于中伤性的藐视法庭行为的处理方法,是否在《香港人权法案》和《基本法》实施后仍然有效,并构成对言论自由的必要的限制"。[135] 在这方面,法院考虑了加拿大、美国、英国、澳大利亚和新西兰等地的判例,最后决定采纳新西兰法院在 Solicitor-General v Radio Avon [136] 案的主张,而非加拿大法院在 R v Kopyto [137] 案的多数意见。这两种取向的主要分别是,如要构成中伤性的藐视法庭,攻击法院的言论对司法制度的损害是否必须不单是真正有可能的(real risk),[138] 而且是实时(immediate)的。加拿大法院在美国法院关于"明显和当前的危险"(clear and present danger)的标准的影响下,[139] 似乎愿意容纳比新西兰更宽度的批评法院的自由空间。

香港上诉法院强调,不同地方和国家的情况和需要有所不同。例如在美国,对法院恶意中伤的言论不可能构成藐视法庭罪,但在其他普通法国家,中伤性的藐视法庭罪仍然存在(虽然英国上议院法庭在 1985 年的一宗判例中曾说,中伤法院的藐视

---

[135] [1999] 2 HKLRD 311.
[136] [1978] 1 NZLR 225(新西兰上诉法院的判决)。
[137] [1998] 47 DLR (4th) 213(安大略省上诉法院的判决)。在此案中,由5人组成的合议庭没有一致的意见,其中2名法官持少数意见。正如香港上诉法庭在《黄阳午案》中所指出,Kopyto 案中批评法院的言论与本案相比,可说是小巫见大巫。
[138] "Real risk"在上一段翻译为"切实的危险",但由于语境的不同,"real risk"在本段这里则翻译为"真正有可能的"。
[139] 参见拙作"从英、美、加的一些重要判例看司法与传媒的关系",收录于本书第六篇文章。

法庭罪"几乎可说是过时而应作废的"（virtually obsolescent））。[140]
以香港来说，上诉法庭指出，"在我们的社会，对法制的信心、维持法治和法院的权威有特别的重要性，尤其是鉴于不时有人表示这方面的忧虑，尽管这些忧虑是没有根据的。"[141] 如果在香港，一个在法院败诉的当事人（尤其是有财有势者）可以肆无忌惮地发表像本案中的这类言论，势必破坏市民大众对香港司法制度的信心。至于跟踪法官的行动，上诉法庭认为虽然它不相信Godfrey 法官本人会向这些压力低头，但难保一些市民不会以为这些压力将会影响到法官的工作；再者，如果这种行为得到纵容，那么以后在诉讼中败诉的人也可重施故技。因此，上诉法庭驳回了黄阳午的上诉。

关于言论自由方面，我们要看的最后一宗案件，是脍炙人口的《郑经翰诉谢伟俊案》。[142] 本案是关于诽谤的民事诉讼，原告人谢伟俊控告被告人在 1996 年 8 月 1 日香港商业电台的"茶杯里的风波"节目（一个讨论时事和接听听众电话的节目）中诽谤他。3 名被告人包括电台和该节目的 2 名主持人郑经翰和林旭华。在原讼法庭，陪审团判电台无民事责任，但 2 名节目主持人则须就诽谤负民事责任，向原告人赔偿 8 万元。2 名被告人向上诉法庭上诉，上诉被驳回。他们再向终审法院上诉，终审法院在 2000 年 11 月 13 日判他们上诉得直，理由是原讼法庭法官在向陪审团说明适用法律时犯了错误，案件须发回重审。终审法院又下令原告人须支付被告人向上诉法庭和终审法院上诉的费用，估计

---

[140] *Secretary of State for Defence v Guardian Newspaper* [1985] AC 339 at 347 (per Lord Diplock).

[141] [1999] 2 HKLRD 313.

[142] [2000] 3 HKLRD 418.

为数百万港元。

根据普通法,在诽谤诉讼,即使被告人的言论的确贬低了原告人的名誉,被告人可使用的其中一个抗辩理由是,其言论乃属"公正评论"(fair comment),即对一件社会大众关心的事情的评论,此评论是有事实根据的(虽然这评论本身只是意见而非事实的陈述),而且评论人(被告人)本身也持有此意见(即评论内容中的意见)。

在终审法院这次判决以前,关于英国诽谤法的多本权威性著作[143]均指出,如果被告人在作出评论时心存"恶意"(malice),则他便不可以采用"公正评论"的辩护。根据这种传统的理解,这里的"恶意"是指被告人作出有关评论背后的动机或目的,如果这动机或目的是不正当的——例如他与原告人有私人恩怨,故意贬低其声誉,又例如他希望通过贬低原告人来提高自己的声望或吸引公众的注意,那么公正评论的辩护便不可能成立。

在本案中,被告人提出公正评论的辩护,原告人则以被告人的"恶意"为理由反对这个辩护,指被告人发表有关言论背后的动机和目的是不正当的,其中包括被告人与原告人的私人恩怨和故意制造事端以吸引这个电台节目的听众的兴趣。原讼法庭法官在引导陪审团判案时应用了上述对于"公正评论"中的"恶意"的传统理解,法官提醒陪审团须考虑被告人的评论是否纯粹以时事评论者的身份作出的,还是怀有其他私人的或政治的动机。

终审法院在本案中的主要判词是由非常任法官 Nicholls 勋爵(英国上议院法庭现任法官)撰写的,相信这份判词会在整个普通法世界里广为传诵,影响深远。Nicholls 勋爵指出,上述对于"恶意"作为否定"公正评论"的因素的传统理解是错误的,它

---

[143] 见本案判词[2000] 3 HKLRD 433。

既不符合"公正评论"原则背后的目的,而环顾英国、澳洲、加拿大等普通法国家的判例,这个传统理解也得不到足够的支持。他分析了"公正评论"原则的起源,认为它是从"有限特权"(qualified privilege)原则(对诽谤的另一个抗辩理由)演变出来的,在现在的"有限特权"原则中,"恶意"(指上述意义上的"恶意")确能否定"有限特权"的辩护,正如英国上议院法庭在 *Horrocks v Lowe* [144]案中清楚确立的,而正因如此,不少论者(包括英国最权威的法学全书 *Halsbury's Laws of England*)都以为同样的"恶意"可否定"公正评论"的辩护。但 Nicholls 勋爵指出,这是不对的,"有限特权"原则和"公正评论"原则背后的宗旨或用意有所不用,故适用于前者的否定性原则(这里是指"恶意")不一定适用于后者。[145]

那么,"公正评论"原则的宗旨何在?终审法院认为,它在于保证人们可自由讨论公众关心的事情,只要有关意见是评论人自己真正持有的(而不是他自己也不相信的)和有事实根据的,都能畅顺地发表,无须因诽谤而要负民事责任。从这个角度看,评论人发表有关评论背后的动机或目的是无关宏旨的,正如如果他能证明其所言属实(另一个就诽谤的抗辩理由),他的言论背后的动机或目的也是不重要的。Nicholls 勋爵指出:

> 尤其是在社会和政治领域,发表公开评论的人通常都有其自

---

[144] [1975] AC 135.
[145] 根据英国普通法,如发表言论者为了履行某种义务或基于某些正当权益(此义务或权益可以是法律性、社会性或道德性的)而发表其言论,而接收此言论者又有同类的义务或正当权益去接收此言论,则即使此言论有诽谤性,仍受"有限特权"原则的保护。例子包括报章或媒体对于法院审判工作的报道,雇主就其雇员向第三者提供的推荐信,以至某些公共机构在其工作中发布的信息。

己的目的,可能是提高自己的地位或自我宣传。……他们可能希望达到某些结果,例如推动或打击某事业,或抬高或贬低某人。……这些动机的存在并不足以排除公正评论这个抗辩理由。……法院毋须深究这些评论背后的目的是"公众"的还是"私人"的,或区分什么是法院认为是在道德上、社会上或政治上可以接受的目的、什么是不能被认可的目的。这将会是危险的做法,会导致言论的检查。这便违背了法律所给予对公众关心的事情自由评论的保障。关于公正评论的客观标准,包括要求评论人真正相信他所说的东西,已足以对评论订出合理的规限。[146]

关于引文中的最后一点,Nicholls勋爵指出,[147]在考虑具体证据时,评论人如果被证明是心存恶意的,则可能影响到事实上他是否真正相信他所说的东西。而如果法院或陪审团不认为他相信自己说的话是对的,则"公正评论"的辩护便无从成立。

(四)平等权

享受与他人平等的权利和免于歧视是现代人权思想的精髓,在香港特别行政区成立后,原已存在于《香港人权法案条例》和有关判例中的平等权原则得到香港法院进一步的发挥。在这里我们介绍一个具有重大政治和社会意义的案件,即《律政司司长诉陈华及谢群生》[148]一案。

此案从原讼法庭上诉至上诉法庭,再上诉至终审法院,原告

---

[146] [2000] 3 HKLRD 430。
[147] [2000] 3 HKLRD 438。
[148] 本案在原讼法庭是两宗独立的诉讼(《陈华案》[1999] 2 HKLRD 286 及《谢群生案》[1999] 3 HKLRD 267),到了上诉法庭和终审法院,两宗诉讼合并处理,见 [2000] 1 HKLRD 411(上诉法庭);[2000] 4 HKC 428(终审法院)。

人在3个法院里都胜诉。我们在这里主要看的是终审法院在2000年12月22日的判决。案中2名原告人陈华和谢群生分别是居于香港新界的西贡布袋澳村和元朗石湖塘村的村民，他们提出了司法审查申请，指这两个乡村关于选举村代表的安排，以他们是"非原居民"为理由排除他们的选举权和被选举权，因而是违反人权法而无效的。案件的与讼人包括有关区域的乡事委员会和香港特别行政区政府。本案有广泛的宪制性意义，因为香港新界[149]的约600个乡村中大多有类似本案的两条村的选举安排。

根据香港法律，[150]新界居民有"原居民"和"非原居民"之分，原居民是指在1898年新界被租借给英国时已存在的乡村的居民经父系传下来的后代。《基本法》特别保障了这些原居民的权益，例如第122条给予他们的农村土地地租上的优惠，第40条更规定"'新界'原居民的合法传统权益受香港特别行政区的保护。"除地租上的优惠外，他们之中的男丁也享有获政府批出丁屋地的特殊权利。[151]

村代表的选举规则不是由政府机关制定，而是由该区的乡事委员会制定的。但是根据《乡议局条例》，[152]村代表选出后，必须得到民政事务局局长的认可，才能行使其合法职权。村代表的职权包括就某人的原居民身份发出证明、代表原居民申请丁屋地或差饷的豁免、安排去世的原居民在山边安葬事宜、根据《新界

---

〔149〕 香港在地理上包括香港岛、九龙半岛和"新界"，"新界"占的面积最广，是清政府在1898年租借给英国的，租期为99年。
〔150〕 参见《地租（评估及征收）条例》（《香港法例》第515章）。
〔151〕 参见郑赤琰、张志楷编：《原居民传统与其权益》，2000年。
〔152〕 《香港法例》第1097章。关于乡议局在香港政制架构中的角色，可参见 Miners, 见注8, chapter 12。

条例》[153]处理土地继承事宜、代表乡村就乡村发展事宜与政府交涉、促进村民与政府之间的沟通等。

村代表在参与更高层次的政制架构上也有一定的角色。村代表是村所在的区域的乡事委员会的成员，新界共有27个乡事委员会。每个乡事委员会选出的主席是该区区议会的当然成员（区议会是法定的咨询机构，地位仅次于立法会）和新界乡议局的执行委员会的当然成员（乡议局也是法定咨询机构，目的是促进新界居民之间和新界居民与政府之间的了解和合作），乡事委员会的主席和副主席都是乡议局的当然成员。至于乡议局本身，则是选举行政长官的选举委员会和选举立法会的功能组别之一。

终审法院指出，村代表的职权不限于代表和服务乡村的原居民（虽然他的某些职权只适用于原居民），也包括代表和服务非原居民。法院指出，随着社会和人口结构的转变，新界乡村居民中的非原居民的数目已大大增加，例如在本案原告人陈氏所住的村的居民中，有约400名原居民和300名非原居民（另外还有数百名不住在村里、但符合"原居民"定义的人），谢氏所住的村的600居民中，470人是非原居民。终审法院又强调，原告人陈氏和谢氏都是在村里出生、长大和一直居住在村里的。

终审法院裁定，案中被质疑的村代表选举安排是违法的。法院指出，根据《香港人权法案》第21条（a）款（即《公民权利和政治权利国际公约》第25条），香港永久性居民，无分种族、肤色、性别、语言、宗教、政见或其他主张、民族本源或社会阶级、财产、出生或其他身份等，"不受无理限制，均应有权利及机会直接或经由自由选举之代表参与政事"。终审法院认为，参与选举村代表乃属参与政事，而以他们为非原居民为理由排除原

---

[153]《香港法例》第97章。

告人的选举权或被选举权,是违反人权法中此规定的。

此外,终审法院又裁定,陈氏所住的村的选举安排还违反了《性别歧视条例》,[154] 因为根据该安排,嫁与男性原居民的女性非原居民可享有村代表的选举权,而虽然陈氏娶了一位原居民为妻,他却不被赋予选举权。

最后,终审法院首席大法官李国能在判词中总结道:

> 这些法律后果是由各种改变社会的力量所带来的。由于人口结构的改变,这两条村现在有了相当数目非原居民的村民。此外,法律的改革,尤其是《香港人权法案条例》和《性别歧视条例》的制定,对于本案的情况也有重大影响。

(五) 港台司法关系

本文要介绍的最后一宗案件,便是香港终审法院在 2000 年 1 月 27 日在 Chen Li – hung v Ting Lei – miao [155]案(《丁磊淼案》)的重要判决。这个判决不但涉及港台在司法上的关系,而且它正如上述的《郑经翰诉谢伟俊》案一样,对整个普通法世界都有参考价值。

案中上诉人陈氏是台湾居民丁氏的妻子,与讼人是丁氏的破产管理人。丁氏在 1990 年被台湾的地方法院宣告破产,法院任命了破产管理人。破产管理人接管了丁氏在香港一间公司拥有的 350 股股份,变卖以清偿丁氏的负债。破产管理人又声称该香港公司另外的在丁氏之妻陈氏名下的 100 万股股份(以及在另一位亲友名下的 25 万股)其实也是丁氏的财产,应交予破产管理人。

---

[154] 《香港法例》第 480 章。
[155] (2000) 3 HKCFR 9(上诉法庭的判决则见于 [1999] 1 HKLRD 123)。

1994年至1996年间，破产管理人与陈氏在台湾的地方法院、高等法院和最高法院展开了诉讼，最后陈氏败胜。

本案在香港的诉讼在1991年开始，涉及的就是上述125万股谁属的问题。对于香港法院来说，问题的关键是台湾法院在1990年的破产令是否适用于丁氏在香港的财产，及香港法院是否应承认这个破产令的效力。

案件在1997年6月27日在原讼法庭审结，原讼法庭判破产管理人败诉，因为该破产令不获香港法院承认。案件上诉至上诉法庭，该庭在1998年7月2日以二对一的多数裁定上诉得直，承认该破产令的效力。于是陈氏上诉至终审法院。

终审法院5位法官（包括非常任法官Cooke勋爵）一致裁定该破产令的效力应予承认。终审法院指出，在案件中法院要决定的是，一个不被承认的政府（如中华人民共和国主权范围内的一个不合法政府（判词中的用语是usurper government））的法院的如破产令的民事判决，是否应予承认。正如Cooke勋爵在其判词中指出，关于这点，英国法院未曾在任何判例中作出过直接的裁决。因此，今次香港终审法院就此问题的直接裁决，将成为普通法世界中的重要先例。

虽然英国法院没有直接处理过这个问题，但英国著名法官Wilberforce勋爵曾在 *Carl Zeiss Stiftung v Rayner & Keeler Ltd*（*No. 2*）[156]案中表示过他的意见。他指出，美国19世纪内战后，渐渐出现一种思想，认为在私法权利、日常行为和一般的行政行为上，法院可根据公义和常识的考虑，在不违反公共政策的情况下，承认一个被不合法的政府管辖的地区里的某些事实或现实情况。Cooke勋爵指出，香港终审法院现在处理的这件案件，正是

---

[156] [1967] AC 853 at 954.

应用 Wilberforce 勋爵的这个意见的合适情况。

在本案的主要判词中，终审法院 Bokhary 大法官总结了适用的原则：

> 在下述条件得以满足的情况下，我们的法院将会承认那些不受承认的法院的命令的效力：
> (1) 命令所涉及的权利乃私法权利（private rights）；
> (2) 给予此命令效力乃符合公义、常识和治安的考虑；而
> (3) 给予此命令效力不会损害主权者的利益或因其他理由而违反公共政策。[157]

在本案的情况下，他认为这些条件都得以满足。他特别提到，承认有关破产令，得益者是破产人的债权人而非有关政府；承认这个破产令，也不等于承认在台湾的有关政权或法院。他又提到，即使在中国大陆，根据最高人民法院在 1998 年 1 月 15 日作出的《关于人民法院认可台湾地区有关法院民事判决的规定》，[158] 诉讼当事人也可向大陆法院申请认可以至执行台湾的民事判决。Cooke 勋爵更指出：

> 我认为如果台湾——中国的一部分——的居民可以在香港——中国的另一部分——执行在台湾颁发的破产令，这将有助于而非有碍于中国的统一。[159]

---

[157]　(2000) 3 HKCFAR 21.

[158]　见《中华人民共和国最高人民法院公报》，1989 年第 3 期，页 87－88（法释[1998] 11 号）。

[159]　(2000) 3 HKCFAR 25.

五、结　语

殖民地时代的香港曾被称为"借来的地方、借来的时间",[160] 是英国人从中国借来的。那么,香港的法制也可说是"借来的法制",是香港人从英国借来的。但是,至少在20世纪80年代中英两国政府展开关于香港前途的谈判以来,香港人已不再视香港法制为舶来品或是由殖民主义强加于港人的,相反地,他们开始欣赏这个法制,认同这个法制,以至投身捍卫这个法制所提供他们的法治、自由、人权、产权和司法独立的保障,并希望这些香港人曾经拥有而大陆人梦寐以求的东西,能在1997年后幸存。

正如80年代开始了香港政治民主化的历程,80年代以来,香港也长出了一个新的法律文化,法治、人权和司法问题逐渐成为了全民关心的、吸引媒体焦点报道的议题。在80年代后半期《基本法》起草过程里的各种讨论和争辩中,香港全体市民一起上了一场难得和难忘的法制课。在90年代,随着《香港人权法案条例》的制定和香港法院违宪审查权的崛起,香港法制进入了其成长之路的新阶段。在这段时间,香港法院开始学习怎样解释宪法性的文件,怎样以司法者的身份在风起云涌的时代维护人权和法治,怎样在社会整体利益和个人权利保障之间取得适当的平衡。

1997年7月1日香港的回归和《香港特别行政区基本法》的实施为香港的历史揭开了新的一章,香港法院在新的挑战下更显得任重道远。"一国两制"是史无前例的,中国大陆的社会主义法制与香港英式普通法法制的互动的后果,更是高深莫测的,香港法律界和司法界要在黑暗中作一跳跃,慢慢摸索,从而慢慢前

---

[160] Richard Hughes, *Hong Kong: Borrowed Place – Borrowed Time* (1968).

进。这是一个学习的过程，实验的经历，犯错的尝试。人便是从实践中取得经验，从错误中汲取教训，在挑战中、在困难里成长起来的。一般人如是，法律人也如是。

从1997年香港特别行政区成立和《基本法》实施后香港的司法实践中我们可以看到，香港从英国继受的普通法传统在香港有顽强的生命力，它是坚韧的、不屈不挠的。它是务实的，但它不会放弃对其原则和信念的坚持；它是有自信心的，它不会因一时的挫折而气馁，不会因一时的风雨而动摇。它能适应时局的转变，以自己的概念和资源去迎接和配合外来的新思想和新做法。从上述香港终审法院以普通法传统的司法判决的宣示性理论去理解人大常委会的"释法"中，可见一斑。

人大常委会的"释法"并没有吓怕香港法院，或使它们手足无措。举例来说，在《庄丰源案》[161]中法院面对的课题是，《入境条例》中把享有香港永久性居民身份的在香港出生的中国公民局限于其出生时其父或母已在港定居者的规定（即其母亲偷渡来港或短期来港旅游或探亲期间或其后逾期居留在港生下的孩子不能享有香港永久性居民身份），是否违反《基本法》第24条（该条规定香港永久性居民包括"在香港出生的中国公民"，没有提到其父母的身份）。代表政府的律师指出，《入境条例》的这项条文与特区筹备委员会1996年的一份文件的有关条文如出一辙，而人大常委会在1999年6月的"释法"文件中已表明筹委会此文件乃体现《基本法》第24条各项规定的立法原意的，所以他主张香港法院应肯定《入境条例》的这项条文是符合《基本法》第24条的。但是，原讼法庭、上诉法庭和终审法院都没有接受此论点。他们仍然坚持以普通法传统的释法方法来解释第24条。

---

[161] 见注71。

他们又引用普通法中关于判词中的判案理由（ratio decidendi）和附带意见（obiter dictum）的区分，来说明人大常委会关于筹委会此文件体现第 24 条各项规定的立法原意的说法为类似附带意见的言论，因而不具拘束力，因为人大常委会在该次释法时要解决的是港人在大陆所生子女的问题，而非在香港出生人士的问题。

此案在终审法院聆讯之前，律政司司长在 2001 年 1 月表示，虽然在终审的聆讯中，代表政府的律师将会向终审法院陈述是否需要由终审法院根据《基本法》第 158 条将《基本法》有关条文提交人大常委会解释的论据，但如果终审法院决定毋须提交，政府将完全接受法院的决定，不会自行提交。后来政府一方在终审法院败诉，政府遵守了此承诺，没有请求人大释法。[162] 这反映出特区政府已从 1999 年提交人大释法的那场风波中汲取教训，它明白到其上次的做法的代价是非常昂贵的。

普通法的原则、规范、程序、制度、价值、理念、文化以至人材在 1997 年后的香港，依然健在。它没有停下来，在跌倒一二次后，它已经爬起来，并正稳步向前迈进。香港法院继续审判各式各样的案件，包括它们在 90 年代开始处理的那类违宪审查案件。在一些判例中，包括本文介绍的一些判例中，香港终审法院甚至发展了对整个普通法世界有参考价值或具领先作用的法理

---

[162] 终审法院在本案作出判决的翌日（2001 年 7 月 21 日），全国人大常委会法制工作委员会发言人对记者发表谈话（见 7 月 22 日香港各大报章），指出终审法院的判决"与全国人大常委会的有关解释不尽一致，我们对此表示关注"。但是，人大常委会后来没有采取进一步的行动去否定终审法院在《庄丰源案》中对《基本法》有关条文的解释，香港特别行政区政府也愿意执行此判决，所以关于终审法院判决与人大常委会的解释"不尽一致"的问题便不了了之。关于这个问题的分析和评论，见拙作 Albert H. Y. Chen, "Another Case of Conflict Between the CFA and the NPC Standing Committee?" *Hong Kong Law Journal*, Vol. 31 (2001), p. 179.

原则。这一切都是值得香港的法律人引以为荣的；这也是值得《香港特别行政区基本法》的起草者和立法者引以为荣的，因为在中华人民共和国的这一角落，西方普通法式的法治文明竟能照耀人间，全拜《基本法》所赐。

回归后香港与内地法制的互动[*]

一、引 言

香港回归中国已经5年多了。在回归后的日子，香港除了在经济方面因亚洲金融风暴而大受打击之外，在法制方面也饱经风霜。具争议性的事件接二连三地发生（如临时立法会的设立、公安法和社团法的修订、若干"前朝"立法的废除、法律"适应化"问题（"英皇"或"官方"的概念由"国家"概念所取代，因而产生新华社等机构的法律地位问题）、"胡仙事件"、"张子强案"、"李育辉案"、以至终审法院就港人内地子女居港权的判决等，政府处理有关问题的手法受到大律师公会、"民主派"政界人士和人权组织的猛烈批评，特区首任律政司司长梁爱诗一度成了众矢之的。

如果我们细心地看、冷静地分析，便会发觉这些问题中不少是因回归后香港和中国内地的法制的互动而产生的。以前香港是英国统治下的殖民地，对于当时的香港法制来说，中国法制犹如任何一个"外国"的法制，并不与香港法制发生有机的、互动的关系。回归以后，虽然香港法制和中国内地法制仍是"两制"，但是香港和中国内地已经同是"一国"。虽然绝大部分中国内地

---

[*] 原刊于刘兆佳编：《香港21世纪蓝图》（香港：中文大学出版社，2000年），页37—63。笔者取得该出版社同意在此刊载，谨此致谢。

法律并不适用于香港,[1]中国《宪法》中也不是每项条文都适用于香港,[2]但是在法理学的层面,香港法制的"根本规范"(即法律的有效性最终依据)已从以前以英国宪法秩序为依归的导向转移为以中国宪法秩序为最终依归。[3]然而,香港和中国内地法制的基本理念、价值取向、架构设计、文化基础以至其实体法和程序法的具体原则,却是那么分歧。在这种情况下,两地法制"相互间的交叉和影响等方面的碰撞和磨合"[4]问题,便应运而生。

由于篇幅所限,本文将集中探讨两种有重大意义的两地法制互动问题,一是终审法院居留权判决的风波所带出的两地宪政文化冲突问题,二是《张子强案》、《李育辉》案所涉及的法律冲突问题。

二、宪政文化的冲突

香港终审法院在1999年1月29日颁布的关于港人内地子女居港权的判决(即《吴嘉玲案》[5]和《陈锦雅案》)[6]所引起的轩然大波,其根源便是香港和中国内地的宪政文化上的巨大差

---

[1] 《中华人民共和国香港特别行政区基本法》(以下称《基本法》)第18条,根据此条,除列于《基本法》附件3的全国性法律外,其他内地法律不适用于香港。
[2] 在《基本法》制定过程之中及通过之后,《中华人民共和国宪法》内的条文在甚么程度上适用于香港,始终是一个争论不休的问题。
[3] 见拙作:"香港九七回归的法学反思",载于拙作《法治、启蒙与现代法的精神》(北京:中国政法大学出版社,1998年)。
[4] 引自王晨光:"香港与内地刑事管辖权的冲突及其解决",载于赵秉志编:《世纪大劫案:张子强案件及其法律思考》(北京:中国方正出版社,2000年),页295、319。
[5] [1999] 1 *Hong Kong Law Reports and Digest* 315(英文判词),731(中文判词)。
[6] [1999] 1 *Hong Kong Law Reports and Digest* 304。

异。争议的焦点主要有两个，一是关于香港法院在什么程度上有权审查中国全国人民代表大会（人大）及其常委会（人大常委会）的立法行为是否符合《基本法》；二是人大常委会在什么情况下可行使《基本法》解释权以推翻香港终审法院在判决案件时对《基本法》作出的解释。关于前者的讨论，因香港终审法院在2月26日应特别行政区政府的申请而颁布的"澄清性"判词而告一段落，[7]而关于后者的讨论，则在人大常委会在6月26日颁布对《基本法》的《解释》[8]后告一段落。

现在让我们首先研究香港法院对人大和其常委会的行为的审查权问题，亦即终审法院在《吴嘉玲案》判词中所提到的"宪法性管辖权"问题。终审法院认为，由于《基本法》是宪法性的法律，有高于其他一般性法律的地位，所以任何违反《基本法》的法律都是无效的，无论有关法律是香港立法机关所制定的，还是中国立法机关（人大及其常委会）所制定的。那么，谁有权决定有关法律是否符合《基本法》呢？终审法院认为，各级香港法院都享有此权力，因为根据《基本法》，香港法院享有独立的司法权去实施和解释《基本法》。

在法律学中，法院审查立法机关制定的法律是否符合更高层次的宪法性法律的权力（包括宣布被认为是违宪的法律为无效的权力），称为"违宪审查权"。在香港的情况，"违宪审查权"这个用语中的"宪"字，并非指《中华人民共和国宪法》，而是指《香港特别行政区基本法》。[9]如果采用违宪审查权的概念，那

---

[7] [1999] 1 *Hong Kong Law Reports and Digest* 577。

[8] 《香港特别行政区政府宪报号外》，第2号法律副刊，1999年6月28日，页B1576。

[9] 根据《基本法》第11条，"香港特别行政区立法机关制定的任何法律，均不得同本法相抵触"。

么终审法院在《吴嘉玲案》中的立场便是，香港法院不但就香港立法机关的立法行为享有违宪审查权，还就人大及其常委会的立法行为享有违宪审查权。

在有成文宪法的普通法国家（如美国、加拿大、澳大利亚、印度等国），法院的司法权和法律解释权包含违宪审查权，这被认为是理所当然、天经地义的事。在不少欧洲大陆法系的国家，违宪审查权也是存在的，但不是由一般法院行使，而是由专门为此而设的宪法法院行使（德国便是最有名的例子）。英国没有成文宪法，所以其法院没有违宪审查权；但在殖民地时代的香港，法院有权审查香港本地的立法是否有违《英皇制诰》（殖民地时代香港的宪法性文件），1991年《香港人权法案条例》通过和《英皇制诰》作出相应的修订后，香港法院在多宗案例中便行使了对本地立法的违宪审查权。[10]

在《吴嘉玲案》和《陈锦雅案》中，香港终审法院也行使了对香港本地立法的违宪审查权，宣布由特别行政区临法立法会制定的《1997年入境（修订）（第2号）条例》和《1997年入境（修订）（第3号）条例》的部分条文为无效，理由是它们与《基本法》第24条有所抵触。但这并不是在1999年2月爆发的涉及香港和中央政府关系的"宪政危机"的导火线。[11] 真正触动中央政府的神经的是，香港终审法院说香港法院的违宪审查权不但涵盖香港立法机关的立法，也涵盖人大及其常委会的立法行为。中央通过"四大护法"（在2月6日发表言论高调批评终审法院

---

[10] 参见拙作："论香港特别行政区的违宪审查权"，即本书最后一篇文章。

[11] 关于这次宪政危机的更详细讨论，见拙作"终审法院对'无证儿童'案的判决：议会至上和司法审查"，载于佳日思、陈文敏、傅华伶合编：《居港权引发的宪法争论》（香港：香港大学出版社，2000年），页71。

的判词的四位内地法律学者）所表达的关注是，香港终审法院是否把自己置于人大（即中国宪法所规定的"最高国家权力机关"）之上，是否通过"宪法性管辖权"的行使否定中国对香港的主权，把香港变成一个独立的政治实体。

中央政府的这种关注是完全可以理解的，如果我们比较一下香港和中国大陆的"宪政文化"或宪政架构的异同的话。在中国的宪政体制里，人大的地位是至高无上的，而在其具体政治运作中，人大则接受中国共产党的领导。人大不单是国家的最高立法机关，更是最高"权力机关"。国家的行政机关（像国务院、各省市的人民政府）、检察机关（各级人民检察院）以至审判机关（各级法院）都是由人大任命并向人大负责的。在普通法国家里，三权分立，法院行使违宪审查权以监察立法机关，在中国大陆，法院却是被人大监察的机关，法院每年要向人大提交工作报告，并接受人大代表就法院的工作的质询。在中国，法院并不享有违宪审查权，法院也无权审查国务院制定的行政法规或地方人大制定的地方性法规是否违反全国人大或其常委会制定的法律。由此可见，就法院司法权的内容和法院与立法机关的权力关系来说，香港的普通法传统和中国内地的社会主义法制传统有截然不同的看法。

香港终审法院肯定香港法院可就香港立法机关的立法行使违宪审查权，这处理的是香港法院和香港立法机关的权力关系，是香港特别行政区内部宪制架构问题。但当香港终审法院就香港法院对人大的立法行为的审查权表示其权威性的意见时，它所处理的便是香港法院和中国中央立法机关的相互权力关系问题。对于这个权力关系问题，《基本法》里并没有明文的规定。对于这个问题，香港终审法院有一种意见，中央政府则持有相反的意见（即认为香港法院对人大及其常委会的立法行为不享有违宪审查权)。这便是今次宪政危机的由来。

值得留意的是，这次宪政危机只是由于香港终审法院声称香港法院可就人大的行为行使违宪审查权，而不是由于终审法院真的审查和推翻了人大或其常委会的一个具体行为。关于人大行为的违宪审查权的讨论之所以出现在终院判词之内，是因为终院需要处理临时立法会（临立会）是否合法地成立的问题。临立会是香港特别行政区筹备委员会（筹委会）在1996年3月决定成立的，这个决定的法理依据，主要是人大在1990年4月通过的《关于香港特别行政区第一届政府和立法会产生办法的决定》。在这种情况下，需要审查的是筹委会的决定是否符合人大在1990年的《决定》和《基本法》，而非人大或其常委会的决定是否符合《基本法》。看清了这点，我们便会明白终审法院在1999年1月29日的判决中，其实没有必要处理香港法院就人大行为的审查权问题。

无论如何，这个问题的确被提出来了。香港律政司司长在2月12日访京后带回来的讯息是，中央政府认为终审法院的有关观点是违宪的，须予纠正。2月24日，香港特区政府向终审法院提出申请，请求它就1月29日的判词中涉及对人大行为的审查权的部分作出"澄清"。2月26日，经过一个简短的聆讯后，终审法院就它在《吴嘉玲案》的判词颁布补充性的判词，指出香港法院解释《基本法》的权力乃来自人大常委会根据《基本法》第158条的授权，香港法院不能质疑人大常委会根据《基本法》第158条对《基本法》作出的解释，也不能质疑"全国人大及人大常委会依据《基本法》的条文和《基本法》所规定的程序行使任何权力"。

特区政府这次申请"澄清"受到香港法律界和政界部分人士的猛烈批评，他们指出，在普通法制度里，法院的功能在于判案，案件判决后，法院就该案的工作已经告终，法院没有权力或义务就其判词中引起政治争议的论点作出澄清或补充。他们认为，特区政府这次申请的法理依据不足，而终审法院愿意作出"澄清"，实际上便是向政治压力低头，放弃了司法的尊严。[12]

必须承认，这次的"澄清"事件在香港法制中是没有先例的，从普通法传统看，也乏善可陈。但是，它可以被理解为在一种十分特殊、罕有和前所未见的情况下的一种务实的、创造性的、"非正式的"（informal）解决问题的方法。在这方面，以下几点是值得留意的。第一，这次宪政危机并非源于中央政府对香港事务的干预或其他政治事件，而是源于香港终审法院在其判词中提出的法律观点，因此，这不是一个中央政府向特区司法机关施压的问题，而是中央政府与香港终审法院在法律观点上的冲突问题。第二，如果某些香港法律界人士对此问题的理解是正确的话，即这次争议乃是基于一个误会，[13]其实终院无意挑战人大的最终权威，那么化解误会的方法，很应该是由一方就造成误会的言词作出解释或澄清，正所谓"解铃还需系铃人"。第三，在一些普通法国家，如加拿大和印度，法律明文规定政府可就重大宪法性问题要求最高法院表示权威性的意见，香港法律没有关于这方面的明文规定，但今次的情况正反映出这方面的需要，而这些外国的例子正说明，满足这种需要是正当的。第四，如果这次"澄清"是一个解决问题的较为"非正式"的做法（因为"澄清"的申请没有明确的法理依据），那么由人大常委会根据《基本法》

---

[12] 参见 Yash Ghai, "A Play in Two Acts: Reflections on the Theatre of the Law", *Hong Kong Law Journal*, Vol. 29 (1999), p. 5.

[13] 参见 Anthony Neoh, "A Case of Legal Misunderstanding," *South China Morning Post*, 9 February 1999; 拙作："法治存亡系于一念"，《明报》，1999年2月9日。

第 158 条颁布关于《基本法》的解释，正面阐述香港法院违宪审查权的界限，这便是"正式"的解决方法。但如果最后被采用的是这个途径，香港方面要付出的代价很可能是更大的。[14] 反过来说，即使反对"澄清"的香港法律界人士也承认，终院的"澄清"的内容并没有从它原来的立场退却，而人大常委会法制工作委员会在 2 月 27 日发表的声明，却显示此"澄清"已被北京当局接受为这次宪政危机的一个了结。

平心而论，其实这个"澄清"对于最关键的问题的处理是模棱两可的，或许这正是它的成功之处。"澄清"里说，人大依据《基本法》作出的行为是不能质疑的，但由谁去判断有关行为是否依据《基本法》而作出的呢？如果香港法院可全权作出这个判断，那么香港法院便就人大行为享有全面的违宪审查权，这正是中央政府最反对的。但是，其实香港法院不可能"全权"作出这个判断，亦即是说，香港法院作出这个判断的权力不可能是独有的、排他的或是最终的，因为终审法院在"澄清"中同时承认，人大常委会对《基本法》作出的解释是不能质疑的，所以如果人大常委会颁发解释，指出人大或其常委会的某项行为是符合《基本法》的，香港法院便不能提出异议。

因此，问题的关键是，在人大常委会未有就有关问题根据《基本法》第 158 条正式行使其解释权的情况下，香港法院可否就人大或其常委会的立法行为行使违宪审查权。我认为这要视乎有关行为是怎样性质的行为和它是在什么情况下作出的。我们需要区分以下三种情况。

---

[14] 例如，人大常委会可能大大收窄或甚至中止香港法院的违宪审查权。在这里值得留意的是，曾有内地学者质疑香港法院是否可以就香港立法机关通过的法律行使违宪审查权。

第一种情况是，有关行为作出时，人大或其常委会表明它是根据《基本法》作出的（如根据第158条颁布对《基本法》的解释、根据第18条把某些有关国防、外交或其他不属特区自治范围的全国性法律适用于香港、根据第17条发回被认为是不符合《基本法》中关于中央管理事务或中港关系的条款的香港立法、根据第159条对《基本法》作出修改），而有关行为又是符合《基本法》所规定的程序（例如关于事先征询基本法委员会的意见的要求）的。在这情况下，香港法院应不可否证地推定（irrebuttable presumption）有关行为是符合《基本法》的，亦即是说，有关行为是否符合《基本法》对香港法院来说不具可审判性（non-justiciable）。[15]

举例来说，如果人大常委会在根据《基本法》第18条征询特区政府和基本法委员会后，决定将某部它认为是有关国防、外交或其他不属特区自治范围的全国性法律适用至香港，香港法院便无权自行再判断有关法律是否关于国防、外交或其他香港自治范围以外的事务，或根据此判断去推翻该法律在香港的适用。但是，这并不表示香港法院便无权处理该法律中某些个别条文可能与《基本法》中其他条文（如关于人权保障的条文）出现冲突的问题。法院在解释这些可能互相矛盾的法律条文时，按一般法律解释原则，应尽量采取一个能协调有关条文、避免它们互相抵触的解释，但如果这样的调和确实是不可能的话，法院应以《基本法》为准，优先适用《基本法》的条文。这是因为《基本法》在特区法制中有特别崇高的地位，根据《基本法》第104条，法官就职时也是宣誓拥护《基本法》的。在《基本法》的有关条文没

---

[15] 参见拙作 Albert H. Y. Chen, "The Concept of Justiciability and the Jurisdiction of the Hong Kong Courts", *Hong Kong Law Journal*, Vol. 27（1997），p. 387。

有被明文修改或废除的情况下,香港法院优先执行人大在《基本法》中表达的意愿,这是言之成理的。

第二种情况是,虽然人大或其常委会声称其行为是根据《基本法》的有关条文作出的,但它并没有依照规定的程序行事,而它的违反程序是一个可在香港法院中证实的客观事实。举例来说,人大常委会声称按照《基本法》第 18 条把一部全国性法律适用于香港,但它却没有事先征询特区政府和基本法委员会。在这情况下,香港法院可裁定人大常委会并未有效地行使了《基本法》第 18 条赋予它的权力,因为此权力的行使的必要的程序性前提并不存在。这样,香港法院并不是在审查人大常委会的行为的具体内容,而只是在厘清人大常委会是否真的作出了"行为"。

第三种情况是,人大或其常委会完全绕过了《基本法》的架构、程序和途径,直接行使《宪法》赋予它的权力,脱离《基本法》而直接对香港特别行政区作出立法行为。[16] 这种情况的实际出现的可能性是微乎其微的,但如果真的出现的话,香港法院在法理上是否可以拒绝承认人大的有关行为?正如上面指出,香港法院效忠的是《基本法》,而不直接是中国《宪法》,而《基本法》对于香港法律的渊源,已经作出了详尽和全面的规定。人大或其常委会在《基本法》的框架之外作出的任何它声称是适用于香港的立法行为,都不属香港法律的渊源范围之内,忠于《基本法》的香港法院无须承认它在香港的法律效力。如果要使它发生效力,人大必须对《基本法》作出相应的修改。根据上述的论点(关于"第一种情况"),如果人大遵从《基本法》第 159 条规定的程序,对《基本法》作出修改,那么香港法院便必须忠实执行

---

[16] 可参见 Bing Ling, "Can Hong Kong Courts Review and Nullify Acts of the National People's Congress?" *Hong Kong Law Journal*, Vol. 29 (1999), p. 8。

修改后的《基本法》，不能质疑此修改是否"同中华人民共和国对香港既定的基本方针政等相抵触"。[17] 从中央政府的角度看，这便是中国对香港的主权的最终保证。而从港人的角度看，我们必须认识到，"一国两制"的基础是政治、经济和社会的现实，如果期望法律和司法制度可以提供一个绝对的保险，这是不切实际的。

现在让我们把讨论焦点转移到终审法院1月29日的判决引发的第二个问题，即"人大释法"事件。众所周知，特区政府在终院判决后做了调查统计，并在1999年4月28日公布了调查的结果，即如果终审法院对于《基本法》第24条和第22条的解释是正确的话，那么在未来10年内，便会有167万内地居民有资格来香港定居（其中包括"第一代"的69万人，当第一代人士移居香港及住满7年后，其现有子女（所谓"第二代"人士）98万人亦将有资格来港）。政府指出，这是香港的社会和经济资源无法承受的。

香港是否有能力和应该接受港人在内地的这百多万子女或后裔，这是个道德和社会政策的问题。这些人是否有权移居香港，则是个法律问题。那么，这个法律问题是怎样的呢？

问题的症结在于《基本法》中两个条文的解释。首先是第24条，这条规定的是"香港特别行政区永久性居民"的定义及符合此定义的人在香港的居留权。其次是第22条，其第4款对"中国其他地区的人"进入香港的手续，作出规定。

第24条中最具争议性的是它的第2款第（3）项，这项条文说"第（1）、（2）两条所列居民〔第（1）项所列居民是"在香

---

[17]《基本法》第159条第4款规定，"本法的任何修改，均不得同中华人民共和国对香港既定的基本方针政策相抵触"。

港出生的中国公民",第(2)项所列居民是"在香港通常居住连续7年以上的中国公民"]在香港以外所生的中国籍子女"是香港永久性居民。这个条文有含糊的地方,它可以容纳两个不同的理解:

解释A是,第(3)项所列的人是指其出生时其父或母已符合第(1)或(2)项的规定的人。

解释B是,第(3)项所列的人是指在其申请居港权时或法院在处理其诉讼时,其父或母已符合第(1)或(2)项的规定人。

两个解释的分别是,如果某甲的父或母(称为乙)在甲出生时仍定居在中国内地或移居香港不足7年,而乙现在已经居港7年以上并因而取得香港永久性居民身份,那么根据解释A,现在甲并没有居港权,而根据解释B,现在甲已享有居港权。根据政府在终院判决后作出的上述统计,解释B(加上下述的解释D)导致160多万人在未来10年内享有居港权,而解释A则只意味着约20万港人内地的子女(包括非婚生子女)享有居港权。

关于这两个解释的取舍,采纳解释A的有中英联合联络小组、特区筹委会、香港高等法院上诉法庭。采纳解释B的有香港高等法院原讼法庭和香港终审法院(《陈锦雅案》)。

至于第22条第4款,也可以容纳两个不用的理解:

解释C是,该条款提到的"中国其他地区的人",不但包括一般内地居民,也包括根据第24条享有香港永久性居民身份,但尚未完成赴港定居手续的原内地居民。他们必须办理批准手续、取得内地公安部门签发的"单程通行证",才能进入香港行使其居港权。

解释D是,"中国其他地区的人"是指中国里不具有香港永久性居民身份的人。任何人如果属第24条香港永久性居民定义范围之内，此人便不受第 22 条的管辖，他们只需向香港当局证明其身份（即取得香港入境处发出的"居留权证明书"），便能行使其居港权。

两个解释的分别是，根据解释 C，《1997 年入境（修订）（第 3 号）条例》中把"居留权证明书"和"单程通行证"挂钩的做法是合乎《基本法》的，而根据解释 D，这种做法是违反《基本法》的，因为它无理地限制了第 24 条赋予有关人士的居港权。

在《张丽华案》中，香港高等法院原讼法庭和上诉法庭都采纳了解释 C，但案件上诉至终审法院时（在此阶段案件改称《吴嘉玲案》，终院却采纳了解释 D。根据终院的判决，香港《入境条例》要求享有居留权的人在内地"排队"轮候"单程证"（很多时候要等数年或甚至十多年）的规定是违反《基本法》的，《基本法》第 24 条赋予有关人士的居留权是《基本法》所列人权之中的核心权利（因为如果人不能来香港，便不能享受《基本法》所保障的各种人权），法院必须予以保卫，只要有关人士作为香港永久性居民的身份获香港当局的核实，他便可行使其居港权。

法律是立法者的意向的表示，但由于文字不是完美的表达工具，而立法者在立法时，也不可能预知所有将来可能发生的不同情况，所以对于某项法律条文应如何解释，常常出现争议和诉讼。其实处理上诉的法院遇到的问题，大部分都涉及法律的解释和应用。在普通法式的法制中，奉行三权分立、法治、司法独立和人权保障等基本原则，成文法由立法机制定，由法院负责把它应用至个别案件的争议中，并在需要时对法律作出解释。由于在普通法系统里，上级法院对法律的解释对下级法院有约束力，所以高级法院在案例中对法律的解释是权威性的，终审法院对法律的解释更有最高的权威，所有其他法院以至政府行政机关都必须遵从。就终审法院的法律解释的约束力来说，基本上只有两种例外情况。一是终审法院在后来另一宗涉及同一法律问题的案件中推翻自己在先例中作出的解释，二是立法机关对被解释的法律条文作出修改，在法律条文修改后，由于原本的条文已失效，对该条文的解释也自然失效。当然，如果在应用新的条文时出现不同理解之间的争议，最终还是要由法院对该新条文作出权威性的解释。

了解了普通法制度在运作上的上述特点，我们便会明白为甚么大律师公会和不少政界人士对于终审法院判决所引发的人口压力问题的立场是，如果政府的统计数字是可靠的，而香港又的确不能吸收这么多移民的话，那么解决问题的方法便是对《基本法》的条文作出适当的修订，并在修订方案中处理接受多少移民、那类移民和怎样有序地吸收这些移民等问题。[18] 根据《基本法》第159条，香港特别行政区行政长官联同立法会的2/3多数议员和港区人大代表的2/3多数，有权向全国人大提出修改《基本法》的议案。但由于人大每年只在春天开会一次，所以如果真的要修改《基本法》，也要等到2000年3月。

众所周知，修改《基本法》的建议被特区政府否决，也受到港区人大代表的反对。特区政府在5月21日在立法会过半数议员和港区人大代表的支持下，向国务院提交报告，请求它"协助解决"实施《基本法》所遇问题，建议它提请人大常委会对《基本法》第22条第4款和第24条第2款第（3）项的"立法原意"作出解释。[19] 6月11日，国务院正式提请人大常委会对有关条

---

[18] 参见香港大律师公会：“修改基本法是唯一选择”，《明报》，1999年5月15日；拙作："参与修改基本法，发挥自治精神"，《明报》，1999年3月15日。
[19] 报告全文见于《明报》，1999年6月11日。

文作出解释。人大常委会在征询基本法委员会的意见后，于6月26日颁布了它的《解释》。

反对人大释法的人认为此事对香港的法治和司法构成沉重的、甚至是致命性的打击，[20]特区律政司和支持释法的人，则批评对方固执己见，墨守陈规，无视回归后新宪制秩序的法律逻辑。[21]那么，我们应该怎样理解这次释法事件？前面的路又是怎样？

正如上述的关于香港法院的"宪法性管辖权"的争议一样，关于"人大释法"的争议，同样地反映出香港和中国内地法制在宪政文化、基本法律理念和思维模式方面的张力和矛盾。在香港和其他普通法地区，"解释"法律这个概念本身是和法院的"司法"功能紧密相连，浑然一体的，就即是说，由于法院的天职是把法律应用到具体案件之中，从而作出一个具体的裁决，而司法独立，没有任何其他人可以指示法院怎样判这件案，所以如果法律条文的含义有任何不清晰的、可引起争议的地方，法院的职能便是在听取诉讼当事人对于这个法律解释问题的论点后，依据普通法传统中的法律解释规则，对有关问题作出裁决，并在判词中阐明其理据。这样，法院在判词中对有关法律条文作出的解释便具有权威性和法律效力（如果该解释构成判决该案的法学推理过程的必要元素，而非只是"附带意见"（obiter dictum）的话），真至这个判例被以后的判例推翻或有关法律条文被立法机关修改为止。

但是，在中国内地和某些属大陆法系的国家，[22]对于"法

---

[20] 参见佳日思（Yash Ghai）："请人大释法的后果"，《明报》，1999年6月14日。
[21] 参见梁爱诗："香港的新宪制架构"，《星岛日报》，1999年7月19日。
[22] 在"人大释法"的论战中，香港政府律政司引用了比利时和希腊两国为例子。

律解释"的概念有不同于普通法的理解,是一个较为广义的理解。对于他们来说,法律解释是指对法律条文中含义不清楚的地方予以澄清,亦即对立法的原意作出补充性的说明。从这个角度看,法律解释和案件的审理两者之间没有必然的联系,法院可以在审案过程中对法律进行解释,立法机关如通过立法程序,对原有法律中内容含糊的地方予以澄清或说明,这也是一种解释法律的活动,甚至行政机关颁布文件,阐明它怎样理解一条它负责执行的法律的含义,这也可说是法律解释。在中国,人大常委会在1981年通过的《关于加强法律解释工作的决议》,便确立了"立法解释"(由人大常委会作出解释)、"司法解释"和"行政解释"的三者鼎立的格局。[23]

让我们进一步采讨"立法解释"的概念。[24] 立法解释是指立法机关作出新的立法行为,对它以前通过的立法的内容作出解释。在普通法国家,如果立法机关作出这样的行为,这并不称为立法解释,而算是对原有立法的修订或补充性立法。换句话说,在普通法国家,无论立法机关的立法行为是对原有立法中含糊之处的澄清,还是在原有立法中增添全新的规定,都被理解为法律的修改。

由此可见,香港的"法律解释"概念(只有司法解释)相对于内地的"法律解释"概念(除司法解释外,也包括立法解释和行政解释)是较为狭义的,另一方面,香港的"法律修改"概念比内地的"法律修改"概念更为广义,既包涵内地的"法律修

---

[23] 参见张志铭:"当代中国的法律解释问题研究",《中国社会科学》,1996年第5期(总第101期),页64。全国人大在2000年3月通过的《立法法》中,对"立法解释"的性质和程序作出了进一步的规定。
[24] 参见蔡定剑、刘星红:"论立法解释",《中国法学》,1993年第6期,页36。

改",又包涵内地的"立法解释"。但其实在内地,法律修改和立法解释的区分,在实践上并不重要。因为根据1982年制定的《宪法》,人大常委会既有权解释法律,又有权修改法律,两者都遵从一般的立法程序。因此,要厘清某立法行为是法律解释权的行使还是法律修改权的行使,并没有现实意义。[25] 反而在另一些设有立法解释制度的国家,如比利时和希腊,由于有法律原则规定"解释性"的立法可具有溯及力(即其生效日期可追诉至被解释的立法的生效日期)——因为它只不过是澄清被解释的立法的原意,而一般立法不具有溯及力,所以立法解释和法律修改之间的区分,具有相当的重要性。

那么在终审法院判决引起的居港权争议之中,《基本法》的立法解释和《基本法》的修改这两个解决问题的可能途径之间的分别,为甚么那么重要?为甚么极力反对人大释法的人之中,不少(如大律师公会和民主党)都愿意接受修改《基本法》这个选择?这是因为与其他中国法律的情况不同,《基本法》的"立法解释"和"修改"是受到两套不同的法律规范所管辖的(而就一般中国法律来说,无论是立法解释或修改,都可由人大常委会通过同一立法程序进行)。《基本法》的修改受到第159条的规范,如果修改建议是来自香港的,有关修改程序容许一定程度的民主

---

[25] 自从1949年中华人民共和国成立以来至1999年,人大常委会在其颁布的文件中正式采用"解释"一词作为文件名称的一部分的,只有3次,就是1996年的《关于〈中华人民共和国国籍法〉在香港特别行政区实施的几个问题的解释》,1998年的《关于〈中华人民共和国国籍法〉在澳门特别行政区实施的几个问题的解释》,1999年的《关于〈中华人民共和国香港特别行政区基本法〉第22条第4款和第24条第2款第(3)项的解释》。但是,在2000年后,至2002年4月为止,人大常委会则颁布了四个关于《刑法》的解释(时间是2000年4月、2001年8月和2002年4月,其中两个解释均颁布于2002年4月)。

参与（如必须得到立法会和港区人大代表 2/3 多数的支持）。[26]至于《基本法》的解释，则在第 158 条作出了规定，这条的关键是，它一方面肯定了人大常委会对《基本法》的解释权，另一方面授予香港法院相当广泛的对《基本法》条文（尤其是那些香港"自治范围内的条款"）的解释权。

反对人大释法的人认为，无论是在第 158 条所设立的《基本法》解释权分布体系里，还是在《基本法》其他条文里，[27]都找不到可以支持行政长官在这次事件的情况下请求人大常委会解释《基本法》的法理依据。他们指出，根据第 158 条，人大常委会已授权香港法院"自行解释"《基本法》中关于香港自治范围内的条款，而终审法院解释的第 24 条，它规定的是哪些人享有居港权，香港愿意接受哪些人为自己的永久性居民，是香港自治范围内的事。因此，如果人大常委会在香港终审法院对第 24 条作出解释后再对此条重新解释，便是干预香港的自治事务，而行政长官请求人大常委会行使解释权，便是邀请中央干预，"自毁长城"。

我认为这个论点基本上是可以成立的。第 158 条的用意，很明显的是在《基本法》解释权上作出一种权力划分，《基本法》中关于香港"自治范围内的条款"（以下简称自治条款）由香港法院"自行解释"，至于《基本法》中"关于中央人民政府管理的事务或中央和香港特别行政区关系的条款"（以下简称中港关

---

[26] 但如修改的提案来自全国人大常委会或国务院，修改议案则无须经过香港立法会或港区人大代表，但基本法委员会有权就议案提出意见。

[27] 但特区政府则引用《基本法》第 43 条（行政长官是香港特别行政区的首长，代表香港特别行政区，对中央人民政府和香港特别行政区负责）和第 48 条第（2）项（行政长官负责执行《基本法》和依照《基本法》适用于香港的其他法律）。

系条款),如香港法院"在审理案件时需要"予以解释而该解释"又影响到案件的判决",则须在终审前提请人大常委会对该条款作出解释。由此可见,第158条设立的解释权分工体系是,自治条款由香港法院自行解释,中港关系条款最终由人大常委会解释。当然,第158条并没有排除、取消或否定人大常委会就自治条款行使解释权,但158条的理想实施情况是,形成一个宪法性惯例,人大常委会实行自我约束,不就自治条款行使解释权,而香港终审法院也实行自我约束,不自行解释中港关系条款,而忠诚地实施第158条第3款的规定,把这种条款提请人大常委会进行解释。

在《吴嘉玲案》里,香港终审法院第一次碰到第158条第3款的应用问题,而我认为问题便出在这里,最终导致人大释法的结果。在另一篇论文里,[28]我尝试论证为什么我认为终审法院在应用第158条第3款时,犯了技术上的错误。我的基本论点是,在《吴嘉玲案》中,法院需要解释的《基本法》条文是第24条和第22条第4款。终审法院认为第24条属自治条款,并愿意接受第22条第4款是中港关系条款的论点。但终院决定毋须提请全国人大常委会对第22条第4款进行解释,理由是从本案的"实质内容"来看,法院在本案中解释的"主要条款"并非第22条第4款,而是第24条,后者是自治条款。法院认为如果把第22条第4款提交给人大解释,又鉴于该条的解释可能影响到第24条的解释,那么香港法院自行解释自治条款的自治权便会受到亏损。

我在上述论文中指出,终院自己创立的"主要条款"概念在

---

[28] "终审法院对'无证儿童'案的判决:对适用《基本法》第158条的质疑",载于注11前引书,页113。

第158条的文字里不能找到任何依据。即使应用"目的性"的解释方法，也不能单方面强调香港的自治权，而忽略中央政府保留对中港关系款的最终解释权的这方面的立法目的。在本案中，第22条第4款设定了对中国内地人士前来香港的管制，属中港关系条款。在本案在原讼庭至终审的阶段，第22条第4款应如何解释，都一直是左右最终判决结果的关键因素之一。因此，第158条第3款的正确应用，便是由终审法院在作出其判决之前，先把第22条第4款提交人大常委会进行解释。终审法院没有这样做，便是技术上的犯错。

这个论点后来也在人大常委会的《解释》中得到证实（如果我们接受此《解释》为正确的话）。《解释》文本中作为序言性质的第一段指出，终审法院在本案中解释了《基本法》的有关条款，"该有关条款涉及中央管理的事务和中央与香港特别行政区的关系，终审法院在判决前没有依照"《基本法》提请人大常委会作出解释，"而终审法院的解释又不符合立法原意"。

上述文字中的"该有关条款"很明显是指第22条第4款，至于它是否也包括第24条，人大常委会并没有明确表态。人大常委会法制工作委员会副主任乔晓阳在常委会审议《解释》草案时作出的《说明》里，也没有对此问题表态，只提到"《基本法》第24条第2款第（3）项与第22条第4款是密不可分的"。

这次人大释法事件是否会构成一个恶劣的先例，导致以后特区政府频频提请人大释法，而香港法院对《基本法》的解释权则逐步被蚕蚀。要回答这个问题，必须首先澄清这次事件的主要元素，如果它可以构成先例的话，也只局限于以后出现的具备同样元素的情况：

（1）案件涉及《基本法》中的中港关系条款。
（2）终审法院被怀疑犯了技术上的错误，没有按照《基本法》第158条第3款,把在案中需要解释的、而且会影响案件的判决的中港关系条款提交人大常委会解释。

(3) 终审法院的判决造成"香港特区内部已无法自行解决"的社会问题,特区政府"在不得已之下"通过国务院请求人大常委会行使《基本法》解释权。[29]

(4) 特区政府提请人大释法的做法,事先获得立法会多数议员和多数港区人大代表的支持。

(5) 人大常委会作出的解释不影响终审法院的判决的有关诉讼当事人根据判决而享有的权益。

我相信以后符合上述第(1)至(4)项条件的情况将是罕有的。

三、刑事法律冲突

本文的这个最后部分,将会讨论《张子强案》和《李育辉案》所反映的香港和中国内地的刑事法律冲突问题。这里提到的"法律冲突"是法律术语,泛指涉及超过一个法制或法律区域的案件所产生的法律问题。法律冲突可分为国际法律冲突(关于涉及两国以上的案件)和区际法律冲突(关于涉及一个国家内的不同法律区域的案件),又可分为民事法律冲突(如法院民事管辖权、适用何地法律、民事司法互助等问题)和刑事法律冲突(如法院刑事管辖权、引渡等问题)。

每个国家或法律区域(法域)的法院有没有权审理某件刑事案件,这便是刑事管辖权的问题,而法院的刑事管辖权的范围,是由该法院所属的国家或地区的法律所规定的。在有些情况,例

---

[29] 有关字眼见于香港特别行政区行政长官于1999年5月20日向国务院提交的《关于提请中央人民政府协助解决实施〈中华人民共和国香港特别行政区基本法〉有关条款所遇问题的报告》,见《明报》,1999年6月11日。

如是有跨境成分的案件，两国或两法域的法院根据各自的法律都可能对同一案件享有刑事司法管辖权。在这种存在着"双重管辖"的情况，由哪方的法院对案件进行审判，便取决于两个法制的互动、沟通和协调。同样地，如果有人在一国或一法域内犯案后潜逃至另一国或法域，能否把此人引渡（此词语适用于国际层面）或移交（此词语适用于区际层面），也要视乎两地之间能否建立某种形式的刑事司法互助关系。

《张子强案》和《李育辉案》都是双重管辖权的情况，而两案都反映出一种社会需要，就是在香港和中国内地之间建立相互移交对方所要求的疑犯的安排。在下面，我们首先看看两案所涉及的刑事司法管辖权问题，然后再探讨两地之间移交案犯的困难和可能解决问题的方法。

在《张子强案》中，张子强及其"犯罪集团"的成员在广州中级人民法院被控以多项罪名，包括非法买卖和偷运军火、抢劫和绑架等。这件案件的特点是，有关罪行是跨境性的，即是说构成这些罪行的要素中有些存在于中国内地，有些存在于香港，例如犯罪实施过程中部分行为发生在中国内地、部分行为发生在香港，又或犯罪在内地策划和预备，然后在香港实行，又或犯罪在香港发生，但其结果影响及内地。此外，案中被控结伙共同犯罪的人，其中一些是香港居民，一些是内地居民。在这情况下，由内地法院行使管辖权，在中国《刑法》里是有足够法理依据的，尤其是其第6条（关于"属地原则"，即根据犯罪的发生地而行使管辖权）。

我们说内地法院根据内地法律对此案享有管辖权，并不表示香港法院便因此没有管辖权。此案中的绑架和部分抢劫行为在香港发生，所以香港法院根据香港法律也享有管辖权。由此可见，《张子强案》涉及的是双重管辖权（或称"平行管辖权"、或"管辖权竞合"或"重合")的情况。如果香港当局有意行使管辖权，可与内地当局协商，务求就由哪方审讯此案达成共识。在《张子强案》的具体情况下，基于"实际控制"和"先理为优"的原则，最终内地法院行使管辖权，有它的合理性。"实制控制"是指内地当局首先捕获有关疑犯，"先理为优"是指内地当局首先处理此案的调查取证和检控。

如果将来香港和内地达成关于刑事司法互助的协议，协议中将对两地法院就有跨境成分的案件的管辖权如何划分和协调，作出规定。例如（正如一些内地学者建议的）就犯罪的行为和结果分别发生在两地的情况，由犯罪行为地的法院行使管辖权；在犯罪的预备和实施分别发生在两地的情况，由犯罪实施地的法院行使管辖权；在犯罪行为部分发生在一地、部分发生在另一地的情况，由主要犯罪行为地的法院行使管辖权；其他不易界定的情况，则以"实际控制"、"先理为优"等原则决定管辖权谁属。当然，如果要实施这样的管辖权划分的安排，必须在两地之间建立下面会谈到的移交案犯安排。

值得留意的是，如果《张子强案》涉及的只是张子强一人，而他的犯罪行为又只局限于香港地区，没有涉及内地的成分，那么由内地当局把他移交香港审讯，便是理所当然的。事实上，香港在回归前已经与内地当局建立这方面的移交案犯罪安排，即内地当局移交给香港那些涉嫌在香港犯罪、但身在内地的香港居民，如果有关人士并不是同时涉嫌触犯了内地法律的话。但目前来说，这种移交案犯的实践仍是单方面的，根据目前香港的法制，香港当局没有法定的权力把涉嫌在内地犯罪的人移交内地司法机关处理，香港和内地之间也未有关于这方面的引渡或移交案犯协议。

反过来说，如果《张子强案》涉及的只是张子强一人，而他的犯罪行为只局限于内地，没有触犯香港法律，那么便只有内地法院对他有管辖权，香港当局无权因他是香港永久性居民而过问。事实上，国际上一般接受的原则是，如果一国（A）的公民在别国（B）犯法，B国绝对有权对他行使刑事管辖权和（如果他被判有罪的话）施以刑罚，A国政府至多能敦促B国当局在处理此案时，严格遵守B国自己的法律和国际人权标准。

现在让我们再看《李育辉案》所引申出的问题。[30] 李育辉是内地汕头的居民，在香港以毒药杀了5人，然后逃回内地。此案有一定程度的跨境成分，因为犯罪是在内地策划和预备的，有关毒药也是在内地购获的。这似乎也是一件香港和内地法院均有管辖权的事件，而最后由汕头市中级人民法院审理。

鉴于在此案中犯罪行为或过程有中国内地的元素，由内地法院行使管辖权，正如《张子强案》一样，也可以内地《刑法》中的属地原则为依据，即是说在广义上有关犯罪也可算是发生在内地，虽然它也发生于香港。但《李育辉案》同时带出了另一个更深奥的问题，就是中国《刑法》第7条和它背后的"属人原则"是否能支持内地法院对在香港作出了违反中国《刑法》的行为的内地居民（如果他们事后回到内地的话）行使刑事司法管辖权？

问题的关键可以这样表述：如果在《李育辉案》中，被告人（一个内地居民）的犯罪完全局限于香港，并没有任何涉及内地的成分，那么，香港法院当然可根据香港法律对他行使管辖权，但如果他逃回内地并在内地落网的话，内地法院能否对他行使管辖权而审讯他？

---

[30] 关于李育辉案，可参见周伟、陈瑞林："从香港'五尸命案'看区际刑事司法协作"，载于陈光中主编：《依法治国、司法公正：诉讼法理论与实践》（1999年卷）（上海：上海社会科学出版社，2000年），页24。

必须指出，这是一个新的课题，在《基本法》和1997年新《刑法》制定时，都未有考虑这个问题和设定对治的方案。根据《基本法》第18条和《刑法》第6条，《中华人民共和国刑法》并不适用于香港特别行政区（用法律术语来说，其适用的"空间效力"不及香港）。根据刑法原理，一国刑法的适用与其法院的刑事管辖权的范围是一致的，就该国刑法所不适用的行为，该国法院便不能行使刑事司法管辖权。反过来说，法院对于它能行使管辖权的刑事案件，必须应用本国的刑法。这与民事法律冲突的情况不同，在民事的情况，当法院决定它对某件有跨境成分的案件享有民事司法管辖权后，还可选择应用本国法律还是另一国的法律来处理这件案件。

中国《刑法》在香港的不适用，是否意味着中国内地法院对任何人（例如内地居民）在香港的犯罪（假定此犯罪没有任何涉及内地的成分）都没有管辖权呢？在这方面，需要留意中国刑法的适用范围除以"属地管辖原则"（《刑法》第6条）为主以外，还以另外三个原则为补充："属人管辖原则"（第7条）、"保护管辖原则"（第8条）和"普遍管辖原则"（第9条），其中属人原则是《李育辉案》引发的争论的焦点。

《刑法》第7条规定，《刑法》可适用于"中华人民共和国公民在中华人民共和国领域外犯本法规定之罪"的情况。意思便是说，如果中国公民在外国作出了某行为，而此行为根据中国《刑法》是一种犯罪行为，那么当此人回到中国后，中国法院对此行为可以行使刑事司法管辖权。

香港律政司和部分学者认为,[31] 由于《刑法》不适用于香港,第7条中的"领域"应解释为中国《刑法》所管辖或适用的领域或中国内地作为有别于香港特别行政区的一个法律区域或司法管辖区,故香港属第7条所说的中国领域之外。他们不认为7条所说的"中国公民"在《刑法》的实际应用时应理解为"中国内地居民"。这样,中国内地法院便对任何中国内地居民在香港的犯罪(违反中国《刑法》)的行为享有管辖权,正如它们对内地居民在外国的犯罪行为享有管辖权。也有香港和内地的学者反对这个说法,[32] 认为它过于牵强,并指出"领域"和"中国公民"的用语和概念在中国法律和法学中已有既定的、清晰的涵义,很明显地"中国领域"包括香港,"中国公民"不限于"内地居民"。此外,值得留意是,"内地居民"这个概念未曾在人大或其常委会制定的法律中采用过(虽然曾见于行政法规或规章),[33] 其具体内容有一定的不确定性。

我认为我们应严格区分两个不同层次和性质的问题:一是现行的法律是怎样规定的?二是法律应就此问题作出怎样的规定?由于现行法律在起草制定时未必有考虑到现在出现的问题,所以

---

[31] 参见王晨光,前引注4;梁爱诗:"从正确角度去看司法管辖权问题",《香港律师》(*Hong Kong Lawyer*),1999年1月,页58;H. L. Fu, "The Battle of Criminal Jurisdictions", *Hong Kong Law Journal*, Vol. 28 (1998), p. 273。
[32] 参见凌兵:"《中华人民共和国刑法》适用于香港吗?"《香港律师》(Hong Kong Lawyer),1999年1月,页16;赵秉志、田宏杰:"中国内地与香港刑事管辖冲突研究——由张子强案件引发的思考",载于赵秉志,注4前引书,页217。
[33] 例如,1991年国务院发布的《中国公民往来台湾地区管理办法》用到"大陆居民"的字眼;1986年国务院批准、公安部公布的《中国公民因私事往来香港地区或者澳门地区的暂行管理办法》用到"内地公民"的字眼。此外,人大常委会1985年通过的《中华人民共和国居民身份证条例》中对"居民身份"的证明作出规定。

它可能是有漏洞的，需要因应新问题的出现予以补充或修订。中国新《刑法》在 1997 年初制定时，香港还未回归祖国，它对《李育辉案》所带出的问题未有完善的处理，也是可以理解的。

对"中国领域"和"中国公民"作上述的解释，的确过于牵强。但这并不表示内地法院变通地应用"属人原则"，就在香港犯罪、却不便移交香港审理的内地居民行使管辖权这种做法一定是不对的。在现实环境里，为了更有效地遏止和处理内地来港旅游、探亲或工作人士在港犯罪的问题，尤其是在香港和内地还未有建立包括移交案犯的刑事司法互助安排的情况下，容许内地法院审讯在港犯罪的内地居民，不失为一个合理的安排。

因此我认为处理这个问题的最佳办法，便是由最高人民法院和最高人民检察院颁布一个"司法解释"，对《刑法》第 6、7 条的规定予以补充，明文规定内地法院对内地居民在港犯罪的管辖权和中国刑法在这些情况下的适用。应当留意，在内地司法实践中，"司法解释"不限于对法律条文中的字眼的解释，而包括创设相关的新法律规范。有了这样的一个司法解释，以后人民法院处理内地居民在港犯罪的问题，便真正是有法可依了。

最后，让我们就香港和内地的刑事司法互助的谈判中所必须面对的互相移交案犯问题，作一初步的探讨。其实香港和一些外国早已建立引渡逃犯的安排，台湾和中国大陆之间也已经有了移交逃犯的初步协议和实践经验，在这面，香港和内地之间的合作水平，相对来说是落后了。

然而，香港和内地在这方面的合作和移交安排的建立，却是十分需要的。两地的交往越密切，跨境犯罪或在一地犯罪后潜逃至另一地的情况必然增加。例如内地居民在内地犯案后逃到香港，一般来说香港法院对案件没有管辖权，如果不能把他们移交内地机关处理,他们便能逍遥法外。[34]

从国际间建立引渡安排的经验来看,[35]我们可以理解到由于不同法制背后的价值取向、政治和道德信念以至历史文化背景的差异,国与国之间在引渡案犯方面的司法合作必非轻而易举的事,在谈判过程中甚至要处理一些政治上敏感的课题。正如一位香港学者指出:

> 两个制度的政制及法制的分别愈大,它们的互信程度便愈低,双方亦从而更难合作。鉴于中国大陆与香港的政制及法制有着根本性的分别,两地达成和执行移交罪犯协议的过程,必定会相当困难和曲折。[36]

举例来说,在国际引渡的情况,通常适用的原则包括"双重犯罪"原则(即引渡要求所涉及的罪行须是双方法制都规定为犯罪的行为)、"政治犯不引渡"原则和关于死刑的应用的限制(即请求引渡国承诺不对被引渡者施行死刑)。这些国际引渡准则在甚么程度上应引入香港和内地的区际移交案犯安排,将会有很大的争议性。大致来说,重视"一国"多于"两制"的人,主张区际移交的限制应比国际引渡宽松,毋须引入或应尽量少引入上述三种限制性原则。反过来说,强调"两制"多于一国的人,则认为香港和内地之间的移交案犯安排应尽量引入或全面引入国际引渡的限制性原则,以保障被引渡者的人权。

---

[34] 但如果他们是非法入境者,则特区政府有权根据《入境条例》予以遣返。
[35] 参见黄风:《引渡制度》(北京:法律出版社,1997年增订本);黄风:《中国引渡制度研究》(北京:中国政法大学出版社,1997年)。
[36] 傅华伶:"'一国两制':香港与中国大陆能否就移交罪犯问题达成协议?"《香港律师》(*Hong Kong Lawyer*),1999年1月,页54。

但即使较为看重"一国"的概念的学者也承认,[37]在根据《基本法》第95条进行的司法互助谈判中,香港和内地有关机关享有平等的地位,司法互助安排须在双方都自愿同意的基础上建立。估计在谈判过程中,双方如采取互谅互让的态度,有关困难将能迎刃而解。

如何在关于案犯移交的协议中,在"一国"和"两制"之间取得适当的平衡?我认为一个值得考虑的折衷办法,便是参照上述把"属人原则"变通为以居民身份(即内地居民身份、香港永久性居民身份)为基础的原则做法,又参照一些国家(尤其是大陆法系国家)不引渡本国公民至外国或保留不引渡本国公民的裁量权的做法,在应用上述三种限制性原则时,区分内地要求移交香港永久性居民及其要求移交内地居民的情况。

更具体来说,可以考虑的方案是,如果被要求移交到内地受审的人是香港永久性居民,上述三种限制性原则应该适用;而如果被要求移交到内地受审的人是内地居民,则上述三种限制性原则(或至少是第二种(关于政治犯)和第三种(关于死刑)原则不应适用。这样是否有违法律之下人人平等原则?答案可能是这样:在不少国家,引渡法中都规定不引渡本国公民到外国受审(所谓"绝对不引渡"原则),又或规定本国保留拒绝引渡其公民到外国受审的权利(所谓"相对不引渡"原则)。在这些国家,对不被引渡的本国公民,仍可根据本国法律在本国绳之于法,因为这些国家通常规定本国法院对本国公民在国外的犯罪享有管辖权。由此可见,在引渡制度中就不同身份的人作区别对待,是在

---

[37] 参见赵秉志:"关于中国内地与香港特别行政区建立刑事司法互助关系的研讨",载于高铭暄、赵秉志主编:《中国区际刑法与刑事司法协助研究》(北京:法律出版社、中国方正出版社,2000年),页65。

国际上公认为合理的原则。在国际引渡中，有关"身份"是由国籍所决定的，而根据上述建议，在香港和内地的区际移交安排中，有关"身份"可以由当事人的居住地决定。在这方面，值得留意的是，在台湾与中国大陆初步拟定的相互移交案犯安排中，基本上也接受了每方对台湾居民和大陆居民区别对待的做法。[38]

四、小　结

我在另一篇文章里曾说："'一国两制'是新事物，我们对于其中不少问题，并没有现成的答案，也没有过往的经验和先例可援。"两位香港学者在其合著的一篇文章中也指出：

> 这些近期的经验使我们注意到，尽管《基本法》的起草者已尽了最大的努力，香港特别行政区和中国内地之间仍存在着一定程度的法律和宪政上的真空。在某种意义上，这是一件好事。它显示出《基本法》的基本元素的运作是良好的。正是由于这个基本法律架构正有效地发挥其功能，我们才有机会去留意两地法律互动关系的"尚未建构"的方面。[39]（笔者自己从英文原文的翻译）

我想，我们毋须和不应因为《基本法》实施初期因我们经验不足和"两制"的碰撞而造成的困难以至挫折而感到气馁，相反地，我们要勇于肩负这个迎接"一国两制"的挑战的历史性使命，冷静分析，理性对话，以创意解决问题，以耐心累积经验，以信心走向未来！

---

[38] 参见注 36 前引文。
[39] Richard Cullen and H. L. Fu, "Some Limitations in the Basic Law Exposed," *China Perspectives*, No. 22 (March–April 1999), p. 54, at p. 57。

香港特别行政区法院的违宪审查权*

一、违宪审查制度

在当代公法学中，法院的违宪审查权是一个愈趋重要的课题。法院作为负责解释和执行宪法和法律的司法机关对国家最高立法机关的立法行使违宪审查权，可说是美国宪法制度的一项重大发明，它创始于有名的 *Marbury v Madison* 案（1803年）。[1] 法院的违宪审查权使宪法的真正效力和实际作用大大增强，并构成对立法机关和行政机关的滥权行为的一种监察和制衡机制。[2] 相对于立法和行政机关，法院为"最不危险的国家机关"（能用

---

* 原发表于香港城市大学在1998年6月2日举办的"比较司法制度"研讨会。本文的部分内容原刊于《中外法学》，1998年第5期，页12-18，现已作出增订，以反映较新的发展。

[1] 关于美国的违宪审查制度，可参见陆润康：《美国联邦宪法论》，台北：凯仑出版社，1993年增订再版；陈秀峰：《司法审查制度——日本继受美国制度之轨迹》，台北：文笙书局，1995年；李鸿禧：《违宪审查论》，台北：台湾大学法学丛书，1990年第4版；Harry H. Wellington, *Interpreting the Constitution: The Supreme Court and the Process of Adjudication*, New Haven: Yale University Press, 1990.

[2] 参见 Charles L. Black, Jr., *The People and the Court: Judicial Review in a Democracy*, New York: Macmillan, 1960.

于伤害人民的权益的力量相对上小),[3] 而且司法程序强调公正性、开放性和理性,所以违宪审查制度有其优点。时至今日,世界上很多国家都在其政法体制中引进了某种型式的违宪审查机制,作为监督宪法的实施的主要途径之一。[4]

二、香港回归之前的违宪审查制度

以前曾有人以为殖民地时代的香港法院并不享有审查和推翻立法机关的立法的违宪审查权,其实这是一种误解。英国法院没有违宪审查权,却是一个事实,这是因为英国没有正式的成文宪法,她长期奉行"国会至上"的宪政体制,任何由英皇会同国会(即英国的立法机关)制定的法律,法院必须忠实地执行;由于并不存在着任何更高层次的宪法档,所以法院没有审查国会立法的理论性和实质性的依据(但此传统看法已因英加入欧洲共同体而逐渐改变)。

殖民地时代的香港立法局却并不享有英国立法机关的"国会至上"的地位,因为香港立法局是一个只是被赋予有限权力的机关,它的权力来自英政府为香港制定的《英皇制诰》,它的权力的范围也是由这份档界定的。香港法院(以至英国枢密院作为香港的终审法院)作为解释和执行法律(包括《英皇制诰》在内)的司法机关,完全有权审查香港立法机关(即港督会同立法局)所制定的法律是否违反《英皇制诰》或超越了它的授权范围,因而是越权和无效的。

---

[3] 这是美国宪法创立者之一的亚历山大·汉密尔顿(Alexander Hamilton)提出的著名论点,见 James Madison, Alexander Hamilton and John Jay, *The Federalist Papers*(《联邦党人文集》,1788 年, Harmondsworth: Penguin Books, 1987), paper no. 78。

[4] 参见 M. Cappelletti, *Judicial Review in the Contemporary World*, Indianapolis: Bobbs-Merrill, 1971.

但这只是法理上的情况,而理论和实际却有很大的距离。由于《英皇制诰》赋予香港立法机关的权力是非常广泛的("为了殖民地的和平、秩序和良好管治而立法"),[5]而且(在1991年的修订之前)并没有设定对立法机关的立法权的限制(如规定它不能或非经某种程序不可就某些种类的事务立法、或规定它的立法不可剥夺某些人权),所以在1991年以前,香港法院根据《英皇制诰》对香港立法机关的立法进行审查的案例几乎是绝无仅有的。[6]但在实践上未出现有关的案例,并不表示法院在法理上没有违宪审查权。

这个论点在1991年后案例中得到证实;1991年《英皇制诰》第7条的修订和《香港人权法案条例》[7]通过后,香港法院终于有机会一展所长,发挥出一向以来潜伏于其司法权之中的违宪审查权。《香港人权法案条例》不仅废除了与它相抵触的先前法例(即在1991年6月8日(《香港人权法案条例》的生效日期)之前通过的法例),而且被间接地引进《英皇制诰》,成为了香港法院审查1991年6月8日以后通过的新条例的法理标准。这是因为为了配合《香港人权法案条例》的实施,《英皇制诰》第7条作出了修订,在1991年6月8日起生效。根据这项修订,香

---

[5]《英皇制诰》(Letters Patent) 第7(1)条,可参见 Norman Miners, *The Government and Politics of Hong Kong*, Hong Kong: Oxford University Press, 5th ed. (updated), 1995, pp. 248–253。关于殖民地时代香港立法机关的权限,可参见 Peter Wesley-Smith, *Constitutional and Administrative Law*, Hong Kong: Longman Asia, 1995, chapter 7。

[6] 在极少数案件中,法院对《英皇制诰》的若干条文进行过解释,但并没有推翻任何立法(即裁定有关法例条文为违宪和无效)。参见 Peter Wesley-Smith, "Constitutional interpretation," in Peter Wesley-Smith (ed.), *Hong Kong's Transition*, Hong Kong: Faculty of Law, University of Hong Kong, 1993, p. 51, at pp. 69–70。

[7]《香港法例》第383章。

港立法机关不得在此日期后,制定任何限制人权的法律,如果有关限制与适用于香港的《公民权利和政治权利国际公约》的规定有所抵触的话(而此《公约》所规定的人权保障标准与《香港人权法案条例》所采纳的是完全一样的)。因此,香港法院便可以根据《公约》和《人权法案》内的人权标准,审查香港立法机关的立法。[8]

这种审查可分为两种。第一是针对 1991 年 6 月 8 日以前通过的立法的审查,这不算是违宪审查,而只属《香港人权法案条例》第 3 条和 "后法优于前法" 的原则的应用。《条例》第 3 条明文规定,废除与《香港人权法案》相抵触的所有先前法例。在有名的 *R v Sin Yau – ming* 案(1991 年),[9] 香港上诉法院裁定《危险药品条例》[10] 中若干有利于控方的证据法上的推定条款违反《人权法案》中的无罪推定条款,因而无效,这便是香港法院应用《香港人权法案条例》于 1991 年 6 月 8 日以前已生效的法例的一个典型例子。

在 *Sin Yau – ming* 案后,香港立法机关修订了《危险药品条例》中被该案裁定为无效的条款,但部分修订后的条款仍在 *R v Lum Wai – ming* 案[11] 中被裁定为未能符合《香港人权法案》和

---

[8] 参见陈文敏:"香港人权法案生效首年的回顾",《法学评论》,1992 年第 4 期(总第 54 期),页 75 – 79 及 1992 年第 5 期(总第 55 期),页 63 – 69。Yash Ghai, "Sentinels of liberty or sheep in woolf's clothing? Judicial politics and the Hong Kong Bill of Rights," *Modern Law Review*, Vol. 60 (1997), pp. 459 – 480; Johannes M. M. Chan, "Hong Kong's Bill of Rights: Its reception of and contribution to international and comparative jurisprudence," *International and Comparative Law Quarterly*, Vol. 47 (1998), pp. 306 – 336。

[9] [1992] 1 *Hong Kong Criminal Law Reports* 127。

[10] 《香港法例》第 134 章。

[11] (1992) 2 *Hong Kong Public Law Reports* 182。

《公民权利和政治权利国际公约》的标准,因而无效。这件案件便是我们所说的第二种审查情况,即法院对 1991 年 6 月 8 日以后通过的立法的审查。这种审查是名符其实的违宪审查,因为审查的法理依据是 1991 年修订后的《英皇制诰》第 7 条。香港法院对此条的理解是,它们可以据此审查和推翻任何在 1991 年 6 月 8 日以后制定的、违反《公民权利和政治权利国际公约》(亦即违反内容与此相同的《香港人权法案》)的人权标准的立法。[12]

这个理解在 1995 年底的 *Lee Miu-Ling v Attorney General* [13] 案得到香港上诉法院的权威性的确认。在此案中,香港上诉法院审查了 1994 年香港立法机关制定的新选举法中关于功能组别选举的规定,[14] 并裁定这些规定并没有违反人权法中有关普及和平等的选举权及人人在法律下一律平等并受法律平等保护等原则。上诉法院在本案的判词中引用和重申了该法院在 1994 年 *R v Chan Chak Fan* 案中所阐释的原则:

> 《英皇制诰》禁止立法机关在立法时违反在港适用的《公民权利和政治权利国际公约》,从而使《人权法案》享有凌驾性地位。《人权法案》是在港适用的《公约》的体现。因此,

---

[12] 可参见 *R v Chan Chak Fan* [1994] 3 *Hong Kong Cases* 145, 153。
[13] [1996] 1 *Hong Kong Cases* 124。
[14] 功能组别选举制度是香港政治体制的特色之一,在《基本法》生效后仍然保留。香港立法机关除设有由全民分区普选的议席外,还有由功能组别选举产生的议席。功能组别是在职业和各种界别等社会功能的基础上设计的,例如所有律师、所有医生分别组成两个功能组别,每个可选一人进立法机关为议员。有些功能组别的成员是团体而非个人,例如由不同工会组成的功能组别、由商会的公司成员组成的功能组别等。

任何与《人权法案》相抵触的立法都是违宪的，法院作为宪法的监护者将会予以推翻。[15]

三、香港特别行政区法院的违宪审查权的行使

香港回归中国后，根据《中华人民共和国宪法》制定的《中华人民共和国香港特别行政区基本法》，取代了《英皇制诰》而成为香港的法制和宪制的基础。[16]虽然《基本法》没有明文赋予香港特别行政区法院"违宪审查权"（这里所说的违宪审查权是指特区法院就特区立法机关的立法的审查权，如裁定特区立法是否因与《基本法》相抵触而无效），但《基本法》保留了香港法院原有的审判权和管辖权（第19条），也保留了香港原有的普通法（第8、18条），又赋予特区法院对《基本法》的解释权（第158条），并规定特区立法机关制定的任何法律均不得抵触《基本法》（第11条）。这些规定都可理解为特区法院的违宪审查权的法理依据。[17]

从香港特别行政区成立以来的司法实践中，我们可以清楚看到，特区法院不但完全肯定了自己的违宪审查权，而且在某些判例中审查和推翻了特区临时立法会的一些立法。以下我们逐一研究特区成立以来的几宗涉及《基本法》的解释和特区立法是否违反《基本法》的诉讼。

---

[15] [1994] 3 *Hong Kong Cases* 145 at 153（笔者自己的翻译）。

[16] 参见拙作："香港九七回归的法学反思"，载于拙作《法治、启蒙与现代法的精神》，北京：中国政法大学出版社，1998年，页252。

[17] 参见 Albert H. Y. Chen, "The Basic Law and the protection of property rights," *Hong Kong Law Journal*, Vol. 23 (1993), pp. 31 – 78。但有些内地学者认为，根据《基本法》，香港特别行政区法院无权审查香港特别行政区立法机关通过的法律是否符合《基本法》，只有全国人大常委会才享有此项权力：见许崇德、傅思明："香港基本法框架下判例法的走向"，《纪念〈香港特别行政区基本法〉颁布10周年学术研讨会》论文，中国人民大学法学院，2000年4月1至2日。

第一宗诉讼是《香港特别行政区诉马维騉》案[18]，是香港特别行政区高等法院上诉法庭在1997年7月29日的哄动一时的判决。法庭裁定香港原有的普通法在回归后继续有效，并裁定全国人大常委会（根据1990年的全国人大决定）成立的香港特别行政区筹备委员会所成立的特区临时立法会享有合法地位，[19] 因此其制定的《香港回归条例》[20] 是有效的。对于本文来说，在此案中最值得留意的一点是，代表特区政府出庭的律政专员冯华健在法庭辩论中表明，[21] 正如香港法院在1997年以前有权审查香港立法机关的立法是否与《英皇制诰》相抵触，在香港回归以后，特区法院也有权审查特区立法是否与《基本法》相抵触；但他在此案中的其中一个主要论点是，作为地区性法院，香港特别行政区法院无权审查全国人大的行为或决定。上诉法庭基本上

---

[18] [1997] Hong Kong Law Reports and Digest 761；[1997] 2 Hong Kong Cases 315。

[19] 1990年4月4日全国人大通过《中华人民共和国香港特别行政区基本法》的同时，也通过了《关于香港特别行政区第一届政府和立法会产生办法的决定》（载全国人民代表大会常务委员会法制工作委员会编：《中华人民共和国香港特别行政区基本法》，北京：法律出版社，1997年，页101），规定在1996年内成立香港特别行政区筹备委员会，负责筹备成立香港特别行政区的有关事宜，并在该《决定》的基础上订立第一届政府和立法会的具体产生办法。1996年1月，特区筹备委员会成立并开始工作。1996年3月24日，筹委会通过《关于设立香港特别行政区临时立法会的决定》（载《新华月报》，1996年第4期，页133）。关于成立临时立法会的背景，可参见拙作："香港九七回归的法学反思"，前引注14；朱国斌："关于香港临时立法会合法性及相关问题之我见"，《法学家》，1998年第3期，页99－108。

[20] 1997年第110号条例。

[21] 见 [1997] 2 Hong Kong Cases 315, 351。

接受了这个论论，[22] 但其就临时立法会的法律地位的裁决，主要是基于它认为在"直通车"方案的破灭后，[23] 特区筹委会成立临时立法会的决定是符合有关人大决定的，而且没有违反《基本法》。

《马维騉》案涉及的主要是香港特别行政区临时立法会是否享有立法权的问题，而非其立法在内容上是否与《基本法》相抵触。我们现在要谈的另外两件案件，却直接牵涉到法例在其实质内容上与《基本法》是否不符的问题。有关法例是临时立法会制定的对原有《人民入境条例》[24] 的两项修订条例（即1997年7

---

〔22〕 此论点后来（在1999年1月29日）被终审法院推翻，而终审法院就有关问题的观点则受到来自中央政府的质疑，其后特别行政区政府向终审法院提出申请，请求终审法院澄清其判词中的有关内容。终审法院在1999年2月26日作出了澄清。有关判词和澄清见于《吴嘉玲案》，[1999] 1 *Hong Kong Law Reports and Digest* 315（英文），731（中文）；[1999] 1 *Hong Kong Law Reports and Digest* 577（澄清）。关于有关法理问题的讨论，见陈弘毅："回归后香港与内地法制的互动"，收录为本书最后第二篇文章；Johannes M. M. Chan et al. (eds), *Hong Kong's Constitutional Debate: Conflict over Interpretation*, Hong Kong: Hong Kong University Press, 2000。

〔23〕 "直通车"方案是指在1995年选举产生的港英最后一届立法局的议员自然成为在1997年7月成立的香港特别行政区第一届立法会的议员，任期直至1999年立法会改选为止。"直通车"方案是1990年《基本法》通过时的构想，反映于当时全国人大《关于香港特别行政区第一届政府和立法会产生办法的决定》第6条（见前引注16）。"直通车"方案的基本假设是，中英双方在香港过渡期的后半期将能在互相沟通和合作的基础上，就如何在1995年选举产生港英最后一届立法局，达成共识，以确保有关选举安排符合上述人大决定和《基本法》的规定。但港督彭定康在1992年上任后，便一意孤行地推行被中国政府称为"三违反"的政制改革方案（即违反《中英联合声明》、《基本法》和中英两国外长在1990年通过互换信件所达成的谅解），"直通车"方案因而不再可行。

〔24〕《香港法例》第115章。

月1日生效的《1997年人民入境（修订）（第2号）条例》[25]和1997年7月10日起生效（但追溯至7月1日）的《1997年入境（修订）（第3号）条例》）。[26]此两修订条例都是为了具体实施《基本法》第24条关于香港特别行政区永久性居民的居留权的条文而制定的。

香港特别行政区成立后便立刻需要处理的重大法律问题，除了上述的临时立法会的法律地位问题外，便是所谓"无证儿童"（俗称"小人蛇"）是否需要遣返中国内地的问题。在《基本法》于1997年7月1日生效以前，香港永久性居民的在中国内地出生的子女并不享有前来香港定居的法定权利（虽然他们可以根据每天准许150名内地人士移居香港的配额，申请"排队"前来香港定居）。《基本法》第24（3）条却明文规定，这些港人在中国内地的子女是香港特别行政区永久性居民，在香港特别行政区享有居留权。于是在香港回归前后，出现了大批此类儿童偷渡来香港的问题：他们的家长对申请子女来港的长期轮候时间很不耐烦，他们安排把子女先偷渡来港，希望他们到步后便能行使《基本法》所赋予他们的居留权。

为了遏止这个偷渡潮，并使这些港人子女能够有秩序地分批前来香港，而不会对香港社会设施造成过大的压力，特别行政区临时立法会在1997年7月9日通过对《入境条例》的修订，规定虽然这些港人在中国内地的子女根据《基本法》享有在香港的居留权，但他们仍须申请"排队"来港，即在中国内地向公安机关申请来港的"单程通行证"，并同时透过公安机关向香港的入境处申请"居留权证明书"，只有在这两份档都办妥的情况下，

---

[25] 1997年第122号条例。
[26] 1997年第124号条例。

他们才能前来香港定居。此修订条例并明文规定它的效力追溯至1997年7月1日，用意是使在修订条例通过以前已经偷渡来港的"无证儿童"，必须首先遣返中国内地，然后才根据上述程序进行来港的申请。

在《张丽华诉入境事务处处长》[27]一案，一批"无证儿童"的父母指称上述修订条例褫夺了《基本法》第24（3）条赋予其子女的居留权，因而是无效的。在同一案件中，部分原告人指称临时立法会较早时通过的《1997年人民入境（修订）（第2号）条例》中规定香港特别行政区的男性居民在中国内地的非婚生子女不能享有《基本法》第24（3）条赋予的居留权，这也是与《基本法》相抵触和无效的。于是在《张丽华》案中，香港特别行政区法院便首次对特别行政区的立法行使了违宪审查权。

这件案件在1997年10月9日在特区高等法院原讼法庭审结，在1998年5月20日在高等法院上诉法庭审结。上诉法庭基本上肯定了原讼法庭的判决。第一，法院认为，由于《基本法》第22条规定中国内地人士进入香港须办理批准手续，而按法院的理解，此规定也适用于第24（3）条所述的港人在中国内地的子女，所以上述关于"居留权证明书"和"单程通行证"的立法规定是合理的，并没有违反《基本法》。[28]第二，就入境修订法例中关于不承认生父与其非婚生子女的父子（或父女）关系的规

---

[27] [1997] 3 *Hong Kong Cases* 64（高等法院原讼法庭），[1998] 1 *Hong Kong Cases* 617及[1998] 2 *Hong Kong Cases* 382（高等法院上诉法庭）。

[28] 上诉法庭以多数意见裁定，有关修订条例追溯至1997年7月1日的溯及力是有效的，故在该日以后偷渡来港的港人内地子女须遣返中国内地。但上诉法庭同时以多数意见裁定，在1997年7月1日以前已偷渡来港的港人内地子女，可在该日后行使《基本法》第24（3）条所赋予的居留权，不受有关修订条例的限制，无须遣返中国内地。

定,法院则裁定为与《基本法》第 24（3）条相抵触,因而无效(虽然此规定是中英联合联络小组[29]在商讨《中英联合声明》的实施的过程中同意的,但法院认为这是无补于事的)。在这里,我们可以清楚看见香港特别行政区法院在行使其违宪审查权时,首次推翻特别行政区的立法。

此案后来再上诉至特区终审法院,终院在 1999 年 1 月 29 日作出判决(到了终院时,此案称为《吴嘉玲案》)[30]。终院推翻了上诉法庭就上述第一点的裁决,但就第二点(即关于非婚生子女的居留权)来说,终院则维持了上诉法庭的原判。根据终院的判决,不但《1997 年人民入境(修订)(第 2 号)条例》中关于非婚生子女的部分条文是违反《基本法》第 24 条而无效的,而且《1997 年入境(修订)(第 3 号)条例》中关于必须持有"单程通行证"才能来港行使居留权的条文也是违反《基本法》而无效的。

众所周知,终院在《吴嘉玲案》及它在同一天判决的《陈锦雅案》[31](见下文)引起了轩然大波,特区政府估计,如果终院的判决是对的,那么在未来 10 年便会有 167 万港人在内地所生子女可移居香港。特区政府最终决定请求中央人民政府把《基本法》的有关条文提交全国人大常委会根据《基本法》第 158 条进行解释。

---

[29] 中英两国政府在 1984 年签订《中英联合声明》时同意成立中英联合联络小组,负责就《联合声明》的实施进行磋商,并讨论与 1997 年的政权交接有关的事宜。
[30] 前引注 22。
[31] [1999] 1 *Hong Kong Law Reports and Digest* 304。

人大常委会在 1999 年 6 月 26 日颁布了对有关条文的《解释》。[32] 人大常委会对《基本法》第 22 条的解释与上诉法庭的解释一样，亦即否定了终院对此条的解释及其关于"单程通行证"问题的理解。因此，《1997 年入境（修订）（第 3 号）条例》的有关条文并不是违反《基本法》的。但是，特区政府并没有要求人大常委会解释涉及非婚生子女居留权的《基本法》条文，常委会也没有在《解释》中处理此条文。因此，终院在《吴嘉玲案》中裁定《1997 年人民入境（修订）（第 2 号）条例》中有关条文乃违反《基本法》的判决，仍然完全有效。这便证实了香港特别行政区法院就特区立法的违宪审查权已被真正地实质行使。

我们要谈的第三宗案件，也是关于《基本法》第 24（3）条的。在实施此条文时，《1997 年人民入境（修订）（第 2 号）条例》规定，港人在香港以外所生的中国籍子女，如要享有在港的居留权，则其父亲或母亲在此名子女出生时必须已享有香港居留权。换句话说，如果某人从内地移居香港，而在他在香港住满 7 年（因而成为享有居留权的香港永久性居民）之前，他在中国内地的妻子诞下子女，则子女不能行使《基本法》第 24（3）条所规定的居留权。在《陈锦雅诉入境事务处处长》[33] 一案，原告人对这个规定提出挑战，认为它与《基本法》第 24（3）条相抵触。

案件于 1998 年 1 月 26 日在高等法院原讼法庭审结，原告人胜诉，这便是香港特别行政区法院在行使其违宪审查权时第二次

---

[32] 见《香港特别行政区政府宪报号外》，法律副刊第 2 号，1999 年 6 月 28 日，页 1577。

[33] [1998] 1 *Hong Kong Law Reports and Digest* 142（高等法院原讼法庭），[1998] 1 *Hong Kong Law Reports and Digest* 752（高等法院上诉法庭），[1999] 1 *Hong Kong Law Reports and Digest* 304（终审法院）。

推翻特别行政区的立法。但当案件上诉至上诉法庭时,由3位上诉法庭法官组成的合议庭在1998年5月20日一致裁定入境事务处处长的上诉得直,原告人败诉。上诉法庭认为,《基本法》第24(3)条应理解为只适用于在其出生之时其父或母已是香港永久性居民的人,因此原告人所质疑的入境法例条文是完全符合《基本法》的。

上诉法庭的这个判决,被终审法院在1999年1月29日的判决所推翻。终院对《基本法》第24(3)条的解释,与原讼法庭的解释相同。但是,正如上面所述,全国人大常委会在1999年6月26日颁布《解释》,其中处理了第24(3)条的问题。常委会采纳的解释与上诉法庭的相同,亦即否定了终院的有关解释。这样,《1997年人民入境(修订)(第2号)条例》中的有关规定便是符合《基本法》第24(3)条的原意的。[34]

除了上述案件之外,香港特别行政区高等法院(包括其原讼法庭和上诉法庭)在1998至2000年间还审理了以下四宗关于居留权的诉讼,并在其中3件案件中审查《入境条例》的有关条文是否符合《基本法》第24条:

(1) 1998年2月27日,原讼法庭在《吕尚君诉入境事务处处长》案[35]作出判决,裁定香港永久性居民的继子或继女,不能根据《基本法》第24(3)条享有居港权,因为该条文只适用于亲生子女。

---

[34] 关于由人大释法产生的关于居留权的诉讼,见 *Lau Kong Yung v Director of Immigration* (《刘港榕案》)[1999] 3 *Hong Kong Law Reports and Digest* 778(终审法院);*Ng Siu Tung v Director of Immigration*(香港高等法院原讼法庭,2000年6月30日)。

[35] *Lui Sheung - kwan v Director of Immigration* [1998] 1 *Hong Kong Law Reports and Digest* 265(英文),268(中文)。

(2) 1999 年 6 月 25 日，原讼法庭在《谢晓怡诉入境事务处处长》案[36]作出判决，裁定香港特别行政区永久性居民在中国内地收养的子女，可根据《基本法》第 24（3）条享有居港权，而《入境条例》中与此原则不符的条文是违反《基本法》的。但是，上诉法庭在 2000 年 3 月 16 日推翻原判，裁定有关子女并不享有居港权。其后，终审法院于 2001 年 7 月 20 日肯定了上诉法庭的判决。

(3) 1999 年 12 月 24 日，原讼法庭在《庄丰源诉入境事务处处长》案[37]作出判决，裁定在香港出生的中国公民，即使其父母当时并非在港合法定居（例如其父母是非法入境、逾期居留或临时短期居港者），仍属《基本法》第 24（1）条所指的香港永久性居民，而《入境条例》中的相反规定是违反《基本法》和无效的。上诉法庭在 2000 年 7 月 27 日驳回上诉，维持原判。此案再上诉至终审法院，终审法院在 2001 年 7 月 20 日也驳回上诉，维持原判。

(4) 2000 年 4 月 19 日，上诉法庭在《人事登记处处长诉人

---

[36] *Xie Xiaoyi v Director of Immigration* [1999] 2 *Hong Kong Law Reports and Digest* 505（高等法院原讼法庭）。高院上诉法庭于 2000 年 3 月 16 日裁定上诉得直（[2000] 2 *Hong Kong Law Reports and Digest* 161）。终审法院于 2001 年 7 月 20 日在本案中的判决见于 *Tam Nga Yin*（谈雅然）*and Others v Director of Immigration* (2001) 4 *Hong Kong Court of Final Appeal Reports* 251–265（英文判词），266–277（中文判词）。

[37] [2000] 1 *Hong Kong Cases* 359（原讼法庭）；[2000] 3 *Hong Kong Law Reports and Digest* 661（上诉法庭）；[2001] 2 *Hong Kong Law Reports and Digest* 533（终审法院）。

事登记审裁处及 Fateh Muhammad》案[38]中作出判决，维持了原诉法庭的原判。上诉法庭裁定，根据《基本法》第 24（4）条申请成为特区永久性居民的外籍人士，必须是在紧接其申请之前的 7 年内"通常居住"于香港的，因此，《入境条例》中有关条文是符合《基本法》的。案件再上诉至终审法院，该院在 2001 年 7 月 20 日驳回上诉，维持原判。

香港特别行政区法院审查特区立法是否符合《基本法》的案件并不限于居留权的诉讼，虽然这种诉讼的确占了这些案件的多数。在居留权问题以外的违宪审查案件中，最重要和权威性的判决要算是《香港特别行政区诉吴恭邵及利建润》案[39]了。此案的关键是，特区立法机关在 1997 年回归时制定的《国旗及国徽条例》和《区旗及区徽条例》中关于惩罚侮辱国旗和区旗的行为的条文，是否有违《基本法》中关于言论自由和表达自由的人权保障。1999 年 3 月 23 日，上诉法庭曾推翻原审裁判官的判决，并裁定有关条文违反《基本法》第 39 条所应用于香港的《公民权利和政治权利国际公约》中关于表达自由的规定。案件上诉至终审法院，终院在 1999 年 12 月 15 日颁布判决，推翻了上诉法庭的判决。终院指出，根据《公约》，法律可基于公共秩序的考虑，对表达自由作出必要的限制。由于国旗和区旗具有重大的象征意义，因此对其作出法律的保护乃属公共秩序考虑的范畴，而特区有关国旗和区旗的法律对表自由所作的限制也是合理和与其

---

[38] 此案的英文全名是 Commissioner of Registration v Registration of Persons Tribunal and Fateh Muhammad，见于［1999］3 Hong Kong Law Reports and Digest 199（原诉法庭）；［2000］2 Hong Kong Law Reports and Digest 523（上诉法庭）；［2001］2 Hong Kong Law Reports and Digest 659（终审法院）。

[39] ［1999］1 Hong Kong Law Reports and Digest 783（上诉法庭）；［1999］3 Hong Kong Law Reports and Digest 907（终审法院）。

目标相称的。

四、香港违宪审查的程序和司法补救

虽然正如上文所指出，香港在回归前已存在以《英皇制诰》的人权保障条款为基础的"违宪审查"制度，在回归后的司法实践中亦已建立以《基本法》为基础的"违宪审查"制度，但值得留意的是，香港的诉讼法中并没有对涉及违宪审查的案件的诉讼程序和法院在这些案件中所能颁发的司法补救，作出专门的规定。违宪审查问题（即某项立法是否因在回归前违反《英皇制诰》或在回归后违反《基本法》而无效）通常只是在一般刑事、民事或行政诉讼所引起的法律辩论中出现的问题，而并非案件的主要诉讼理由。

举例来说，在刑事案件中，如果控方在检控被告人时需要倚靠某些刑事的实体法、程序法或证据法的规定，而被告人认为任何这些条文与《英皇制诰》或《基本法》相抵触，便可以这些条文并无法律效力为其抗辩理由。例如在上述的 R v Sin Yau–ming 和 R v Lum Wai–ming 等案，被告人的辩护便是控方所援引的证据法的某些推定条款违反《英皇制诰》所肯定的有关无罪推定的人权标准，因而无效。

上述在回归后的《香港特别行政区诉马维騉》案所涉及的也是刑事诉讼。在此案中，3名被告人被控串谋妨碍司法公正，这项刑事罪行是普通法所设立的，他们的抗辩理由则是，普通法在回归后已不再有效，而特区临时立法会所制定的《香港回归条例》（其中包含延续原有法律的效力的条款）也是无效的，因为临时立法会并不是根据《基本法》而有效地成立的立法机关。此外，上述的《吴恭邵案》（"国旗案"）也是涉及违宪审查的刑事案件。

违宪审查的问题也可出现于涉及行政和民事问题的案件。例如在 R v Town Planning Board, ex p Auburntown Ltd [40] 和 R v Town Planning Board, ex p Kwan Kong Co [41] 等案，受城市规划影响的土地所有人提起诉讼，指称《城市规划条例》所规定的制定规划图则的程序不符合《香港人权法案》第 10 条的其中一项原则，即在判定任何人在诉讼案中的权利时，该人有权获得独立无私的法庭公正和公开的审讯；但法院则裁定此原则在此情况下并不适用。又例如在 Tam Hing-yee v Wu Tai-wai [42] 一案，一个未能依照法院判决还债的债务人被法院颁令不准离开香港，他质疑授权法院作此颁令的《地方法院条例》[43] 是否违反《香港人权法案》第 8 条有关自由离开香港的权利的规定，但在债权人上诉时被判败诉。[44]

香港回归后的数宗由法院审查法例是否与《基本法》相抵触的案件，都是涉及个人与政府的入境事务处之间的行政诉讼。例如在《张丽华诉入境事务处处长》一案，多名原告人请求法院就入境事务处的一系列决定进行司法审查，这些决定包括不准原告人进入香港的决定、不准原告人居留香港的决定、关于原告人须移送往中国内地的"遣送离境令"等。在《陈锦雅诉入境事务处处长》一案，81 名原告人是未经批准而入境或逾期在港停留的港人在中国内地所生子女，他们不被获准在港居留，因而向法院申请对入境事务处的有关决定进行司法审查。

---

[40] (1994) 4 Hong Kong Public Law Reports 194。
[41] (1995) 5 Hong Kong Public Law Reports 261；(1996) 6 Hong Kong Public Law Reports 237。
[42] (1991) 1 Hong Kong Public Law Reports 1, 261。
[43] 《香港法例》第 336 章，第 52E 条。
[44] 此外，也可参见 Agrila Ltd v Commissioner of Rating and Valuation [2000] 1 Hong Kong Cases 175。

从上面可以看到，在绝大多数涉及违宪审查的案件，违宪审查问题只是法院在审理一般刑事、民事或行政诉讼的过程中遇到的问题，而不是原告人以请求法院就某项法律进行违宪审查为独立和唯一的诉讼理由。但值得留意的是，后者情况也确曾出现过，这便是上述的 *Lee Miu – ling v Attorney General* 一案。在此案中，原告人以一般民事诉讼程序请求法院颁布宣告令（declaration)，宣告《立法局（选举规定）条例》[45]中关于功能组别选举的规定为违宪及无效。上诉法院的3人合议庭的其中一位法官列显伦（Litton）在其判词中质疑原告人所采用的诉讼程序是否正确，他认为更适当的程序应是《最高法院规则》[46] 第53号命令的行政诉讼程序。

但无论使用哪种程序，原告人如要请求法院就任何立法行使违宪审查权，则先要确立自己的诉讼资格（locus standi)。根据普通法，[47]除非原告人的利益受到某件事情的直接影响，而此影响的程度又超过一般社会人士因此事情而受到的影响，否则原告人就此事情并没有诉讼资格。在此情况下，如有关事情有违法或违宪的嫌疑，原告人只可在律政司司长（Attorney General）的同意下进行"告发人诉讼"（relator's action)，以伸张公众利益，但就是否对此诉讼给予同意，律政司司长却享有法院不能过问的酌情决定权。[48]

在加拿大，最高法院通过司法判例创建了"公众利益诉讼资

---

〔45〕 原有的《香港法例》第381章。
〔46〕《香港法例》第4章的附属法例。
〔47〕 参见 Tony Blackshield et al., *Australian Constitutional Law and Theory: Commentary and Materials*, Sydney: Federation Press, 1996, pp. 847 – 850。
〔48〕 参见英国上议院法庭的著名判例 *Gouriet v Union of Post Office Workers* [1978] Appeal Cases 435。

格"（public interest standing）的概念，使一般个人请求法院以宣告令行使违宪审查权的诉讼资格大为放宽。[49] 根据这些判例，即使某人的利益不受某项立法直接的影响，他仍可提起宪法诉讼，请求法院就该立法进行司法审查，如果他作为一个公民对该立法是否有效有真正的关注（genuine interest），而同时并不存在任何其他合理和有效的方法，以容许法院得以处理这个问题。这种"公众利益诉讼资格"的原则并不适用于香港，估计香港法院仍将遵从较保守的普通法传统看法。

在处理违宪审查案件方面，加拿大法院的另一个创新是，在某些情况下，法院虽然宣告某项法例违宪，但仍容许该法例在一段指定的时间内继续生效。[50] 这是一种折衷的安排，可避免因该法例被宣布实时无效时出现的法律真空，而政府和立法机关则可在有关指定期间内，亡羊补牢，从速制定符合宪法的新法。和加拿大的情况不同，目前来说，香港法院在涉及违宪审查的案件中所能采用的司法补救，只限于普通法在一般诉讼中的传统补救，如果法例被裁定为违反《基本法》便属自始无效，法院没有暂时保留该法例的效力的权力。

最后一点值得留意的与加拿大的违宪审查制度的比较是，加拿大政府可以把重大的宪法和法律问题（包括宪法解释问题和某项立法是否违宪的问题）提交最高法院，寻求其咨询性意见（advisory opinion）；这个制度是由专门的立法所设立的。[51] 香港没有这样的立法，传统的普通法原则仍然适用，即法院只会在涉

---

[49] 参见 P. Macklem 等著：*Canadian Constitutional Law*, Toronto: Emond Montgomery, 2nd edition 1997, pp. 224 – 225, 1169 – 1170。

[50] 同上，页 1157。

[51] 同上，页 226 – 227。

及当事人之间的具体争议的案件中所使其审判权,以解决一个实际的、涉及具体案情和利益的纠纷,法院不会处理抽象的或假设性的法律问题。

有些学者把各国的违宪审查制度区分为集中的和分散的违宪审查制度(视乎违宪审查权是否集中于某一专门机关还是分散于很多不同层级的法院),以及设有专门宪法法院的和由一般法院负责的违宪审查制度。[52] 从这些分类方法来看,香港的违宪审查制度是分散的和由一般法院负责的。即使最低层级的法院(如裁判法院)也有权就某条法例是否违反《基本法》作出裁决,终审法院和高等法院上诉法庭只能在处理上诉案件时审理这类问题,它们就这类问题并不享有专属的第一审的权力,也并没有任何法律规定下级法院在遇到违宪审查问题时,必须转交较高级的法院处理。

五、香港特别行政区违宪审查制度的未来

香港特别行政区成立的时间只有5年,但特别行政区法院已经毫无犹疑地确立和行使了它的违宪审查权(就与《基本法》相抵触的特别行政区立法机关的立法来说),这可算是香港特别行政区法制史上的大事。从某个角度看,香港特别行政区法院的违宪审查权,可以理解为殖民地时代的香港法院根据《英皇制诰》所能行使的违宪审查权的延续。但我认为更贴切的说法应是,香港特别行政区根据《基本法》行使的违宪审查权是以往殖民地法院的违宪审查权的进一步发展和扩伸,因为《基本法》所产生的违宪审查的空间,是较以前《英皇制诰》所容许的空间远为阔大高深的。

---

[52] 参见 M. Cappelletti, *Judicial Review in the Contemporary World* (Indianapolis: Bobbs-Merrill, 1971)。

正如前面所指出，在1991年以前，《英皇制诰》对香港立法机关的立法权并没有设定实质性的限制，所以违宪审查的空间几乎并不存在。1991年后《英皇制诰》引进了国际人权公约，香港法院才开始根据《公民权利和政治权利国际公约》的人权标准（亦即《香港人权法案条例》的标准）审查香港立法机关的立法。《基本法》第39条肯定了这些人权标准，《基本法》第三章更为特区居民的基本权利（包括上述第24条规定的居留权）提供全面的保障。除了一般人权保障外，《基本法》又提供对财产权的保障（第6及105条）。[53] 此外，《基本法》十分详细地规划了特别行政区行政和立法机关的权力平衡关系，订明了特区政府须采用的社会和经济政策，并保障了一些界别和团体的具体权益。上述这些《基本法》条文都足以构成将来法院审查特别行政区的立法和政策的法理依据。

香港特别行政区法院行使违宪审查权的空间之所以较殖民地时代的更为广阔，主要是因为《基本法》是比《英皇制诰》更全面和具体的宪法性档，成为了香港社会未来发展的宏观蓝图和总体规划。香港特别行区法院在根据《基本法》行使违宪审查权时，扮演的角色便是《基本法》的实施的权威性的监护者，这是一个庄严和神圣的任务，可谓任重道远。

当然，我们不可简单化地说，法院的违宪审查权的范围越大便越是好事，或者说法院在行使违宪审查权时越多否决立法或行政的措施便越是好事。违宪审查权往往导致法院介入处理一些具争议性的社会公共政策问题，在个人权利与社会整体利益之间、或在不同的相互矛盾的权益或价值观念之间进行协调。法院需要

---

[53] 参见 Albert H. Y. Chen, "The Basic Law and the protection of property rights," *Hong Kong Law Journal*, Vol. 23 (1993), pp. 31–78.

学习怎样适度地行使宪审查权这种锋利的武器,并在包括立法、行政和司法的整个政治和法律体制中找寻法院作为司法机关和宪法性法律的监护者的恰当位置。

从当代世界各国的政治和法律制度的发展趋势来看,香港法院的违宪审查权的扩展是符合世界潮流的。[54] 越来越多国家已经认识到,法院的适度的违宪审查权,有助于具争议性的社会政策课题在社会的"公共空间"中的讨论和反思[55]。当法院介入这些问题时,它便在参与一种社会性的对话。[56] 司法程序容许各种对立的意见和平和理性地展露出来,而法院的判决,则是高度理性的旁征博引有关材料、法理分析和推理的结果。因此,宪法性问题的"司法化"(即交由法院处理),是有一定的积极和进步的意义的。

---

[54] 参见 C. Neal Tate and Torbj (rn Vallinder (eds), *The Global Expansion of Judicial Power*, New York: New York University Press, 1995.

[55] "公共空间"(或译作"公共领域"或"公共论域")是当代德国思想大师哈贝马斯(Jorgen Habermas)在 1962 年出版的《公共性的结构转变》所提出的重要概念,可参见曾庆豹:《哈伯玛斯》,台北:生智文化事业,1998 年,第 2 章。

[56] 参见 Laurence H. Tribe, *American Constitutional Law*, Mineola, New York: Foundation Press, 2nd ed. 1988, chapter 3, 尤其是页 66。